cent familles

CARRERE

Michel Lafon

Éditions 13
9 Bis rue de Montenotte
75017 PARIS
Tél. : (1) 46.22.44.54

9 bis, rue de Montenotte 75017 Paris - 1.46.22.44.54
Novembre 1985

I.S.B.N. 2-86804-192-1

A Margaux et Aurélie
grâce à qui rien ne sera
plus jamais comme avant

A Patrick et Mauricette Rouxel,
les premiers témoins

A Gérard Pedron, aussi...

Fragile comme un ciel d'automne
au regard qui transpire l'émotion,
de l'amitié jusqu'à la passion
tantôt loubard ou gentilhomme.

P. R.

Sommaire

Chapitre 1
PASSAGE DE L'ÉPARGNE

Ma mère est venue me chercher avec un sac à provision dont elle extirpa un gros manteau de laine. Je refuse de l'enfiler devant mes copains, j'ai peur d'être ridicule. Il fait 30 degrés à l'ombre. Tout en nous dirigeant vers la station du métro, je regarde cette femme. Ses gestes sont nerveux, sa démarche rapide. Elle semble révoltée, parle à haute voix et profère des menaces contre un certain Achour.

Nous nous éloignons de la DDASS où je vis depuis l'âge de deux ans et demi. J'aurais préféré rester avec mes copains. Nous sommes fin juin, ma mère a été autorisée à me reprendre.

A Paris, le centre de l'assistance publique, qu'on appelle plus communément la DDASS se situe dans le 14ᵉ arrondissement, non loin de la place Denfert-Rochereau. On peut l'apercevoir quand on circule sur le boulevard Denfert-Rochereau. C'est un immense bâtiment grisâtre. A l'entrée, un écriteau où l'on peut lire :

CENT FAMILLES

SAINT VINCENT DE PAUL
Département de Paris
Aide sociale à l'Enfance
Secteur Unifié de l'Enfance
du 14e arrondissement

Au fur et à mesure que nous approchons du métro, je sens que mes chances diminuent. Nous voilà assis face à face. Ses yeux gris me fascinent. Les cernes qui la maquillent tranchent avec sa peau très pâle, c'est une femme fatiguée. Il passe dans son regard une infinie tristesse. Tout à coup elle se lève, elle extirpe de son sac à provisions trois livres de couleur bleue. Elle me prie de rester assis. A partir de cet instant, compte tenu de la scène qui va suivre, et qui va se renouveler maintes et maintes fois, je comprends pourquoi je vivrais toujours à l'Assistance Publique.

Ma mère se dirige vers l'homme qui se tient debout devant la porte et lui demande d'ôter son chapeau. L'homme s'exécute, surpris.

– *Agenouillez-vous,* lui commande-t-elle, *je vais vous confesser.*

L'homme refuse énergiquement. Déjà c'est l'attroupement et la honte m'envahit. Ma mère invoque alors la colère de Dieu. Elle veut absolument que l'homme qui tente de s'échapper, lise un verset de la Bible. Je me lève enfin et la rejoins tout en essayant de la dissuader. Peine perdue; sa foi, sa force, sa colère, tout est confondu. Elle prêche pour qui veut l'entendre et distribue ses livres sacrés. Il y a les gens qui montent dans le wagon, ceux qui descendent, tous sont impressionnés. Ma mère, en communion avec Dieu, a sur la terre une mission, celle de porter la parole de paix et d'amour.

Exaltée par sa propre fougue, elle décide sur-le-champ de refaire une provision de livres. Nous descendons à la station Rome. La boutique spécialisée en objets religieux est tenue par un vieux monsieur à la barbe blanche. Il connaît bien ma mère. Elle achète une dizaine de Bibles et nous voilà partis à travers la jungle du métropolitain. Je ne comprends pas. Où sont mes copains ? J'ai l'impression que je ne les reverrai plus. La route est sans issue. Envahi par un profond chagrin, je sens les larmes qui coulent sur mes joues. Je m'essuie d'un revers de manche. Ma mère, le regard fixe suit son destin. Elle laisse passer trois ou quatre rames, quand elle en choisit une, elle se précipite vers les portes du wagon, fait sauter le loquet, ouvre la porte et m'empoigne à l'intérieur. Et toujours avec la même fougue et la même passion, elle prie à haute voix pour les pécheurs. Une dame s'agenouille devant ma mère. Enfin, quand tous les livres sont distribués, elle décide que nous pouvons rentrer à la maison. Je ne peux m'empêcher de lui demander pourquoi elle fait ça. Sa réponse est catégorique :

– *Tais-toi Jean-Luc, tu es le fils de Dieu.*

Je ne suis pas pressé de connaître ma nouvelle demeure. A la sortie du métro Laumière, nous marchons une centaine de mètres, pour longer l'avenue Jean-Jaurès, à la hauteur du 103, nous tournons à gauche et nous nous engouffrons sous un porche étroit.

A l'entrée du passage stationne un car de police. Plus tard je comprendrai pourquoi il reste planté là en permanence.

Nous sommes passage de l'Épargne.

C'est l'endroit le plus malsain et le plus dangereux de Paris. A cette époque, c'était un véritable coupe-gorges. Tous les repris de justice, tous les voyous en cavale, les émigrés grecs, mauritaniens, algériens ainsi qu'une colonie italienne y trouvaient refuge.

Imaginez une suite d'hôtels en enfilade, plus vétustes les uns que les autres. Un passage étroit, ouvert sur un ciel de linge et de guenilles.

A mesure que j'avance, mon cœur se serre. Des boîtes de conserves vides, des papiers gras, des épluchures jonchent les trottoirs; les odeurs de cuisine, de thé à la menthe et de sueur, me donnent la nausée. Ici c'est le bas-ventre de Paris. Des cris, des exclamations sortent des cafés où s'entassent des joueurs de dominos. Devant un hôtel, assis sur une caisse de bière, un homme se fait raser. Aux cris des gosses se mélange de la musique. Des marchands ambulants s'étalent sur les trois cents mètres de cette ruelle. Au bout, c'est la rue de Crimée. Quiconque a vécu passage de l'Épargne peut dire qu'il a connu la misère, la délinquance et le reste.

Et ma mère qui m'entraîne d'un pas décidé, sans regarder, ni saluer personne. Cette fin d'après-midi n'en finit plus. Je suis épuisé. J'ai envie de pleurer.

Je sais que je n'ai rien à faire ici. Ma vraie vie c'est là-bas avec mes copains. A la DDASS, je suis livré à moi-même. Ici, quelqu'un me tient la main, quelqu'un que je ne connaissais pas et que je ne voulais pas connaître.

Arrivés à la moitié du passage de l'Épargne, au n° 10, hôtel de France, nous nous engageons dans l'escalier, les marches sont recouvertes de sciure. En montant nous croisons un chat. Au troisième étage face, une porte rouge foncé, ma mère fouille nerveusement dans son sac, pestant contre le manque de lumière. Elle n'a pas besoin de chercher plus loin, la porte s'ouvre sur une silhouette masculine. Mon cœur bat à se rompre, je voudrais m'enfuir. Je sais qu'ici va se jouer une partie de mon destin. Ma mère entre la première. J'hésite quelques secondes, jusqu'au moment où la voix brusque de l'homme me transperce :

– *Il rentre ou quoi, merde.*

Oui je rentre, plus mort que vif, happé par la main de ma mère. La porte se referme derrière nous, je suis prisonnier. C'est seulement au bout de quelques instants que j'ose lever les yeux pour regarder cet homme.

Allongé sur le lit, les mains croisées derrière la tête, son regard dur nous fixe. Une fine moustache, des cheveux poivre et sel coiffés en arrière, des joues creusées par la maladie, il respire fort, tousse régulièrement et crache dans un vase de nuit qu'il dissimule sous le lit.

Déjà, je haïssais cet homme!

La chambre est minuscule, neuf mètres carrés, une cuisinière à charbon, une armoire en pin, un lit-cage, une table encastrée dans le mur, quatre tabourets en formica, un lit pour le couple, voilà tout ce qui fait le mobilier. La grande misère, quoi!

Ma mère me désigne le lit-cage, je ne dois pas gêner. Elle prépare le dîner. J'entends les bruits du voisinage. Sur les murs jaunâtres, en décoration, un calendrier des Postes de l'année 1965. Sur la photo, cinq chiots dans un panier en osier, ils sont heureux! Des cafards s'activent le long de la gaine de la cuisinière. Le temps semble s'être arrêté dans la pièce. Le silence commence à me peser. Ma mère déplie la table verte et me pousse doucement :

– *Pardon mon Jean, assieds-toi sur le coin du lit que je mette le couvert.*

Je ne m'assois pas sur le lit, mais je continue à scruter l'homme en douce. Tout à coup il intercepte mon regard et me fixe de ses yeux verts. Non Jean, tu ne baisseras pas les yeux. Notre joute s'achève, lorsqu'il est pris d'une bruyante quinte de toux et qu'il crache dans le pot à moitié plein, tiré de dessous le lit.

– *Tu viens manger, Achour*, dit ma mère.

Ainsi cet homme s'appelle Achour, quel drôle de prénom. Il faudra que je vérifie sur le calendrier s'il existe un saint Achour, mais cela m'étonnerait.

Nous mangeons en écoutant RTL, le poulet est bon. Johnny commence à chanter, je me lève pour augmenter le son, ma mère m'arrête. Je comprends l'emprise qu'exerce cet homme sur elle. Tant pis, cette nuit, en sourdine dans mon lit, j'écouterai mes idoles sur mon transistor Optalix. Le repas se termine en silence. Achour a vidé la bouteille de rouge à douze degrés. Puis il est sorti après avoir essayé en vain de nettoyer la tache qu'il s'était faite sur la chemise. Il tousse tout ce qu'il peut. Il est malade, ce type.

Je ne sais pas comment appeler ma mère : « Maman » est un mot étranger pour moi. Je décide donc de ne pas l'appeler tout simplement.

– *Heu, qui est ce monsieur?*

– *Achour, mais ce n'est pas ton père! t'en occupe pas, ne lui parle pas, il est méchant, il frappe sans arrêt ta sœur!*

– *Où est ma sœur?*

– *Jamy arrive demain du centre, vous dormirez dans le même lit, tête-bêche. Ne fais pas de bruit, ne dis rien de cet après-midi à Achour, il nous tuerait. Je vais t'aider à faire le lit mon Jean-Luc.*

Elle sort une paire de draps de l'armoire et prend la couverture de son lit. J'ai envie de faire pipi. Un WC à la turque sur le palier, une porte sans verrou, une odeur qui n'a rien à voir avec le 5 de chez Chanel. Quel cauchemar!

Je me couche sur le lit-cage, au ras du lino. Je ne

peux retenir mes larmes. Mon pyjama sent encore la lingerie de Denfert-Rochereau. Ça sent le propre et ça me manque déjà. J'ai glissé mon transistor sous le coussin qui me sert d'oreiller. C'est un coussin qu'on gagne à la loterie dans les fêtes foraines. Je n'ose pas écouter mes chères chansons, de peur qu'on me confisque mon seul ami. Je m'endors en rêvant que je m'échappe de cet enfer.

Voilà, nous sommes au milieu de l'année 1965. J'ai sept ans et demi. C'est seulement maintenant en écrivant ce livre, que je fais le bilan de ma vie.

Il ne faut pas croire que tous les mômes de la DDASS ont connu la même détresse que moi. Certains ont su tirer profit et bien-être de l'Assistance Publique. Moi j'ai lutté toute ma vie contre l'injustice des grands. J'ai rejeté en bloc leur univers. J'ai toujours su que ma vie serait jalonnée de problèmes engendrés par ma sensibilité. C'est la faute à personne.

Je comprends que ma mère ait choisi de me confier au dépôt de l'Assistance Publique. Sans aucun doute c'était le bon choix. Elle me savait nourri et au chaud.

Je suis resté à la DDASS de Paris jusqu'à l'âge de quinze mois. Ensuite j'ai été confié à une famille dans la Nièvre, à Saint-Martin-du-Puit, chez M. et Mme Dupré. Ces gens m'ont aimé à la folie allant même jusqu'à vouloir m'adopter. Mais impossible, puisque j'avais une maman.

Mon premier souvenir remonte à cette période. Je me revois dans la cour de la ferme au milieu des animaux. Je me rappelle avoir caressé une petite haie de houx. Arbre fétiche, j'en ai gardé une grande passion. L'arbre de houx de douze mètres de haut qui orne la façade de mon manoir vendéen a largement contribué à son acquisition. En dehors de ce souvenir précis, plus rien, sauf une photo glissée dans mes bagages par Mme Dupré, où l'on me voit courir après les poules et les canards.

A deux ans et demi retour au bercail, via le dépôt. Pourquoi ne m'a-t-on pas laissé dans la Nièvre? Sûrement à cause d'une subtilité de l'administration qui m'échappe.

Aujourd'hui encore je me souviens de la petite lumière violette du dortoir de Denfert. Au fond, le petit studio de l'éducateur.

J'ai deux ans et demi et je découvre la vie. Avec moi il y a des dizaines d'enfants de toutes races, mais sûrement pas de toutes conditions sociales. Noir, basané ou blanc, cela ne fait aucune différence ici et c'est tant mieux.

Lorsque je me penche sur mon passé, je retrouve toujours des cris et des pleurs d'enfants. C'est imprégné au plus profond de moi, je sais pourquoi.

Mon arrivée au centre s'est faite comme une nouvelle mise au monde. L'assistante sociale me tenant par la main, m'a conduit jusque dans la lingerie de l'établissement où nous avons retrouvé une religieuse. A travers le dédale des couloirs ce n'étaient que cris et pleurs d'enfants. A deux ans et demi je ne pouvais pas comprendre pourquoi j'étais là. Mais des odeurs ont hanté mes solitudes et aujourd'hui je me situe et me retrouve à travers ces mêmes odeurs. Le temps s'écoule, je fais ma vie et je grandis au milieu des autres enfants, réfectoire, école maternelle, dortoirs.

Le dimanche c'est la visite des parents, ma mère vient quelquefois, je ne sais plus, peut-être un dimanche sur trois. A chaque fois elle m'apporte des œufs de Pâques.

Pendant l'été 1964, je suis transféré sur un autre centre du côté du parc Montsouris, 41, avenue René-Coty. La plaque indique *La Maison Maternelle Fondation Louise Koppe*. J'arrive avec une dizaine d'autres enfants comme moi brinqueballés dans l'éternel minibus Citroën. Assis à l'arrière du véhicule, émerveillé, je découvrais Paris. J'étais très impressionné de voir tout ce monde, ces voitures.

Au bout de quatre jours au nouveau centre, tous les gosses sont réunis dans la cour. En rang d'oignon, les uns après les autres on se fait raser la tête par une infirmière. Il y a parmi les nouveaux venus quelqu'un qui a des poux, et pour éviter l'épidémie sauvage, ce sont deux cents gosses qui auront la boule à zéro.

Ce jour-là fait partie de mes mauvais souvenirs. Déjà j'aimais porter les cheveux longs et quand j'ai vu mes boucles tomber, j'ai pleuré. Pour me punir on m'a mis au coin au fond de la cour. En levant les yeux j'ai vu passer un petit train. Dans ma tête je me suis dit que c'était très facile de s'évader en prenant le train, qu'il faudrait que je me renseigne pour savoir si c'était un direct ou un omnibus. En fait c'était le métro.

Octobre 1964. Je suis resté tout l'été au centre Montsouris. Je passe la visite médicale et l'on s'aperçoit que j'ai un voile au poumon. Ce n'est pas grand-chose, mais il faut me faire soigner. Je prépare ma valise et je pars immédiatement pour Bayonne. Mon séjour dans cette antenne de la DDASS m'apporte une révélation, la mer. Jusqu'à cette époque cela n'était pour moi que du papier bleuté où voguaient de beaux bateaux blancs.

Je restai là jusqu'à fin mai 1965. Il a fait très beau,

les éducateurs n'étaient pas particulièrement sympathiques, c'est tout. Ah! non j'oubliais la photo du groupe, comme dans toutes les colos il existe la photo de vacances avec toute l'équipe. Tout le monde est prêt pour la photo, les enfants, les éducateurs, les animateurs.

– *Mais où est donc passé Jean-Luc?* s'écrie quelqu'un.

Et les voilà partis à ma recherche.

Oh non! Je n'avais pas « fugué », pas encore, j'avais seulement suivi un gros lézard à travers les dunes, là-bas.

Je me suis fait houspillé par l'éducateur. J'ai bien essayé de lui expliquer le lézard énorme, ma course pour le rattraper, rien n'y fit. Et quand les photos furent affichées dans le réfectoire, tout le monde put voir un petit Jean-Luc boudeur. C'est depuis cette histoire que s'est installé en moi le blocage photo.

Fin mai 1965, retour à la DDASS Paris - Denfert-Rochereau. Nous sommes quatre enfants à partir. Ce qui veut dire que nous sommes guéris. Je ne regrettais pas ce départ, mais je laissais un copain que j'aimais bien. Il était né le même jour et la même année que moi et je pensais que tous les enfants nés le 23 décembre 1958 étaient de l'Assistance Publique. Je décrétais ce jour maudit définitivement.

Au départ d'Hendaye un tube Citroën nous attendait pour nous conduire à la gare. Mon camarade vint vers moi et me remit une boîte à chaussures fermée par une ficelle en me disant « tiens, tu as oublié ça ». Pressé par le temps et l'éducatrice, je n'ai pas pu ouvrir cette fameuse boîte, et, c'est seulement dans le train que mes premières larmes d'amitié sont venues mouiller mon visage.

Mon petit camarade m'avait tout simplement offert

son transistor. Il avait même mis des piles neuves dans une autre boîte. Touchant gage d'amitié, il savait que je voulais devenir chanteur plus tard. Il m'avait remis également une longue lettre pour sa sœur que j'allais rejoindre à Denfert-Rochereau, où il la priait de prendre soin de moi. Dans une autre enveloppe, un mot qui m'était destiné.

Je ne me souviens pas exactement des termes exacts de cette lettre, seulement la fin :

« C'est sûr, un jour on entendra tes chansons à travers ce transistor ».

Je n'ai plus jamais revu le petit Christian, qu'est-il devenu? Quant à sa sœur, à mon arrivée, elle était déjà partie vers son destin.

Et me voilà de nouveau dans le dortoir de Denfert-Rochereau. Assis sur mon lit, les jambes repliées en tailleur, j'écoute Europe n° 1 sur mon Optalix orange et noir. Antoine et ses élucubrations; « quand revient la nuit » de Johnny, Christophe et ses marionnettes construites avec de la ficelle et du papier; la guerre entre Johnny et Antoine, « Cheveux longs, idées courtes ». C'est le choc, c'est décidé, je serai moi aussi chanteur. Rien, ni personne ne m'arrêtera. Je commence donc mon apprentissage. J'apprends par cœur toutes les chansons que je trouve dans le « *Salut les copains* » que je pique régulièrement aux grands de treize ans.

Je passe ainsi une partie du mois de juin à Denfert, assis contre un des tilleuls de la cour, entouré par quelques copains, je leur explique comment je ferai pour devenir une star. Et pour bien leur faire comprendre mes ambitions, j'ajoute quelques imitations. C'était mon premier public.

Ce mois de juin 1965 sera capital dans mon existence. Je suis têtu et pour le pauvre môme que j'étais, la chanson représentait la revanche de l'opprimé. Enfin, j'ai trouvé « ma voie ».

Le 20 juin 1965, les Beatles seront en concert au Palais des Sports. C'est à grand renfort de spots publicitaires que les radios annoncent l'événement. Pour moi, le phénomène Beatles ne représente pas grand-chose. Je suis trop jeune. Pourtant très vite je vais être contaminé par mon voisin de lit qui chaque soir en se couchant chantonne quelques airs des quatre garçons dans le vent. Il voulait absolument assister à ce concert. Le 20 juin dans l'après-midi, nous sommes tout un groupe assis dans un coin de la cour. Je suis le plus jeune. Il fait très chaud. Un des garçons propose une fugue, pour aller voir les Beatles à la sortie des artistes. Un aller et retour, hop, ni vu, ni connu, j't'embrouille.

Tout le monde accepte et je ne suis pas le dernier. Nous sortons par la lingerie. Nous sommes une quinzaine à nous enfuir en riant. Attendez-moi les gars! Mais où se trouve le Palais des Sports? On se précipite dans la première bouche de métro venue, pas de billet. Finalement, nous y voilà. C'est la première fois que je vois autant de monde. La foule qui pousse. Je ne sais pas comment, mais je me retrouve à l'intérieur avec deux de mes camarades. Mon premier concert. Quand les Beatles se présentent sur scène, c'est une folie collective parmi les spectateurs. Les gens crient, battent des mains et dansent dans les allées.

« A pinces », vers une heure du matin nous avons regagné Denfert-Rochereau. La surveillante générale nous attendait. Le meneur fut sévèrement puni, pas les autres. Ce soir-là, je fus, c'est certain, le plus jeune spectateur.

PASSAGE DE L'ÉPARGNE

La musique résonnait encore dans ma tête. Malgré tout je continuais à préférer les chanteurs français. D'abord parce que je comprenais les paroles et puis parce qu'ils étaient Français tout simplement. Et surtout, parce que mes rêves, je les faisais en français, pas en anglais.

Ce n'était pas les rois du rock and roll qui allaient me faire changer d'avis. Aujourd'hui pas plus qu'hier.

C'est comme ça. Certains naissent riches et beaux, d'autres pauvres et laids. Pourquoi? Moi je suis venu au monde sans avoir été désiré. Je suis un accident. Seulement voilà, j'ai toujours juré de m'en sortir, et avec les honneurs s'il vous plaît. Finies les brimades, les petites injustices, les vexations. Fichez-moi la paix souvenirs! Je n'ai plus sept ans et demi, ni douze, ni quinze ans. Une dernière fois nous avons rendez-vous. Je vous laisse la vedette.

Vous pouvez tout dire. Toute la vérité, rien que la vérité. Déballez, étalez, Jean-Luc Lahaye n'a plus peur de rien. Ce qu'il cachait, c'est ce pourquoi il avait honte avant. Aujourd'hui, il s'en délecte. Il vous a bien eu le petit Jean-Luc. Vous vouliez faire de lui un de ces pauvres martyrs inconnus, un raté de l'existence qui longe les murs. Dans le ciel brille une étoile qui trace sa route et vous ne l'avez pas vue. Capricieux souvenirs, une toute petite étoile perdue dans la galaxie s'est penchée sur lui. Jean-Luc, ce que tu veux, tu l'auras. A condition de garder le cap que je t'indique. Suis ma lumière, elle te conduira. Bien sûr, tu essuieras des tempêtes, mais la poussière d'or qui brille au fond de tes yeux ne s'éteindra jamais.

Aujourd'hui, j'ai parcouru une certaine distance.

CENT FAMILLES

OK! Je m'arrête, le temps de régler nos comptes « souvenirs ». Déjà je me sens envahi par l'ivresse de ce monologue. Vous êtes prêts, souvenirs, d'accord, pas de quartier.

Le premier arrivé attend l'autre. Et rendez-vous devant mon étoile.

Chapitre 2
LA VIE DE FAMILLE

Une vie ne vaut rien, mais rien ne vaut une vie.

André Malraux

Je me suis donc endormi. Sept heures le matin, je suis brutalement réveillé par une chaussure que je reçois sur le visage. Je me redresse pour entendre les injures d'Achour :

– *Debout fainéant, va me chercher une boîte à chique chez l'Arabe, il y a des sous dans ma veste.*

– *Laisse-le, il ne sait pas où c'est, répond ma mère.*

– *Ferme-la, et lève-toi, fais que j't'ai dit.*

Je suis encore endormi, mais debout au milieu du taudis. Avec mes mains, j'essaie de cacher la proéminence qui gonfle ma petite culotte. Ni douche, ni déjeuner, j'enfile le pantalon de toile grise de la DDASS. Je prends timidement les cinq francs dans la poche de la veste d'Achour sans le quitter des yeux. Cette corvée, je la vivrai quotidiennement pendant tout l'été.

Un jour, Achour frappe ma mère à mort, pour qu'elle lui dise ce qu'elle a fait de sa paie de juin. Moi je le savais, témoin de la scène dans le métro. Oui, ma mère que j'appelais bientôt maman, a terriblement souffert avec cet homme. Chaque jour je découvre un peu plus la méchanceté d'Achour.

Ma sœur qui nous avait rejoints, était bien plus visée que nous. La pauvre Jamy! Mais pourquoi ma mère continuait-elle à vivre avec Achour? Nul ne le sait, elle non plus d'ailleurs. Peut-être est-ce la peur de l'inconnu, ou la peur des représailles. Combien de fois ai-je entendu ma sœur lui dire :

– *Maman, va trouver la police, je t'accompagne.*

Eh bien non, elle ne s'est jamais plainte.

Durant ces deux mois d'été, j'ai pu faire connaissance avec le passage de l'Épargne. Et, finalement, je le trouvais moins sauvage qu'au début. On s'habitue à tout.

Je vivais en exil, ma mère venait de briser la glace et j'avais 7 ans... de malheur.

Ma sœur, âgée de 10 ans, ne parlait guère. Je sentais néanmoins qu'elle m'aimait. Ses grands yeux noirs lui dévoraient le visage. Elle aidait ma mère aux tâches ménagères, faisait quelques courses, mais ne traînait jamais dans le passage. On ne sait jamais, avec les princes du désert.

Juillet : Chaque matin, ma mère se lève tôt. Elle part sans déjeuner, de peur d'être en retard au travail. Nous voilà ma sœur et moi livrés à ce monstre d'Achour.

C'est la terreur, nous n'osons pas dire un mot, lui, comprend le malaise. Au lieu de détendre l'atmosphère, il l'adourdit. Il ne parle pas, il marmonne des mots incompréhensibles. Jamy prépare le petit déjeuner. Pour moi c'est du chocolat et du pain beurré. Pour Achour, c'est un café noir qu'il prend allongé sur son lit. C'est une position qui lui convient parfaitement. Il faut s'assurer que Monsieur ne manquera pas de cigarettes et veiller à ce que la cuisinière ne s'éteigne pas. Malheur si elle venait à s'éteindre. A la radio j'entends souvent France Gall qui chante « Poupée de cire », Johnny avec « Les monts près du ciel » mais le tube du moment c'est « Satisfaction » des Rolling Stones. Le tempo me plaît, mais je ne comprends rien du texte. Je l'apprends pourtant par cœur.

Août : Ma mère est en vacances. Elle en profite pour laver le linge de la maison. Cela se passe au lavoir qui se trouve dans la cour de l'immeuble. En ce qui me concerne, la lessive est vite faite, puisque je ne possède qu'un seul pantalon et trois tee-shirts, dont un qui me reste encore aujourd'hui. Je le garderai probablement jusqu'à la fin de mes jours. Ce tee-shirt m'avait frappé la première fois que je l'avais vu porté par l'un de mes camarades de la DDASS. Un écureuil imprimé sur le devant, je le trouvais fantastique.

Un jour, profitant de l'absence d'Achour, ma mère nous emmène respirer l'air pur de Montmartre. Il fait terriblement chaud. J'ai terriblement soif. A chaque instant je me plains et ma mère s'énerve. Nous entrons dans un bar, ma mère s'approche du barman et réclame deux verres d'eau du robinet. Le garçon refuse en prétextant qu'ici, ce n'est pas l'Armée du Salut. Dans la seconde qui suit, ma mère passe derrière le comptoir en le poursuivant de ses injures, surpris il lâche le plateau de verres qu'il tenait. Le patron intervient et prie ma mère de se calmer. Quelques clients commencent à prendre notre défense. Du coup, nous buvons du Perrier, offert gracieusement par la maison. Lorsque nous quittons l'établissement, ma mère me regarde droit dans les yeux et me dit : « *Mon Jean, tu es un petit homme, ne te laisses jamais faire* ».

Je crois avoir toujours appliqué son conseil, un peu trop même. Comme ce matin, où ma sœur vient m'embrasser sur le trottoir et me dit :

– *Je pars en colonie de vacances, je t'écrirai, prends bien soin de toi. Au fait, j'ai pris ton transistor, je te le rendrai.*

Je me suis levé d'un coup, puis après m'être emparé de sa valise, sous l'œil ahuri de la dame qui était venue la chercher, je l'ai complètement vidée. J'ai récupéré mon précieux compagnon qu'elle avait soigneusement roulé dans une serviette.

Devant les pleurs de ma petite Jamy que j'aimais bien, je n'ai pas résisté. Le transistor est retourné dans sa petite valise rouge. J'ai eu tort. Je ne l'ai revue que de nombreuses années plus tard, après ses vacances, Jamy refusa de regagner le passage de l'Épargne. Elle fut confiée à une famille de paysans en Auvergne.

Que faire à Paris au mois d'août, quand on a sept ans? Passage de l'Épargne, le spectacle est dans la rue. Un jour une bagarre au couteau entre Arabes fait deux morts. Une autre fois avec ma mère, nous nous apprêtions à monter l'escalier, quand soudain, une violente dispute éclate sur le trottoir. Poussés par la curiosité, nous nous précipitons. Déjà un attroupement s'est formé et encourage les antagonistes, un individu fracasse le crâne d'un homme allongé par terre. Ma mère ne fait ni une, ni deux, écarte la foule et s'empare du bras de l'individu et le tord pour lui faire lâcher le poids de 1 kg en fonte avec lequel il assassine lâchement celui qui est à terre. Il fallait avoir une certaine dose de courage pour oser s'interposer dans un règlement de comptes. C'est également dans ce quartier mal famé, qu'a commencé mon éducation sexuelle. Un copain qui loge dans le même hôtel que moi me fait signe de le rejoindre tout en ayant soin de mettre le doigt devant sa bouche, pour me faire taire. A pas de chat, je m'approche. Il a entrouvert, d'une dizaine de centimètres, les volets d'une chambre au rez-de-chaussée.

– *Regarde,* me dit-il, *c'est ma mère.*

Intrigué, j'approche mon œil comme pour voir à travers une longue vue.

Sa mère est nue sur le lit, les jambes écartées, un homme nu également s'active sur elle en grognant. Je ne sais pas si c'est le dégoût ou l'indignation qui m'ont donné la nausée. Mais cette scène m'a profondément marqué, cela ne faisait qu'accroître mon rejet pour le monde des adultes. Les hommes et les femmes étaient des animaux. Mais ils nous gouvernaient, nous autres enfants.

Un soir Achour rentre avec le sourire. Chose extraordinaire quand on connaît l'individu. Il nous annonçe qu'il vient d'acheter une voiture. C'est une Renault Juva 4. Il n'est pas peu fier le Achour.

– *Demain, nous partirons à la campagne voir la tante Esther,* nous annonce-t-il.

Le repas est calme, presque gai. Chacun fait des projets. Il ne manque que la télévision maintenant pour que nous ayons l'air d'une vraie famille. Nous nous couchons très tôt pour pouvoir partir de bonne heure le lendemain matin. Je n'ai pas reçu mon coup de chaussure habituel. Ma mère a préparé le pique-nique. La voiture est garée non loin de là, près du canal de l'Ourcq. Elle est blanche, un blanc sale, mais n'a pas l'air en trop mauvais état. Nous quittons Paris en direction de Thoury en

Eure-et-Loir. Au bout de 2 kms je commence a avoir mal au cœur. Ma mère demande à Achour de s'arrêter. Il continue en faisant celui qui n'a pas entendu. Il va quand même stopper le véhicule quand je vais vomir mon petit déjeuner sur les fauteuils en skaï. Il va même déchirer mon tee-shirt pour essuyer les coussins tachés. Assis sur le bord de la route je hurle de détresse. Moi qui crois tenir un moment de bonheur en ce jour ensoleillé du mois d'août.

La voiture s'est arrêtée devant la maison où a grandi ma mère. La tante Esther est là debout, très droite devant la porte. A son regard, je comprends qu'elle ne porte pas Achour dans son cœur. Nous nous approchons ma mère et moi. La tante Esther prend ma mère dans ses bras et l'embrasse très fort.

– *Alors c'est toi le p'tit Jean-Luc*, me dit-elle? *Bon d'là de d'bon d'là, c'que tu ressembles à ta mère!*

Elle m'attire contre elle et me serre contre son cœur. J'ai l'impression qu'Achour n'existe pas pour elle. Elle ne lui adressera même pas la parole pendant notre séjour. Par contre Achour le lui rend bien. Il a ce qu'il voulait : c'est à dire montrer à la famille de ma mère qu'il pouvait acheter une voiture. Ce jour-là est un jour de fête. La tante Esther me fait des crêpes à la confiture. Elle m'emmène voir le poulailler. La journée passe trop vite. Il est l'heure de repartir.

– *Vous n'allez tout de même pas repartir le ventre vide. Et puis je vous conseille de ne pas rouler de nuit. D'ailleurs je vais vous préparer une chambre. Le petit couchera avec moi dans mon lit.*

Le dîner fut succulent. Une bonne soupe de légumes du jardin, une omelette aux pommes de terre, et pour finir une grosse pomme que j'ai croquée à pleines dents. La fatigue du voyage, l'air de la campagne, je ne me fais pas prier pour aller me coucher. Je m'endors bien vite.

Dans la nuit, je suis réveillé par une très grosse envie de faire pipi. Je me lève sans respirer pour ne pas réveiller la bonne tante. Je heurte une chaise et m'approche de la porte que j'essaie en vain d'ouvrir. Mais le loquet est trop haut et je n'arrive pas à le débloquer. Mon envie est pressante. J'avise sur un guéridon, un vase qui contient un bouquet de fleurs fanées. J'ôte les fleurs et commence à me soulager dans le pot. C'est à cet instant de bien être, que la lumière s'allume. La tante est réveillée et voit mon geste sacrilège. Elle me traite de tous les noms pendant que je continue à vider ma vessie.

– Tu te rends compte, c'est le dernier bouquet de fleurs que m'a offert mon défunt mari.

– Euh! Ben! oui! Tante Esther, où puis-je aller vider le vase?

Alors, là la tante n'en peut plus et éclate d'un grand rire qui fait vibrer toute la maison. Les carreaux explosent, les tableaux se décrochent, enfin presque. La tante a compris que je suis un petit oiseau tout mouillé qui a besoin de trouver un nid. Il est cinq heures du matin. La tante décide qu'il est l'heure de se lever pour aller au marché. Je trouve que les gens de la campagne sont bien matinaux pour faire les commissions.

La tante prépare un chocolat dont le fumet me chatouille les narines encore aujourd'hui; des tartines de beurre au pain doré et croustillant. Je m'habille et sors. La tante Esther est déjà là et m'installe sur le porte-bagages de son énorme bicyclette.

Elle s'amuse beaucoup. Nous avons dû faire environ 3 kms pour trouver la ville. J'avais peur de mettre mes pieds dans les rayons, je gênais la tante Esther dans les montées. Mais la campagne sentait bon, les blés venaient d'être coupés. Les oiseaux piaillaient. Plusieurs fois, il a fallu descendre du vélo. Mais sur le plat, nous étions grisés par la vitesse. Les cheveux blancs de la tante volaient à tout vent.

Nous arrivons sur la place du village. Les commerçants installent leurs marchandises. Bien vite, je comprends que la tante Esther n'est pas venue pour acheter, mais pour vendre. Chaque semaine, pour se faire un peu d'argent, elle donne la main à une amie pour vendre des sacoches de cuir et des sabots de bois. Je suis embauché! Il est décidé que je serai le caissier. C'est à moi de prendre l'argent. Pour ce qui est de rendre la monnaie, c'est plus difficile. Et, j'entends souvent la tante pester et jurer contre mon incompétence. Les sabots de bois se vendent bien. Je dois souvent descendre de mon piédestal pour cacher la recette qui gonfle mes poches. Jamais je n'ai vu autant d'argent à la fois. C'est une fortune que j'ai entre les mains. Je m'amuse beaucoup.

Vers midi, Achour et ma mère viennent nous rejoindre, la fête est finie. Je me débarrasse très vite de mon tablier par peur des représailles. La tante demande à ma mère de les aider à remballer. Pendant ce temps Achour nettoie sa voiture. Il ouvre les portières en grand, ainsi que le capot. Il est fier de son automobile. En vérité, toute méchanceté mise à part, je crois avec le recul que c'était une poubelle.

La tante Esther nous parle en patois, ça me fait rire. J'essaie de l'imiter et ce sont eux qui rient de mes grimaces. Ma mère s'amuse franchement. Elle sourit en oubliant ses misères.

Il nous faut repartir.

– *Allez petit monte sur le vélo.*

Ma mère me fait les gros yeux l'air de dire, « attention mon petit vieux... » Je suis reparti en vélo.

Il est quatorze heures quand nous arrivons à la maison. Achour est déjà dans la voiture. La tante me demande de l'accompagner jusqu'au poulailler. Elle y prend trois œufs, qu'elle me tend.

– *Tiens ça c'est pour la route, t'auras qu'à les gober.*

Elle retire une épingle du col de sa blouse, perce les deux extrémités d'un œuf et aspire très fort l'intérieur. Ça me dégoute un peu, un œuf cela ne se mange pas cru, tout de même. Il sort des entrailles de la poule c'est chaud. Elle me fait promettre de gober l'œuf et pour me convaincre me dit :

– *Si t'en gobes un, toute ta vie t'auras une belle voix.*

Est-ce le hasard, ou la psychologie de la tante Esther, quoiqu'il en soit, encore aujourd'hui, je gobe un œuf tous les matins.

Je n'ai jamais revu la tante Esther. Elle est morte quelques années plus tard. Ma mère m'a dit qu'elle écrivait régulièrement en demandant de mes nouvelles.

La tante était très triste de l'aventure que vivait ma mère avec Achour. Elle l'avait élevée et elle était très attachée à sa nièce.

Le retour s'est passé sans histoire. J'ai demandé à ma mère d'ouvrir sa fenêtre avant de partir. Pendant le trajet, le menton sur son épaule, je respirais à pleins poumons, l'air de cette campagne. Je faisais mon plein de souvenirs.

Chapitre 3

RETOUR A DENFERT-ROCHEREAU

Quand ma mère est venue me récupérer à la DDASS en ce mois de juin 1965, je pensais que c'était pour la vie. Le temps est long passage de l'Épargne. J'en profite pour faire la connaissance de ma mère. C'est une gentille femme, profondément pure et sincère. Par contre, très maladroite, elle ne sait pas cacher ses états d'âme, ni ce qu'elle pense des gens qui l'entourent. Une chose est certaine, elle déteste en bloc l'entourage d'Achour.

Je me souviens d'une scène lamentable en ce mois d'août. Achour avait demandé à ma mère de lui préparer un couscous pour le dîner. Ma mère n'est pas ce qu'on peut appeler une cuisinière hors pair. De plus, le couscous ce n'est vraiment pas sa spécialité. Elle était plutôt du genre poulet-salade. Par contre, elle fait ce qu'elle peut. Tout est prêt sur la table. J'ai très faim. Une demi-heure passe, Achour n'est toujours pas rentré. Ma mère, impatiente, sachant où le trouver, décide d'aller le chercher. Nous entrons dans le café en bas de l'hôtel. C'est un café en escalier sur trois niveaux. Un bar 1930 traverse la pièce principale. Partout des petites tables où s'entassent de bruyants joueurs de dominos. Dans la moiteur de l'ambiance, ça sent la sciure et le thé à la menthe. On entend le claquement des dominos plaqués sur la table par les joueurs. C'est dans ce vacarme que ma mère s'approche d'Achour pour lui demander quand il compte venir manger. Ce n'est sûrement pas dans les habitudes d'Achour de recevoir des réflexions d'une femme et surtout pas devant ses copains. Il a le regard du légionnaire qu'on dérange alors qu'il lit la chèvre de Monsieur Seguin.

Il répond en envoyant à la figure de ma mère, les dominos qu'il tient dans sa main. Ma mère esquive le coup, se baisse, ramasse au hasard les dominos qu'elle trouve et les lui renvoie à son tour. Alors là, c'en est trop pour Achour. Il se précipite sur ma mère une chaise à la main et lui assène un grand coup sur le bassin. Ma mère est pliée en deux et hurle de douleur. Les clients du bistrot interviennent et calment Achour, qui continue faute de mieux, à nous insulter. C'est épouvantable, ma mère n'arrive plus à marcher. Il faut aller au commissariat. Il faut faire quelque chose. Elle pleure, je monte sur le bar :

– *Bande de lâches, vous laissez frapper une femme. Un jour, c'est moi qui le dérouillerai celui-là.*

Ajoutant le geste à la parole, je ramasse une bouteille et fais mine de la lui envoyer. Et tout le monde se met à rire. Je prends ma mère par les épaules et nous sortons. Nous marchons côte à côte sans parler. Les mots sont trop petits pour notre désespoir. Nous entrons dans le parc des Buttes Chaumont par la petite porte du bout. Assis sur le gazon, ma mère ne cesse de me répéter :

– *C'est fini mon Jean. C'est fini je te le promets.*

Ma mère me prend la main. Elle me parle de la justice, du Bon Dieu. Pourquoi le Bon Dieu lui donne-t-il tant de misère? Moi je lui parle de mon avenir. Que je serai riche un jour, que je la couvrirai de cadeaux, qu'elle aura une maison, un mari formidable qu'on va commencer dès maintenant par lui en chercher un. Elle s'est mise à rire, la tête penchée en avant.

Le jour tombait tout doucement. Le parc était désert. J'ai juste remarqué un chien qui errait. Tiens, pourquoi n'aurais-je pas un chien plus tard?

Il commence à se faire tard. Nous décidons de rentrer à la maison. Sur le chemin nous passons devant le commissariat, face aux Buttes Chaumont. Je réussis à la convaincre d'entrer. A l'agent de garde assis derrière le guichet, nous racontons notre mésaventure. Il nous dirige sur un inspecteur qui a suivi la discussion de loin.

– *Où habitez-vous?*

– *Passage de l'Epargne.*

– *Je vois,* répond l'inspecteur, *c'est l'endroit le plus infâme de Paris. Nous n'y entrons plus, nous y avons laissé trop de plumes. Que chacun y règle ses comptes. En ce qui vous concerne Madame, je vous conseille d'aller passer la nuit à l'Armée du Salut, il y a une dizaine de centres, dans Paris. Ils pourront vous aider. Ils accueillent les gens en détresse.*

Puis il me caresse la tête en me demandant de ne jamais quitter ma maman, s'il savait...

Nous marchons. Il est vingt-trois heures environ. Près de la Villette nous prenons bien soin d'éviter le passage de l'Épargne. Puis nous faisons demi-tour. Ma mère est calme. Nous marchons du même pas. Elle s'arrête, me regarde. Nous sommes dans le passage maudit. Les trois étages sont grimpés rapidement. Mais quelle n'est pas notre stupéfaction en arrivant devant la porte. Nos bagages sont entassés pêle-mêle. Un mot est collé sur la porte. La réponse d'Achour, c'est une tête de mort dessinée sur le papier. Cela me donne envie de rire. Pas ma mère, elle frappe, cogne, tape à la porte. Rien. Personne. Je suis heureux. Nous attachons nos maigres bagages et redescendons dans la rue. Ma mère s'arrête et pose ses paquets. Je crois que c'est pour se reposer. Mais non, la voilà qui ouvre la porte du bistrot, elle entre. Je la suis. Elle saisit un couteau de cuisine qui traînait sur le bar, se précipite sur Achour et lui colle la pointe de l'ustensile sur la gorge. Les yeux de ma mère sont exorbités. C'est la première fois que je vois Achour trembler! Il est livide. Dans sa main gauche il tient encore ses dominos de cette façon particulière qu'on les joueurs. Il les tient les uns sur les autres afin de pouvoir lire rapidement.

– *Tu vas mourir sale monstre et le Seigneur ne m'en tiendra pas rigueur, tu vas mourir.*

Ma mère est déchaînée. Sans l'intervention rapide de ses accolytes, Achour serait mort. Ils nous fait signe de partir. Une dernière fois nos regards de haine vont s'affronter avec Achour. Je crache dans sa direction. Nous sortons. Je suis fier. Nous sommes enfin libres.

Nous retournons au commissariat. Cette fois-ci c'est un autre inspecteur qui nous reçoit. Gentiment il prend une voiture de service et nous emmène à l'Armée du Salut.

Rien de réjouissant, ni même de comparable à l'Assistance Publique. C'est épouvantable. La directrice du centre nous a installé deux lits de camp devant les cuisines. Nous avons dormi là, recouverts d'une couverture militaire. Nos vêtements sous les lits de camp, car il ne fallait pas gêner le passage.

A cinq heures nous sommes réveillés par les cuisinières qui prennent leur travail. Enfin la directrice (le Major) nous reçoit dans son bureau. Elle téléphone devant nous à une assistante sociale du quartier. Elle nous rejoindra quatre à cinq heures plus tard.

Nous sommes quatre dans le bureau : le Major, l'assistante sociale, ma mère et moi. Aux questions posées par l'assistante sociale, ma mère va toujours mentir :

– *Non, non, aucun problème, j'ai seulement perdu mes clés et comme nous ne savions pas où coucher, nous sommes venus naturellement ici.*

Je suis de plus en plus étonné de l'attitude de ma mère.

Plus tard, quand je serais en âge d'analyser, je comprendrai que ma mère ne supporte pas la solitude. Alors, Achour ou un autre. L'important c'est qu'elle ait quelqu'un.

L'assistante sociale dit à ma mère :

– *Écoutez Madame Fourniquet je ne comprends pas pourquoi on m'a fait venir. En fait, tout va bien. Rentrez chez vous. Vous avez retrouvé vos clés, j'espère?*

Alors là c'en est trop. Je hurle de toutes mes forces :

– *Ma mère a menti, ma mère a menti.*

Ma mère me serre le poignet si fort, que la souffrance décuple mes forces et que je ne peux me dégager. J'ai tout avoué à l'assistante sociale. Tout le monde se rassoit. Silence. J'en arrive presque à regretter mon geste. Mais rien qu'à la pensée de retrouver Achour, je reprends la parole. Pour confirmer mes dires, je montre la joue de ma mère. L'assistante sociale me demande de jurer que l'homme frappait ma mère.

Ma mère nie. L'assistante sociale la prie de soulever

sa jupe. Ma mère refuse. L'assistante insiste. Enfin, ma mère s'exécute. Une partie de ses hanches sont couvertes d'hématomes. Pauvre maman!

Elle a honte.

Le Major et l'assistante sociale sortent du bureau. Je regarde ma mère effondrée, les doigts croisés. L'assistante rentre de nouveau et d'une voix douce, parle à ma mère. Je sais qu'elle parle de moi.

– *Madame vous n'êtes plus mineure, donc vous êtes responsable, si vous voulez retourner vivre avec cet homme, faites-le, on ne vous retient pas. Par contre, pour le petit, il n'est pas question qu'il retourne là-bas. Il y a assez d'enfants martyrs.*

– *Alors, que dois-je faire?* demande ma mère.

– *Il existe des foyers d'accueil. Vous y trouverez le gîte et le couvert moyennant une participation en attendant que vous trouviez un logement. Vous travaillez, vous avez un salaire décent, donc tout devrait pouvoir s'arranger.*

Ma mère est d'accord. Je suis libéré. Tout à l'heure je me sentais un peu coupable. Je savais que la situation était dans une impasse. Je ne pouvais envisager de quitter ma mère. J'étais avec elle depuis deux mois et je m'y étais déjà attaché.

L'assistante sociale nous informe qu'elle va prendre contact avec l'un de ces foyers, mais qu'en attendant, le Major est tout disposé à nous héberger encore quelques jours.

– *Viens Jean-Luc, allons prendre l'air dehors pendant que la dame téléphone,* me dit ma mère.

Nous sortons. A peine sommes-nous sur le trottoir qu'elle m'entraîne dans une fuite éperdue, faite de grandes enjambées presque ridicules à la Bastille, rue du Faubourg-Saint-Antoine.

RETOUR A DENFERT-ROCHEREAU

– *Maman où vas-tu? la dame nous attend. Elle connaît ton nom. Elle sait tout la dame. Et nos affaires?* car nous étions partis s'en rien emporter.

Pas un mot d'Yvette. La voilà qui s'engouffre dans le métro tout en me tenant la main. Je suis désespéré, je ne veux pas retourner chez ce monstre. Je me révolte au fond de moi. Je commence a prendre en grippe cette femme. Mais elle me veut du mal ou quoi?

L'assistante sociale avait raison, si elle se voulait du mal c'était son problème, mais elle n'avait pas le droit d'abuser de ma vie. D'abord ce n'est pas elle qui m'avait élevé. C'est décidé, je ne rentrerai pas chez ce sale type. Le métro arrive, les portes s'ouvrent. Des gens descendent, d'autres montent. Ma mère me pousse à l'intérieur. Je suis à ses côtés. La rame démarre, une station, des gens s'engouffrent. J'en profite pour m'éloigner discrètement. Et avant que les portes ne se referment je saute sur le quai. J'ai l'impression d'avoir abandonné quelqu'un. C'est terrible, le métro démarre et s'éloigne. Je le suis du regard jusqu'à ce que les deux petits feux rouges arrière disparaissent. Soudain je suis pris de remords. Elle va me chercher c'est sûr. J'attends la rame suivante, cinq minutes qui durent des heures. A la station suivante je descends, mais pas d'Yvette. Je vais courir dans les couloirs en pleurant cherchant en vain ma mère.

J'ai légèrement menti à un monsieur en lui répondant que j'avais dix ans.

– *Où sont tes parents?*

– *J'ai perdu ma mère dans la foule.*

Il ne me croit pas.

– *Suis-moi, nous allons la retrouver.*

Nous sortons du métro. A une centaine de mètres, nous nous arrêtons devant une voiture, sa voiture probablement. Il cherche son trousseau de clés dans sa poche. Il ouvre la portière du côté passager et me demande de m'asseoir. C'est la première fois que je prends place à l'avant d'une voiture. Il s'assoit à son tour à la place du conducteur et met le moteur en marche. Il a gardé sur sa tête sa casquette avec les petites étoiles. Je ne sais pas pourquoi, mais je me sens en confiance avec lui.

– *Comment ça va l'école me demande-t-il? Où as-tu passé tes vacances? Où habitent tes parents?*

Je ne veux surtout pas qu'il sache que j'habite passage de l'Épargne. La voiture possède une radio. Sans complexe je tourne le bouton. « La nuit, quand revient la nuit, tout seul je m'ennuie, je pense à toi ». C'est Johnny qui chante. Il a une voix douce, la musique est belle. Nous roulons et je ne sais toujours pas où nous allons. La réponse m'est vite apparue quand nous nous arrêtons devant le commissariat. J'essaie de m'enfuir mais la porte est verrouillée. Je ne peux pas l'ouvrir. L'homme a compris que j'avais fait une fugue. Lui aussi me prend la main et me la serre très fort. Décidément c'est une manie chez les adultes. A l'inspecteur qui nous reçoit, il dit qu'il m'a trouvé à traîner dans le métro. L'inspecteur semble avoir beaucoup d'humour. Il me prie de prendre sa place derrière le bureau. J'en profite pour ouvrir ses tiroirs et fouiller. Je découvre une boîte de crayons de couleurs. Sur une feuille de papier qui traîne parmi les dossiers, je dessine tout en lui racontant mon histoire. Un bateau, un avion, un arbre, une maison, tout ce qui peut faire une vie d'aventurier. L'inspecteur avait consulté le fichier et savait que je venais de la DDASS.

Les brimades continuelles d'Achour, les pleurs de ma mère, l'Armée du Salut, c'est sûrement à cause de tout cela qu'il me dit :

– *Viens, nous allons la chercher ta mère. Passage de l'Épargne dis-tu!*

RETOUR A DENFERT-ROCHEREAU

En fait, c'est à quatre que nous nous engouffrons dans la voiture. L'inspecteur a pris ses renseignements, il sait qu'il vaut mieux avoir du renfort. « Paris by night », quelle joie et quelle revanche pour moi. Je suis assis à l'arrière du véhicule.

– *Monsieur l'inspecteur, vous pouvez remettre la chanson de Johnny à la radio.*

Ce que je ne sais pas, c'est que la radio des voitures de police n'est pas branchée sur Europe 1, mais sur le central. Et la voix mélodieuse de mon idole est remplacée par celle d'un policier à l'accent méridional.

Nous voilà à destination. Il est trois heures du matin, mais je n'ai pas sommeil. C'est la première fois que je vois le passage aussi calme. Devant l'hôtel, je leur fais signe que c'est au troisième étage. Nous montons, les policiers ont sorti leurs armes. Je leur montre la porte du doigt. Ils frappent violemment. Au bout de quelques secondes, une voix de femme demande qui est là. Je reconnais immédiatement la voix de ma mère. J'ai envie de l'embrasser, envie de la voir, de comprendre, de l'emmener loin d'ici.

– *Police, ouvrez!*

– *Madame Fourniquet?*

– *Oui, c'est moi.*

– *Nous avons ici votre fils.* Les policiers sont déjà dans la chambre.

– *Mais où étais-tu Jean-Luc, je t'ai cherché partout,* demande ma mère?

– *Si vous l'aviez vraiment cherché partout, vous l'auriez retrouvé,* lui répond l'inspecteur. *Nous vous prions de vous habiller et de nous suivre, ainsi que l'homme qui est couché, là.*

– *Mais il dort,* répond ma mère.

– *Nous allons le réveiller,* aboie l'inspecteur, tout en tirant sur la couverture du lit.

Achour est là, enroulé dans les draps, le visage tourné vers le mur. Il ne reste pas longtemps à faire semblant de dormir. Les deux policiers l'ont déjà sorti du lit. Il est maintenant debout, ridicule dans son vieux caleçon qui laisse apparaître de vilaines jambes poilues.

– *Mais qui est là, que me veut-on?*

Je n'ai jamais vu un homme aussi pleutre, aussi petit, aussi mesquin, hypocrite à l'esprit malfaisant. Ah! c'est facile Achour de t'en prendre à une femme et à un gosse, devant la force tu t'écrases et tu dégoulines comme une serpillière. Serpent que tu es.

– *Vous êtes le dénommé Achour? Alors suivez-nous.*

– *Oui je m'appelle Achour, que me voulez-vous?*

– *Suivez-nous, un point c'est tout!* Il enfile rapidement son pantalon de toile trop large pour lui, (plus tard je saurai que c'est pour cacher l'énorme hernie qui déforme son bas-ventre), son gilet de laine et son inséparable chapeau. Sur le trottoir en bas de l'immeuble, l'inspecteur fait signe à Achour qu'il peut partir, qu'il n'a plus besoin de lui. Alors là je ne comprends plus et ce ne sont sûrement pas les explications de l'inspecteur qui vont m'aider à comprendre puisqu'il ne dit rien.

– *Montez Madame.*

Retour au commissariat du 19e arrondissement, où une nuit plus tôt nous avions déjà trouvé refuge.

Cette fois, les choses ne se passent plus de la même façon. Ma mère est interrogée dans un bureau, moi je l'attends dans le couloir. En fait, tout se passe très rapidement.

– *Allô, la fourrière, c'est pour un orphelin.*

Au bout d'un quart d'heure, elle ressort, m'embrasse et me glisse un billet de cent francs dans la main.

– *Voilà mon Jean, tu vas retourner à l'Assistance Publique et l'on se retrouvera très vite tu verras. Va et sois courageux mon fils.*

J'ai sept ans, je connais ma mère depuis deux mois. C'est long et c'est court deux mois dans ma petite vie. On me renvoie d'où je viens et ma mère me demande tout simplement d'être courageux... C'est la vie! Chienne de vie, oui!

Dans la voiture, l'inspecteur me demande si j'ai faim. En vérité, je crois que c'est lui qui a envie de manger quelque chose. Nous entrons dans un bar du quartier de Pigalle. La lumière est blafarde. L'inspecteur commande deux sandwiches, dont un à la merguez, j'en raffole. Je lorgne un juke box dans un coin et m'approche. L'inspecteur me suit et sort quelques pièces de sa poche. Sur la pointe des pieds, pour me grandir j'essaie de lire les étiquettes. Nicoletta, Polnareff, J. Hallyday, tous ceux que j'adore. Je fais ma sélection en tout en pensant que c'était formidable de faire chanter ses idoles en appuyant seulement sur des petits boutons.

– *Tu aimes bien Marie Laforêt?* me demande l'inspecteur.

C'est la première fois que j'entends ce nom.

– *Euh! oui, oui, j'aime bien.*

– *Appuie sur B 13. « Viens, viens sur la montagne, tout près du ciel. »*

Je n'aime pas tellement sa façon de chanter. Alors, je lui demande si on peut mettre autre chose. J. Hallyday par exemple. Johnny a chanté « Retiens la nuit ». L'oreille collée au haut-parleur, j'essaie de comprende l'orchestration et la façon dont on peut enregistrer un disque. Je chantonne. L'inspecteur finit son ballon de rouge et me dit « en route ».

Nous arrivons au dépôt, il est quatre heures du matin. C'est un endroit qui réunit provisoirement tous les « chiens perdus sans collier ». Une odeur d'éther flotte dans les couloirs. Des pleurs, des cris, des murs gris comme la vie de ceux qui se retrouvent ici. Les dortoirs sont sinistres, comme tout le reste d'ailleurs.

Le dépôt, c'est la prison des mineurs, pris en flagrant délit. La loi interdit aux mineurs en garde à vue, de dormir dans un commissariat. Le dépôt c'est aussi le croque-mitaine dont se servent les éducateurs de la DDASS pour se faire respecter.

Le gardien ensommeillé me conduit au dortoir et me montre un lit. Il n'y a pas de drap, seulement une couverture. On me recommande de ne pas trop faire de bruit. L'inspecteur me fait une bise sur le front et me promet de me porter personnellement le dernier disque de Johnny Hallyday. Je ne l'ai jamais revu, mais il m'a laissé un bon souvenir.

Le lendemain je suis conduit à la DDASS avec d'autres enfants. C'est avec un certain soulagement que je franchis le porche de l'entrée. Je retrouve les odeurs, les habitudes, lingerie – douches – dortoir – réfectoire. Je retrouve mes copains, les éducatrices, la directrice.

Je réunis quelques fidèles sous le marronnier et je m'invente une histoire :

« – Figurez-vous les mecs, que j'ai rencontré J. Hallyday en pleine nuit. Il a chanté pour moi « Retiens la nuit ». C'est un type épatant. J'ai fait un tour sur sa moto. Tous les flics de Paris sont mes copains, oui, oui. Je connais même le roi des flics. Il ne met jamais de képi, il passe incognito. Je suis le seul à connaître le parc des Buttes Chaumont et je donnerai jamais l'adresse à personne. »

RETOUR A DENFERT-ROCHEREAU

Je parle beaucoup, sauf de ma mère. Je veux tout oublier. Avec elle j'avais joué à « Je te tiens, tu me tiens, le premier de nous deux qui rira aura une claque tellement forte, qu'il en tombera sur le cul. »

Je resterai à la DDASS jusqu'en avril 1969. Je revois Yvette quelques fois, elle vient me rendre visite. D'Achour, je n'ai plus de nouvelles. Trois ans d'une seule traite à l'Assistance Publique, j'y installe ma vie. Trois ans qui vont faire de moi un petit homme. Il y a les nouveaux qu'on appelle des bleus. Plus on est ancien, plus on prend du galon. Je suis devenu le chef. Je mène des opérations, organise des fugues. J'ai dû fuguer trois ou quatre fois. En fait, je ne pensais qu'à ça, c'était ma façon d'exister.

Les chansons qui ont marqué cette époque, il y en a beaucoup. France Gall « Les sucettes », les filles adoraient cette chanson et nous nous moquions d'elles.

Au centre de Denfert-Rochereau, il y a le quartier des filles et celui des garçons. Mais chose incroyable, nous prenons les douches ensemble, trois fois par semaine. Tout le monde est réuni dans la cour avec une serviette, nu, mais avec ses chaussures. La salle des douches est immense. L'eau coule très chaude ou très froide, il n'y a pas de mélangeur. L'astuce consiste à passer au travers, mais c'est bien difficile. Les éducateurs veillent à ce que nous nous savonnions partout, même les endroits les plus intimes, s'il vous plaît. Pas de bain moussant, mais un énorme savon de Marseille qui passe de main en main. Chahut, bousculade avec les filles. A cette époque je suis plutôt réservé avec elles, elles me terrorisent un peu. Quand tout le monde est parfaitement savonné, rinçage à l'eau froide. Pour la plupart, nous préférons éviter la congestion et nous nous essuyons comme ça.

Paul, un grand de quatorze ans, est particulièrement favorisé, il possède un tourne-disque. Un de ses copains qui suit des cours à l'extérieur, lui ramène chaque semaine les derniers disques sortis. C'est formidable! Après le réfectoire, le groupe se divise en deux. Il y a ceux qui révisent leurs leçons dans la cour, les autres, dont je suis, qui préfèrent écouter de la musique avec Paul. L'année 1966 m'apporte le déclic musical. Paul, comme chaque semaine vient de recevoir son lot de disques. Il en a plein les bras, plein son cartable. Il passe un premier disque sur la platine, il déclenche le bras, la plaque se met à tourner et délicatement pose le saphir sur le début du sillon « Love me please love me ». C'est Polnareff qui chante! A l'unanimité, sauf une voix la mienne, le résultat est négatif. Les copains ne trouvent pas ça terrible. Moi, j'ai adoré. Paul me dit :

– *Puisque tu l'aimes tant, tiens prends-le, j'te l'donne!*

Je suis bien embarrassé avec son cadeau. Bien sûr c'est marrant de regarder la pochette mais au bout de deux heures, on la connaît par cœur.

C'est à cause de ce disque que je vais commettre ma première exaction. C'est la rentrée des classes. Le centre est en pleine effervescence. Les gosses sont réunis dans la cour pour recevoir les nouveaux vêtements. Première phase de l'opération. Jeter tout son linge dans un drap et remettre l'ensemble à la lingerie à l'appel de son nom.

Deuxième phase de l'opération : réceptionner son nouveau linge, envoyé du premier étage de la lingerie par des éducateurs, à l'aide d'un toboggan. Essayer le plus vite possible ses vêtements. Remplir la fiche et roulez jeunesse.

Tous les enfants sont dans la cour. Je suis en retard.

Dans le couloir, je passe devant le bureau de la directrice. La porte est ouverte, personne à l'intérieur. J'entre, l'argent est là, à portée de ma main. Quatre cents francs, je vais pouvoir m'offrir un électrophone. Un premier vol, c'est toujours un moment de grande émotion. Je réfléchis quelques instants, je me précipite et dissimule la somme dans ma poche. Je regagne la cour en tremblant. C'est mon tour de rendre mes vêtements. Je ne sais pas comment faire, j'ai peur d'être surpris par un éducateur. Je fais le plus vite possible. Heureusement les chaussures me vont au premier essayage, et j'en profite pour y cacher mon larcin. Ce jour-là, je n'ai pas moufté, je peux vous le dire.

Dans l'après-midi, je suis monté au dortoir. J'ai caché l'argent dans un pied de mon lit, entre les roulettes et le tube. Je suis soulagé!

C'est l'heure du souper, il est dix-huit heures trente. Nous sommes tous dans le réfectoire. Je ne suis pas très à l'aise. Voler quatre cents francs quand on a huit ans et demi! Les repas à l'Assistance Publique sont vite baclés. Le menu reste le même toute la semaine. Chaque mois, nous avons donc quatre menus différents : Viande en très petite quantité, saucisse, boudin, poulet, le tout accompagné de purée ou de lentilles. La soupe est présente à chaque repas et en toutes saisons. Comme j'ai bon cœur, je me débarrasse facilement de ma soupe, des lentilles que je déteste, des épinards et des saucisses que j'ai en horreur. Par contre, « pas touche à mon dessert ». J'adore les sucreries, aujourd'hui encore, je me fais violence pour ne pas entrer dans une pâtisserie et m'envoyer trois ou quatre religieuses. Amen!

Le repas est à peine commencé, qu'un éducateur se lève et demande le silence. Il est très rare que nous soyons dérangés au début d'un repas, les éducateurs profitent de cette heure pour se retrouver à la même table et parler de leurs problèmes. Même pendant une bagarre, ils préfèrent rester en dehors, à moins bien sûr qu'elle ne dégénère.

La directrice entre, monte sur une chaise :

– *Que celui qui a dérobé les quatre cents francs dans mon bureau, se dénonce lui-même. Pendant que ses petits camarades joueront dans la cour après dîner, l'intéressé devra remettre l'argent à l'endroit où il l'a trouvé.*

J'ai peur de me faire prendre, d'être envoyé au dépôt ou en prison. Mais à cause de moi ce sont tous les autres qui vont subir les représailles. Comment m'approcher du bureau de la directrice, sans attirer l'attention?

L'accès doit être surveillé, c'est certain. Il ne faut pas que les autres sachent que c'est moi qui ai fait le coup. Je ne peux plus garder le butin non plus. Je sens le danger, quoi faire? La nuit commence à tomber on nous rassemble pour nous mener au dortoir. Quelle triste soirée. Cet argent commence à me dégoûter. Je me couche. Le lendemain je n'ai pas attendu que l'éducateur nous réveille. C'est la coutume, il y a la sonnerie et l'éducateur qui passe en secouant les pieds des enfants pour les faire lever. J'ai un très bon sommeil, mes copains aussi. J'ai un voisin de lit qui dort les yeux ouverts, c'est impressionnant. Ce matin, il dormait sur le flanc, les yeux ouverts et semblait me regarder. Il m'accusait. C'est terrible.

Pendant le petit déjeuner, je n'ai pu me retenir. Je me suis précipité dans le dortoir, j'ai récupéré les billets que j'ai portés directement à la directrice. Je les pose sur son bureau en lui disant :

– *C'est moi Madame*!

Elle semble étonnée.

– *Mais pourquoi?* me demande-t-elle.

– *Pour acheter un électrophone Madame!*

Elle éclate de rire. Ce petit vol a rendu service à la communauté ce jour-là. Je lui dis que seul un des grands possède un tourne-disques.

Nous sommes allés voir dans le dortoir de Paul. Près de son lit il y avait l'électrophone avec les disques bien rangés.

– *C'est ce machin, qui vaut quatre cents francs?*

– *J'sais pas Madame!*

En redescendant, nous croisons un éducateur. Elle l'interpelle en lui signifiant de transformer la salle de télévision pour qu'elle devienne également salle de musique.

La semaine qui suivit, un énorme électrophone trouva sa place dans la salle de télé-musique.

C'est ainsi que j'ai pu écouter quotidiennement mes chansons préférées.

Mon éducation littéraire s'est faite avec les bandes dessinées, une histoire me passionnait particulièrement, celle de Blek Le Roc, héros canadien aux cheveux blonds, moitié cow-boy, moitié bûcheron, il combattait les méchants. Souvent je m'identifiais à lui. En veste et pantalon de peau, armé d'un long fusil à silex, je pourchassais un cauchemar. Un loup immense à la gueule dégoulinante de bave et qui ressemblait étrangement à Achour.

Mais les meilleurs moments, je les passais à lire « Salut les copains ». Mon premier travail consistait à détacher le poster de la double page centrale et à le classer dans une petite valise. Ensuite je feuilletais rapidement le magazine en quête de mes idoles. Tout n'était pas bon à lire. Le numéro avec Adamo en couverture m'avait particulièrement agacé. Il trônait, tout habillé de blanc sur fond de pelouse verte. Sur son maillot était inscrit en gros caractère « N° 1 des chanteurs ». Bon c'est vrai j'avais bien aimé sa chanson « Vous permettez Monsieur », mais de là à en faire le N ° 1 des chanteurs. De plus il était nettement moins beau et moins rigolot que Jacques Dutronc. Mais aucun pour moi ne pouvait supplanter à cette époque Michel Polnareff. J'avais collé au mur de ma chambre, une page de magazine, où Michel posait devant la statue de la Liberté à New York. Pour compléter mes connaissances, j'écoutais chaque jour entre dix-sept et dix-huit heures, l'émission de Daniel Filipachi sur Europe n° 1 « Salut les Copains ».

Mes devoirs étaient vite bâclés. Je montais quatre à quatre l'escalier qui mène au dortoir et là, allongé sur le lit je me laissais porter par les acclamations du public. J'étais Jean-Luc Lahaye la star. Je parlais d'égal à égal avec Claude François, Hugues Auffray. J'en arrivais même parfois à oublier la radio. Je voulais chanter et je savais que je chanterais.

Un matin comme tant d'autres, réveillé par l'éducateur, je me lève. Je souris en voyant mon voisin, dormant la bouche ouverte, les yeux ouverts. Je donne un coup de pied dans son lit en le traitant de fainéant. J'en arrive même à le secouer de toutes mes forces encouragé par mes autres camarades qui rient de son silence. Rien n'y fait. Il était mort, d'une crise cardiaque dans la nuit.

Il est reconnu qu'en moyenne, un enfant sur cinq, à l'Assistance Publique, est atteint d'incontinence nocturne. J'en fais partie. Cette maladie est due au manque d'affection et de tendresse que nous connaissions. Je dois chaque nuit me trouver un endroit sec au milieu des draps, j'ai honte mais cela ne change rien. Pour faciliter le travail de la lingerie, un ruban jaune est accroché au pied du lit. On peut imaginer facilement les quolibets dont nous faisons l'objet. Les enfants entre eux ne sont pas tendres. On nous appelait les « pisseux ». La racisme commence avec les couches-culottes.

Noël à l'Assistance Publique, c'est comme un gâteau d'anniversaire auquel on a retiré les bougies.

C'est le moment où l'on pense le plus à la famille qu'on a perdue où celle qu'on a jamais eue. Aucun de nous, orphelin de Denfert, n'avions la même punition. La mienne était de croire que j'étais un mauvais élément dans la société, quelqu'un de négatif. La tristesse qui découlait de mon état d'esprit ne faisait qu'augmenter ma solitude. Et rien, pendant cette période de fête ne pouvait me rendre le bonheur auquel j'avais droit comme tous les enfants de mon âge.

C'est ainsi qu'une année, j'ai pensé qu'il valait mieux en finir. J'ai refusé le monde extérieur de toute mon âme. Déterminé, je me suis jeté sur le mur du dortoir la tête en avant. Plus j'avais mal et plus je cognais. L'éducateur prévenu rapidement par l'un de mes camarades est arrivé en courant. Il y avait du sang partout sur les murs. Il m'a pris dans ses bras en tremblant pour me poser sur mon lit, un des petits me tenait la main et pleurait. J'aurais pu mourir maman...

Mon visage est resté marqué pendant un mois environ. La directrice avait demandé qu'on me surveille de plus près.

Pendant la trêve de Noël, les éducateurs devenaient un peu plus tolérants, surtout avec ceux qui restaient au centre. Il faut dire que nous étions divisés en deux groupes. L'un, dont les parents profitaient de la fin d'année pour se retrouver quand même en famille. C'était la majorité. L'autre, les oubliés du monde.

La cour s'habillait de guirlandes. Le dessus des portes s'ornait de branches de sapin. Le dortoir se transformait en livre d'images où chacun y allait de son dessin. Elles étaient belles ces étoiles de toutes les couleurs.

En dépit de toutes considérations raciales et religieuses, notre petit monde isolé de l'univers des adultes, avait décidé de fêter « Noël ». Les festivités commençaient dès le matin avec du chocolat au lait et des tartines beurrées. Sous chaque bol était placé le menu. Quelques lignes de la directrice expliquaient la venue de Jésus parmi les hommes (et les femmes). En ce qui me concerne, j'attendais l'inévitable bûche au chocolat. Après le repas, les éducateurs organisaient des jeux pour nous distraire. Mais il ne fallait pas s'y tromper, le cœur n'y était pas. Nous espérions le retour des autres, ceux qui avaient passé un vrai Noël en famille. Eux, nous faisaient rêver!...

Au centre, la personne la plus importante pour un orphelin, c'est la responsable de l'économat. C'est elle qui peut tout. Changer le petit blouson bleu marine qui perd ses boutons, changer la culotte trouée par de trop grandes glissades, les chaussures, les timbres, les enveloppes, le papier à lettres, le savon, le dentifrice, le régime de faveur au réfectoire. Au-dehors, nos problèmes peuvent paraître bien futiles. Ici c'est toute notre vie.

Chapitre 4

TORREY CANNYON
MARS 1967

Malgré mon jeune âge, mais à cause de mon insistance, il avait accepté! Le battage fait par les médias pour que tous les gens disponibles se portent au secours des Bretons, avait fonctionné! Le directeur du centre nous a donc autorisés à partir, avec une vingtaine d'autres enfants plus âgés. Je ne sais pas vraiment ce que nous allions faire sur ces plages. Mon copain Claude y allait, il fallait absolument que je l'accompagne.

La gare Montparnasse avait été réquisitionnée pour ce week-end de sauvetage. Il y régnait une ambiance digne de la déclaration de guerre, quand les appelés partent rejoindre leurs unités. C'était un mélange de familles issues de toutes les couches de la population. La patrie était en danger, nous étions donc tous frères pour la sauver. Mais là, pas de larmes, seulement des éclats de voix, des rires, des appels, toutes les cinq minutes, un convoi emportait les volontaires vers les plages sinistrées.

Moi, je découvrais une grande kermesse. Enfin, nous avons pris place dans un compartiment. Il y avait là, deux jeunes filles d'une douzaine d'années et un jeune homme de vingt ans. Elle étaient plutôt mignonnes les petites. Une équipe de journalistes avec leurs photographes a soudain investi le wagon. Claude et moi, nous ne comprenions pas. Les journalistes posaient des questions pendant que les flashes fusaient. Nous étions sûrement en bonne compagnie.

Je me suis mêlé volontairement à la conversation. J'y allais de mes boutades. Les journalistes ont compris qu'il y avait un « scoop » à faire. Les filles du ministre François Missoffe, instigateur de cette grande marche de la solidarité et ministre de la Jeunesse et des Sports, mêlés à la populace. Mon Dieu! Je voyageais avec les filles d'un ministre. Eh bien, je peux vous affirmer que cela n'a en rien changé mon comportement.

Les gens chantaient. On a fait le tour des classiques pour finir sur les chansons paillardes. On a saucissonné, et les demoiselles comme tout le monde.

Toute la Bretagne attendait notre arrivée. Des centaines de camions conduits par les soldats du contingent stationnaient sur des kilomètres. Claude et moi avons demandé à notre éducateur la permission de rester avec nos amis. C'est donc tous les cinq que nous nous sommes embarqués dans un camion militaire en direction du lycée qui devait nous héberger.

Sur place on nous a donné des pelles, des bottes et en avant. Quel désastre! Ces merveilleuses plages bretonnes défigurées par l'égoïsme de l'homme et du profit. Les gens restaient pétrifiés devant cette immensité de goudron. Catastrophe engendrée par la bêtise humaine. C'était à pleurer. Par endroit, le sol était recouvert d'une couche de dix centimètres de ce cancer. Les rochers étaient abîmés. Mais le plus désolant, c'étaient les oiseaux, pauvres petites bêtes innocentes, condamnées à mort. Devant ce spectacle tout être humain, normalement constitué a de la haine.

Tout était bien organisé par l'armée. Des haut-parleurs donnaient les ordres stratégiques.

Plus simplement, il suffisait de ramasser le mazout à l'aide de pelles et de remplir des sacs poubelles et de les évacuer vers l'arrière, à l'aide de brouettes.

De nombreux vétérinaires, venus également de partout s'affairaient autour des pauvres petites bêtes ébahies. Les soldats étaient chargés du nettoyage des rochers. Ils les lessivaient à l'aide de produit moussant et détergent. A les voir faire, nous riions beaucoup.

Notre mission a duré deux jours. Nous avions du goudron partout. La nuit au lycée a été très froide. Les gens dormaient partout, dans tous les sens. Nous avions rapproché nos sacs de couchage, tous les cinq, pour nous tenir plus chaud. Et puis ce fut le retour, nous avons voyagé de nuit. Il y eut bien quelques batailles de polochons, mais nous étions si fatigués, que les yeux se fermaient au rythme du train.

Les éducateurs n'ont pas eu trop de mal à nous rassembler, il était sept heures du matin. Nous avons raccompagné nos demoiselles, jusqu'à un grand monsieur qui était leur père et qui les attendait, comme tout père de famille qui vient récupérer ses enfants après une colonie de vacances. Il a embrassé ses filles et nous a serré la main à Claude et à moi. Quand il a senti que ses fillettes n'avaient pas tellement envie de nous quitter, il nous a proposé d'aller boire un chocolat chaud, au café en face de la gare. Sans avertir notre éducateur, nous l'avons suivi. Le chauffeur du ministre attendait dans la DS noire. Le papa posait beaucoup de questions à ses enfants. Elles avaient consolidé par leur participation, l'intérêt de cette grande manifestation.

Notre éducateur est enfin arrivé. Il n'a pas eu le courage de nous réprimander, tant il était ému devant le ministre. M. Missoffe a su seulement à cet instant que nous étions de l'Assistance Publique. Nous n'avions rien dit à personne. Il était très content que ses filles aient partagé cette aventure avec nous. Ils nous ont laissé leurs coordonnées et nous les nôtres. Le ministre a encore dit qu'il viendrait prochainement faire une visite au Centre.

Le chauffeur a embrayé et la voiture noire s'est éloignée doucement.

Le ministre avait tenu parole. Quinze jours plus tard, j'ai été invité à passer un week-end dans la famille à Étretat. Nous avons visité l'usine des moines Bénédictins, ceux qui fabriquent cette merveilleuse liqueur. J'étais impressionné par ces cuves immenses. Nous avons fait également beaucoup de promenades à vélo. A notre départ, toute la famille nous a remis un colis, à Claude et à moi. Dedans, nous avons trouvé toutes sortes de friandises. Nous ne nous sommes jamais revus.

Chapitre 5
PESSAC

Un matin d'avril 1969, je suis convoqué dans le bureau de la directrice. Il y a là une femme, genre institutrice, que je ne connais pas. Sur le bureau où habituellement s'entassaient des papiers de toutes sortes, des cubes, des puzzles. La directrice a cédé sa place à cette femme qui me demande d'une voix ferme comment je m'appelle. Elle note mon nom sur une feuille de papier jaune qui ressemble à un dossier à compléter.

– Assieds-toi Jean-Luc! Détends-toi, nous allons pendant une demi-heure passer des tests. Pour commencer, tu vois ce puzzle, reconstitué, il doit représenter un cheval; tu as cinq minutes devant toi.

Elle prend sa montre qu'elle a détachée de son poignet et me dit « top ». Les premières secondes, je pense encore à cette femme, en me demandant à quelle sauce j'allais être mangé. Ce n'était pas la première fois qu'on me faisait subir des tests. Mais le malheur, c'est que la finalité était toujours la même, un départ.

Elle me demande maintenant de dessiner un arbre et de le colorier.

– *Écris-moi une phrase sur ta vie à l'orphelinat. Bon, c'est bien. As-tu envie de retourner chez ta mère?*

De la tête, je lui fais signe que non.

– *Est-ce que tu te plais ici?*

– *Oui beaucoup, je mange bien, je dors bien.*

Je lui répondais calmement. Je ne voulais pas lui dire du mal de ce centre. Ici, c'était notre univers à nous les enfants. J'étais intégré dans cette ambiance. Je ne pouvais pas m'en détacher. Elle m'a remercié.

– *Au revoir Madame.*

L'après-midi nous sommes dix enfants entre sept et quatorze ans réunis dans une classe. La dame est là avec nous.

– *Les enfants, vous êtes beaucoup dans la même situation à manquer de l'affection d'une famille. Mais il y a également beaucoup de familles en France, qui n'attendent que de vous donner l'amour et la tendresse dont vous avez manqué. D'autre part, le Centre est devenu trop petit pour vous garder tous. Comme vous avez pu le constater, de nombreux petits camarades vietnamiens sont venus vous rejoindre. Aussi vous allez partir. Ne vous inquiétez pas, vous reviendrez, ce n'est pas un adieu. Demain vous recevrez vos bagages.*

Pas un mot de la part des enfants. Une révolte? Pour quoi faire?

Nous devons maintenant nous rendre à la lingerie, pour recevoir notre nouveau trousseau. Il consiste en une culotte pour l'été, une culotte longue pour l'hiver, en espèce de feutre épais; un petit blouson style « armée de l'air », une paire de chaussures pour l'été et de grosses chaussures à lacets pour l'hiver; deux caleçons qui avaient la particularité de dépasser de nos culottes courtes, soit par la jambe gauche, soit par la jambe droite; quatre chemises qui tiennnent plus de la djellaba que du polo Lacoste qui fait fureur à l'époque. Enfin, pour avoir l'air de touristes et non d'émigrés portugais, nous recevons une superbe valise. La mienne est beige avec une très grande poignée.

La nouvelle d'un départ s'est très vite répandue. Les copains nous entourent en nous pressant de questions.

Les réflexions sont du genre :

– *Vous avez du bol les mecs, où est-ce que vous allez? C'est super! Nous on va continuer à s'emmerder ici.*

Je me suis laissé griser par l'ambiance. J'en oubliais mes angoisses. J'en arrivais même à être heureux de partir. Tout cela, parce que j'étais le héros, le chevalier qui part aux Croisades, Christophe Colomb s'embarquant pour découvrir le nouveau monde.

Il fallait que je plie mes draps et mes couvertures. Un garçon que je reverrai par la suite, m'a aidé. Il s'appelle Alain Dalmont. Nous avons décroché les posters de mes chanteurs préférés pour les ranger soigneusement dans une grande chemise en carton. A l'aide d'un couteau, suivant la tradition, j'ai gravé mon nom dans le mur au-dessus de ma tête de lit, avec ma date d'arrivée et ma date de départ. J'ai récupéré tant bien que mal mes disques éparpillés au quatre coins du dortoir. Avant de partir, je tenais absolument à faire mes adieux à Paul.

Il y a des moments dans ma vie où j'ai atteint les sommets du bonheur, éphémère peut-être, mais quelque chose de grand, d'intense. C'est comme l'état de grâce, l'exaltation ne dure que quelques minutes, mais ces minutes, restent à jamais gravées dans la mémoire. Cet après-midi-là, je connus un instant de grand bonheur. Paul m'a offert trois disques en souvenir : « White is White » de Michel Delpech, « Adieu Jolie Candy » de J.F. Michael et le premier 45 tours des Aphrodites Child. Par la fenêtre de la chambre de Paul, j'ai crié aux copains de monter nous rejoindre. Tout le monde s'est assis par terre pour écouter. Trois fois nous avons passé les Aphrodites Child. J'étais subjugué par la voix du chanteur. Au début, j'ai cru que c'était une fille. Cette facilité pour grimper dans les aigus. C'est dingue.

Maintenant Paul regrettait son cadeau. Dans notre monde à part il faut être réglo. Une parole donnée vaut beaucoup plus que les papiers signés et timbrés de la « Jet Society ».

– *Salut les gars!*

La foule qui déambule dans la gare d'Austerlitz me donne le tournis. C'est la première fois que je viens dans un endroit pareil. La dame est allée nous chercher les billets, pendant que nous sirotons une orangeade, surveillés par le chauffeur du car. J'observe toute cette faune. La chose qui me frappe le plus, dans mon petit costume de l'Assistance Publique, c'est tous ces gens qui portent ce pantalon de toile délavée qu'on appelle un jean's. J'en avais déjà vu, bien sûr, mais dans les magazines.

La dame revient vers nous en nous demandant de la suivre. Nous sommes onze enfants dont une fille. En jouant des coudes, je me place près de la fenêtre, dans le sens de la marche. Je suis face à un petit Noir, qu'on a déjà surnommé Blanche-Neige. Il a glissé ses mains sous ses cuisses. La tête légèrement penchée en avant il bat des jambes. Il me fixe en écarquillant ses yeux au maximum. Je prends cela pour un jeu et je lui rends sa grimace.

Le train démarre au grand soulagement général. La dame qui nous accompagne, va commencer son va-et-vient entre le compartiment et les toilettes. Les heures passent. Nous avons tous besoin à maintes reprises de vérifier le contenu de nos valises posées au-dessus de nos têtes dans les filets. Ça occupe.

Je me promène dans les couloirs. Nous taquinons les voyageurs. A chaque traversée de gare, notre convoi étant un direct, nous ouvrons la fenêtre et crachons sur les gens qui attendent sur le quai. Ils font la tronche. La dame nous gronde, surtout qu'avec le courant d'air, chacun des cracheurs en prend autant dans la figure, si ce n'est plus, que ceux qui sont visés à l'extérieur. Même la dame prend du mouchetis sur ses lunettes de soleil.

La grande pancarte sous la pendule, nous indique que nous sommes arrivés à Bordeaux.

Quatre véhicules nous attendent sur le parking de la gare, pour nous conduire au centre de la DDASS de la ville.

La pièce est séparée en deux. D'un côté les enfants, de l'autre les familles d'accueil. L'accompagnatrice, toujours elle, nous appelle par notre nom, demande à la famille concernée de signer le dossier qu'elle leur tend, c'est tout. Et la bonne parole, merde!!!

C'est mon tour. Un seul regard vers ces inconnus me laisse une mauvaise impression. La femme est maigre, grande, le visage fermé. Son mari est gros et plus petit qu'elle. Ils sont, dès cet instant, une partie de mon avenir.

J'embrasse l'accompagnatrice de deux petites bises. Je serre la main de Blanche-Neige.

Je refuse la main que me tend la dame. Son mari marche devant nous, en direction d'une Simca 1000 orange, ouvre le coffre à bagages et s'approche de moi pour saisir ma valise. Je recule d'un pas et serre très fort mon seul bien, contre moi. Il n'insiste pas. Je prends place à l'arrière du véhicule. La voiture démarre, et déjà je me vois assailli de questions.

– *Alors comme ça tu ne connais pas ton père? Ta maman t'a abandonné mon pauvre petit. Qu'est-ce que tu aimes manger?*

Les questions restent dans l'air, sans réponse. Nous avons traversé la ville pour arriver à Pessac.

Le pavillon est situé au bout d'une résidence. On me montre la chambre. Il règne dans cette maison une certaine quiétude. Une odeur de gâteau qui cuit me rassure. La femme se saisit de ma valise et l'ouvre sur le lit. Pour moi c'est comme un viol.

– *Tu sais*, me dit-elle, *ici ce n'est pas toi qui vas faire la loi!*

Sans vergogne, elle s'empare de mes disques et mes magazines *Salut les Copains.*

– *De toutes façons ici tu n'en auras plus besoin, le plus important c'est l'école.*

Je sens les larmes qui coulent sur mes joues.

– *Avant de descendre pour dîner*, me dit-elle encore, *tu passeras par la salle de bains pour te laver les mains.*

Dans le couloir, je croise une vieille grand-mère. Elle me bouscule légèrement pour descendre l'escalier. Je la suis. Nous entrons dans la salle à manger. Là, sont assis face à face, le gros homme et le fils de la maison. Il doit avoir dix-sept ans.

Les assiettes sont remplies d'une soupe au vermicelle. On me montre ma place. La dame me demande si je compte garder mon blouson. Sans appétit, je tourne et retourne ma cuillère au fond de l'assiette.

Toujours la dame :

– *Elle ne te plaît pas ma soupe?*

– *!!!!!!*

– *Pourtant où tu étais, vous en aviez tous les jours?*

– *Oui, mais nous n'étions pas obligés d'en manger.*

– *Eh bien ici, tu en mangeras!*

Le gros homme se lève, se penche en avant, saisit mon assiette et la mange à ma place. S'il fait ça à chaque fois, cela ne m'étonne plus qu'il soit si gros. Avec son Opinel, il coupe le pain pour chacun.

La vieille dame dans son coin ne parle pas, elle joue avec sa fourchette de sa main tremblotante.

– *Pierre vient de la DDASS comme toi,* me dit le gros homme. *Il est avec nous depuis son enfance. Aujourd'hui il est menuisier, c'est comme notre fils. Ça prouve que la maison est bonne. J'ai vu ton dossier scolaire, il paraît que ça marche bien. Nous avons une bonne école au pays. Et puis ici, il fait toujours beau, c'est pas comme à Paris.*

Je n'ai pratiquement rien mangé. Je me suis laissé prendre et maintenant j'ai faim.

Pierre allume la télé. Enfin, je vais peut-être trouver la maison sympathique. Mais la femme n'a sûrement pas envie que je la trouve sympathique puisqu'elle me somme de monter prendre une douche et de me coucher.

L'homme s'est levé et débarrasse la table. On sent dans son comportement général, comme une soumission. « La patronne », comme il l'appelle, doit l'étouffer depuis le premier jour. Je la précède dans l'escalier. De sa main, elle me pousse avec des « hop, hop, allez, il faut être plus énergique que ça mon petit bonhomme. »

Une idée trottine dans ma tête depuis mon arrivée, m'enfuir.

La douche n'est ni trop chaude, ni trop froide, c'est une révélation. J'en profite pour la laisser couler le plus longtemps possible. Comme je suis bien. La dame impatiente entre dans la pièce :

– *Allez, ça suffit maintenant, tu vas vider tout le ballon!*

Elle saisit une serviette et décide de m'essuyer. Dans ma nudité, je suis rouge de confusion. Elle ne comprend pas que je suis un petit homme? Maintenant elle m'habille de mon pyjama. C'est d'abord la culotte, elle se baisse et j'ai sa tête à la hauteur de mon menton. Puis vient le tour de la veste. La honte! C'est sûr qu'ici je ne vais pas me fendre la gueule.

Au petit déjeuner, je découvre qu'on m'a mis un rond de serviette, je suis intégré. Par contre, je remarque que le linge n'est pas très propre par rapport à Denfert-Rochereau. Et puis, l'homme a les ongles noirs. Sur la table, les bols sont mis devant chacun. Nous attendons le café chaud. J'en profite pour allonger le bras jusqu'à la boîte à gâteaux. Pierre s'esclaffle :

– *Ben, il ne manque pas d'air celui-là, il pioche déjà dans la boîte.*

Immédiatement je le remets à sa place. Et c'est la patronne qui prend le relais.

– *Mange-le, maintenant que t'y as touché.*

Je l'ai mangé, mais il m'est resté en travers. Alors là, c'était décidé, j'allais foutre le camp. Comme à chaque fois que je me trouve dans une situation extraordinaire, je suis pris d'un énorme fou rire. Dans ma vie, ces états drolatiques m'ont valu bien des désagréments.

– *Alors, alors!*

Et moi je riais de plus belle.

Elle est sortie. Tout à coup, je sens une main qui se pose sur mon épaule. Je me retourne, je vois cette main toute ridée. Je prends conscience tout à coup de la vieillesse, de la peau qui se flétrit, qui se ratatine. Je réalise que je suis jeune et sais maintenant que moi aussi, un jour, je serai vieux.

Je réintègre ma chambre. J'ai envie de souvenirs. J'ouvre mon armoire et pose ma tête sur le tas de linge. Il sent encore le propre de la DDASS. C'était bien quand même.

La femme m'appelle du bas de l'escalier.

– *Descends avec ton blouson!*

Elle a décidé que je ferai les commissions avec elle. Nous marchons côte à côte. Mais je m'arrange pour ne jamais me trouver à moins d'un mètre d'elle. Je ne veux surtout pas qu'elle me touche comme elle a tenté de le faire hier à la sortie de la gare de Bordeaux. Dans chaque boutique c'est le même manège.

– *Je vous présente le p'tit Parisien, le dernier d'la famille.*

C'est toujours les mêmes réflexions de la part des commerçants.

– *Alors comme ça t'as pas de famille, mon pauv'gars. Enfin, t'as de la chance quand même d'avoir été récupéré. C'est le conte de fée, quoi!!!*

J'ai l'impression que les gens confondent toujours famille d'accueil et famille adoptive. Il est grand temps de remettre les choses à leur place. La famille d'accueil qui est rémunérée par l'État, est chargée du gîte et du couvert de l'orphelin. La famille adoptive devient, le jour où l'administration le décide, parent effectif et juridique de l'enfant. L'enfant porte le nom de ses parents adoptifs qui le reconnaissent. Dans le premier cas c'est souvent une affaire d'argent, dans le second une affaire de cœur.

Nous rentrons du marché. Il n'est pas encore midi. La femme dépose ses provisions dans la cuisine, moi j'en profite pour me rendre dans ma chambre, quatre à quatre. En moins d'une minute, j'ai entassé mes petites affaires dans la valise. Au rez-de-chaussée, je la cache derrière le radiateur près du porte-manteaux. A pas de loup, je jette un œil vers la cuisine. La femme est là, toujours affairée. Avec les mêmes précautions je tourne la poignée de la porte d'entrée. Tout à coup, j'entends un bruit de pas, c'est la vieille du premier. Je ne demande pas mon reste, j'empoigne ma valise et me précipite dans la rue. Je cours, je cours en tirant ma valise. Je tourne dans la première rue à droite et là je m'arrête à l'affût. Mon cœur bat si fort, la gorge me brûle. Mais je suis libre!

Mon plan est le suivant :

La gare, le premier train pour Paris, le commissariat et retour à la DDASS où je retrouve mes copains.

Ma liberté me semble bien compromise d'un seul coup. A vingt mètres, Pierre et le gros homme qui rentrent déjeuner, viennent de déboucher et s'avancent vers moi. Le gros n'a pas l'air surpris de me voir, il pense, que se promener dans la rue avec une valise, c'est un jeu courant à Paris. Ou alors, il s'en fout. Pierre par contre, a tout compris. Il a fait ses premières armes à la DDASS, lui. Je dois dire qu'à travers les familles d'accueil qui m'ont reçu, les plus intolérants étaient toujours des anciens orphelins. Ils étaient là, se trouvaient bien, et défendaient leur territoire. Farouchement, Pierre me saisit par les épaules pour me faire reprendre le chemin du retour. Je me débats. Il m'empoigne le bras en me serrant très fort. Il me fait mal, ce con! De son autre main, il attrape la valise. Alors d'un geste vif, qui me surprend moi-même, je lui assène un grand coup de pied qu'il reçoit à la hauteur du tibia. Il encaisse mais ne lâche pas prise. Le gros ne comprend plus rien. Il est déconnecté. Pierre est fou de rage. J'essaie de me libérer, peine perdue, il tient bon le bougre. Et plus je me rapproche de la maison, plus j'entends le chant du bourreau. Pourtant au fond de moi, j'espère encore qu'il ne dira rien. Malgré tout, nous sommes du même monde. Le gros pousse la porte d'entrée du pavillon, Pierre me jette au milieu de la pièce en criant à qui veut l'entendre :

– *Heureusement qu'on est arrivés au bon moment, il allait se tirer!*

Je ne l'ai pas vue venir, mais je l'ai sentie; la femme vient de m'envoyer une gifle magistrale. Bonjour mon petit canard!

Je devrais pleurer, mais non, je reste cloué devant elle. Je la fixe avec la même haine, la même hostilité que je nourrissais à l'égard d'Achour.

Je pense à ma mère, si douce avec son petit Jean-Luc. Maman pourquoi as-tu voulu tout ça?

La semaine qui suivit cet incident, me permit de réviser mon jugement. J'en déduisais que j'arriverais à mes fins par la gentillesse. Je décidais de devenir plus bavard. C'est ainsi que j'ai appris où elle avait caché mes disques. Première victoire. Les jours me pesaient à cause de l'ennui. Je n'avais plus ma radio avec ses hit-parades, mes disques, mes magazines, mes copains. Ma seule distraction, c'étaient les courses avec madame.

Tout était réglé comme du papier à musique. La femme profitait de ses trois heures de courses en ville chaque jour, pour retrouver les pipelettes et déblatérer sur Pierre, Paul, Jacques et moi.

Tout se passait bien, la femme relâchait son attention, nous étions à la veille de la rentrée des classes.

J'allais en profiter pour mettre à exécution mon nouveau plan. C'est l'école qui me servirait de tremplin.

Il est huit heures et demie quand nous arrivons avec la Simca 1000. Tous les trois ont tenu à m'accompagner. Je suis présenté à la maîtresse. Je tiens d'une main énergique mon vieux cartable en cuir de cheval. Non, je n'ai pas peur qu'on me vole mes crayons de couleur. Seulement, j'ai profité du cartable pour y entasser mes chemises, culottes, chaussettes. Il n'y a que mes godillots à lacets que j'ai dû laisser, faute de place, tant pis. Mon cartable est terriblement lourd. Je dois absolument donner l'effet contraire, pour ne pas attirer l'attention. Si par malheur, la femme, comme toutes les mamans de France et d'ailleurs, en ce premier jour de classe avait vérifié ma sacoche!... Mais elle n'était pas ma mère.

Après l'appel fait dans la cour, la maîtresse nous fait entrer dans la classe. Les élèves sont peu nombreux et je trouve facilement une place vers le fond. Présentation des enfants. C'est mon tour, tous les regards convergent vers le petit parigot. La mentalité bordelaise est caractéristique. Même parmi le milieu ouvrier, subsiste un air de bourgeoisie. Je représente en fait le contraire. Je suis un gosse de l'Assistance. Le va-nu-pieds sans origine. Le petit mécréant dont il faut se méfier, on ne sait jamais. Et puis, les gosses de l'Assistance, on connaît, les parents sont en prison ou ailleurs. Les chiens ne font pas des chats.

Malgré tout, la maîtresse, femme entre deux âges, plutôt l'air doux mais au regard usé par la correction des copies, demande aux enfants de faire un geste de bienvenue au petit parisien. C'est tout naturellement qu'ils se mettent à chanter. Cette comédie se serait jouée au centre de Denfert-Rochereau, j'aurais certainement mouillé mes paupières. Aujourd'hui ici, j'ai le cœur sec, je ne suis pas chez moi. Je n'ai rien à voir avec ces gens.

Pendant la leçon de morale, j'ai droit au chapitre sur le racisme. Nous sommes tous égaux devant la loi (sauf peut-être pour les pauvres, les Noirs, les Arabes et ceux qui n'ont pas la chance de se payer le meilleur avocat). Les enfants de la terre sont tous les mêmes. Tous sont bleus. Les bleu clair devant, les autres derrière.

La matinée se déroule normalement. A midi, au lieu d'aller à la cantine avec mes petits camarades, je me retrouve dans la rue avec mon cartable. J'ai marché tout l'après-midi. A la devanture d'une épicerie, j'ai volé une pomme et deux oranges. Je respire, une certaine liberté, avec une paille, oui, mais c'est déjà ça!

Je suis fatigué. J'entre dans le chantier d'une maison en construction. Je pose mon cartable et m'assois sur une dalle de béton. Dans une fissure je remarque une bête à bon Dieu. Je décide de faire un vœu. Pour qu'il s'exauce, elle doit s'envoler. Je réussirai.

La nuit commence à tomber, j'ai faim et je n'ai pas d'argent. Il n'est pas question que je retourne là-bas. D'ailleurs, je ne connais ni leur nom, ni leur adresse.

Je quitte le chantier. Surtout pour éviter les patrouilles de police. Je change de trottoir à chaque fois que je dois croiser un couple. Je suis mort de fatigue. La faim et la soif tenaillent mon pauvre petit ventre. Mais où aller. Enfin, j'avise face à un hôtel, un camion bâché. L'arrière est resté ouvert. Je jette mon cartable à l'intérieur et le rejoins aussitôt.

Chapitre 6
LA BEAUCE

J'ai dû m'endormir! Le camion tressaute sur la route. Je me lève pour m'apercevoir que nous roulons. Il fait très noir à l'extérieur, mais à l'odeur, je sais que nous avons quitté la ville. Le froid m'oblige à déchirer une couverture qui recouvre un immense miroir attaché à la paroi. Je suis grisé par l'aventure. Nous roulons pendant deux ou trois heures peut-être. Soudain le camion s'arrête. Des bruits de pas, des rires fusent de l'avant.

A genoux, je m'avance pour passer ma tête à l'extérieur. Une lumière blafarde éclaire une clairière, où s'entassent, en cercle, des caravanes. En voyant la jeune fille brune, pieds nus, qui me regarde, je sais que je ne suis pas dans un camping. Elle s'enfuit bien vite, sautant comme une gazelle. Mon instinct me dit qu'il faut que je fasse comme elle. Mon cartable, vite mon cartable. Il fait très noir sous la bâche. A tâtons je le récupère enfin. J'enjambe le hayon et me retrouve par terre, face à quinze personnes. Leur accoutrement ne fait aucun doute, je suis tombé chez les « gens du voyage », des gitans.

Leur chef probablement, un grand barbu, me fait signe d'approcher. De ses yeux noirs et pétillants, s'échappent une grande douceur. Il ressemble à un félin qui revient de la chasse, traînant derrière lui la nourriture pour ses petits.

– *Où sont tes parents?* me dit-il.

– *J'en ai pas!*

Je leur explique que je me suis perdu; que je pars dès maintenant retrouver des gens qui m'attendent.

C'est un tollé général. La bande éclate de rire. En vérité je n'ai pas peur. Les gens qui vivent en dehors des chemins traditionnels, se reconnaissent entre eux. On leur jette les mêmes pierres. Ils connaissent les mêmes malheurs. C'est donc avec une certaine confiance, que je leur raconte mon histoire.

J'insiste sur la femme qui me bat tous les jours. Cette famille qui me déteste, qui ne me donne pas à manger. Voilà pourquoi je suis parti.

– *Écoute petit, avec la tête que tu as, tu es sûrement de chez nous. Alors, à partir de maintenant, considère que tu as retrouvé ta famille et chez toi, c'est ici. Après on verra.*

Les gens commencent à se disperser pour retourner dormir. Ma première nuit, je partagerai, comme les jours suivants, le lit du fils aîné du chef.

Le jour s'est levé. Tel un rayon de soleil, une jeune fille nue, les cheveux noirs tombant sur ses épaules, s'habille sans gêne devant moi. J'avoue que c'est un réveil agréable.

J'en profite pour faire connaissance avec ma nouvelle demeure. La caravane est sûrement très grande mais de nombreux lits encombrent le passage. C'est le signe d'une grande famille. Posé sur l'évier j'aperçois un immense poste de radio-cassette, à piles. Je m'en réjouis à l'avance. Je vais pouvoir retrouver mes compagnons des beaux jours.

Je m'habille à mon tour et sors. Chez les Gitans, la vie se passe à l'extérieur. Les femmes, la tête couverte de leur fichu traditionnel, la jupe bariolée tombant sur leurs pieds nus, préparent le repas. Les hommes, sauf les vieux qui sont chargés du rempaillage des chaises, sont partis en ville, soit pour vendre les produits de la communauté, foulards, paniers, soit pour récupérer les vieux meubles qu'ils entassent au milieu du camp. On m'offre un bol de lait. Il règne une atmosphère de paix et de crainte à la fois. La grande famille comprend une vingtaine d'enfants de mon âge. Les gosses sont tous habillés d'un jean plus ou moins propre. Ils rient de ma petite culotte. Pas pour longtemps, Manuel, le grand chef barbu va me faire le plus beau cadeau de ma vie, un jean. Je déborde de reconnaissance. J'entre dans la roulotte, pudeur oblige, pour me défaire bien vite de mes effets. Je ne suis plus un gosse de l'Assistance, j'ai décollé l'étiquette.

Les repas sont succulents et je découvre chaque fois des goûts nouveaux. Tout est cuit sur la braise. Le mouton se mange à pleines mains. Chaque geste, chaque tradition exprime un vent de liberté totale.

Je ne sais pas encore vraiment, mais cette philosophie de vie représente « le pourquoi » je me suis battu depuis toujours. Refus des contraintes de la société de consommation, amour et LIBERTÉ.

Le soir, autour du feu, les hommes sortent leur guitare. Dans un dialecte que je ne comprends pas, ils chantent. Ces complaintes qu'ils se transmettent de génération en génération, racontent leur histoire. Pas d'écrits, pas de livres, tout passe par le verbe. C'est pourquoi leurs chansons sont empreintes de nostalgie et qu'elles sont si belles.

Je chante avec eux, aujourd'hui j'existe.

Un jour, ne comprenant pas pourquoi leurs postes de radio ne fonctionnaient que pour passer des cassettes folkloriques, j'ai branché tous les postes du camp en même temps, en les positionnant sur Europe 1 « Salut les copains ». On aurait pu se croire au Palais des Sports avec les Beatles, tant la multiphonie fonctionnait bien. Ils étaient tous étonnés de voir qu'on pouvait se servir de ces appareils, autrement qu'en lecteur de cassettes. Je m'étais fait des copains et des copines. Mais celle avec qui j'avais sympathisé le plus, c'était la guenon de la troupe.

J'accompagne les grands en ville de temps en temps. Nous partons dans une immense Mercédes. J'aide à de menus travaux, et j'en arrive à oublier de me laver.

Ça fait quatre jours que je suis là, avec eux.

Un bruit de voitures qui se garent, un ordre bref lancé dans le petit jour, et quatre gendarmes qui investissent notre caravane. Le faisceau de la lampe torche se promène et finit par se poser sur moi. Tous les enfants sont assis dans leur lit, les yeux gonflés par le sommeil. Manuel, le chef, est déjà debout. Les gendarmes fouillent partout, les tiroirs, les lits, les matelas.

Aux cris qui viennent de l'extérieur, on prend conscience que nous ne sommes pas les seuls à subir cette perquisition. La municipalité, pressée par une population dont la mentalité est au-dessus de tout soupçon, a demandé aux forces de l'ordre de faire déguerpir les « manouches ».

Les bonnes gens n'aiment pas les voleurs de poules. Un des gendarmes s'attarde sur mon cartable. Le vide de son contenu. Il ouvre un cahier puis le repose. Soudain, il semble un peu plus intéressé.

– *Lequel de ces enfants est Jean-Luc Lahaye?* demande-t-il en se tournant vers Manuel.

Silence. A mon allure, même le gendarme ne fait pas de différence avec les autres.

– *Vous êtes allés à Paris?* demande-t-il encore au père des enfants.

– *Non,* répond Manuel, *jamais je n'ai mis les pieds à Paris.*

– *Ce Jean-Luc Lahaye est le vôtre?*

– *Non, nous l'avons récupéré un soir au bout du campement.*

– *C'est vrai?* me demande le gendarme.

– *Oui monsieur.*

– *Où sont tes parents?*

– *J'en ai pas monsieur.*

J'avoue ne pas ressentir les mêmes sentiments avec ce gendarme, que ceux que je portais à l'égard de Manuel, le jour de mon arrivée. Le gendarme a compris que je n'en dirai pas plus.

– *Habille-toi, prends tes affaires et suis-nous.*

Pour ajouter le geste à la parole, il s'approche du lit, je couche au deuxième niveau, me prend dans ses bras pour me faire descendre plus vite.

J'enfile mon jean. Je fais le tour des enfants et les embrasse. Manuel pose sa main sur mon épaule. Il la serre comme pour faire passer un message. Son regard me dit : « Petit tu es des nôtres, bonne chance. »

– *Adieu tous!*

Je n'attends pas qu'on m'indique une voiture. Je monte dans la première. Mon transfert pour la gendarmerie de Bordeaux s'est fait dans la journée. J'avais parcouru en camion durant ma fugue, environ cent cinquante kilomètres.

J'étais attendu à Bordeaux. La délégation se composait d'une assistante sociale et de la famille d'accueil au complet.

Ils faisaient grise mine ces trois-là. On me questionne.

– *Pourquoi t'es-tu enfui?*

La femme du gros bonhomme veut toujours répondre à ma place.

– *Laissez-le parler*, dit l'assistante sociale.

– *Elle m'a battu très fort la dame, je ne veux plus retourner chez elle, renvoyez-moi à Paris.*

L'assistante sociale à la dame :

– *Vous l'avez frappé?*

– *Mais non, enfin oui, je l'ai giflé une fois, parce qu'il avait tenté de s'enfuir avec sa valise. C'est quand mon mari et Pierre l'ont ramené à la maison.*

Je ne suis pas retourné à Pessac.

On m'a conduit directement au dépôt, à mon grand désespoir. Toujours la même ambiance. Toujours les mêmes gueules.

Je ne fais qu'y passer, ouf! Un grand barbu prend ma valise, et la charge dans sa 2 CV.

– *En route*, me dit-il.

Cette fois-ci, j'atterris en Eure-et-Loir. La famille Berthelot qui m'accueille exploite une ferme près de Bleury. Là non plus, je ne sens pas le courant passer. L'homme me regarde à peine et s'en va. La femme ressemble à une chouette. Bon, il ne faudra pas que je moisisse ici, me dis-je. La file de l'air.

Il y a également un autre enfant de la DDASS. Il a mon âge. Il s'appelle François. Nous allons suivre le même chemin pendant dix ans. La première nuit, je la passe dans sa chambre. Le matin, François parti à l'école, j'en profite pour cacher mon méfait, j'ai fait pipi au lit.

Je passe la journée à couper du bois avec l'homme. Ça sent bon la sciure fraîche. Le soir au dîner, devant la tablée, la femme qui a découvert mes draps humides, me fait les pires remontrances.

– *Pour la peine, tu dormiras sur un matelas dans la grange maintenant.*

Chose dite, chose faite. Après le dîner, je déménage.

A 15 km de là existe à Saint-Symphorien une antenne de la DDASS. Le premier samedi qui suit mon arrivée en Beauce, une femme de l'antenne vient me chercher.

Sans que je prenne mes affaires, elle me conduit directement au Manoir. Je dîne au réfectoire et me retrouve à dormir dans le dortoir des grands. Il y a là des filles et des garçons d'une quinzaine d'années.

Le site est joli, l'endroit charmant, mais je ne comprends pas pourquoi on m'a amené ici. Je ne tarde pas à le savoir, quand je vois ma mère, Yvette, arriver dans le bureau de la directrice. Elle n'a pas changé, toujours ce regard perdu, cette démarche de femme résignée. Elle tient un immense paquet qu'elle me remet aussitôt. C'est un train électrique. Je l'installe immédiatement et fais tourner la locomotive. Un train, c'est toujours un départ.

Yvette vit toujours avec Achour. Elle travaille comme conditionneuse dans un laboratoire. Elle fait sa vie quoi! Chaque mois, elle remet sa paie au tyran. C'est lui qui gère le budget. Tout est bien organisé. Il a droit à tout, elle n'a droit à rien. Achour bien sûr, ne travaille pas. Il passe ses journées à jouer aux dominos, avec ses copains du café d'en bas. Ma mère est tout à la fois sa gagneuse, sa femme de ménage, sa cuisinière et son infirmière. Achour est de plus en plus malade. Son hernie se développe aussi vite que le mal qui ronge ses poumons. Quant à mes frères et sœurs, je ne sais plus.

L'après-midi, main dans la main, nous allons boire une grenadine au café du village. Il fait très chaud en ce mois de mai. Le centre de la DDASS a organisé un match de football, parents contre éducateurs.

En fin de journée, nous sommes reçus par la directrice. J'en profite pour me plaindre des fermiers qui m'accueillent.

Une éducatrice me raccompagne chez les gens. Elle constate que je dors dans la grange et que les sanitaires ne sont pas conformes. J'étais obligé de me laver dans la cour, à la pompe. Elle reviendra rapidement me chercher avec mes affaires. En attente d'une nouvelle famille, je passerai dix jours au Manoir. Je vais à l'école à Bleury. Pendant mon séjour, je fais la connaissance de Joëlle Leboisetier. Elle a seize ans, elle est très belle. Nous constatons que nous avons les mêmes initiales. Cela nous amuse beaucoup.

Joëlle doit quitter le Centre dans quelques jours. La DDASS lui a trouvé un emploi et une chambre à Chartres. Avant de partir elle en profite pour distribuer ses vêtements à ses copines. Elle possède un petit transistor. Un soir, en rentrant de l'école, je lui demande si nous pouvons écouter mon émission favorite.

– *Bien sûr*, me dit-elle! Et elle m'invite à la suivre dans sa chambre. Une chambre de fille, c'est nouveau pour moi. Ça sent bon. Il y a des sous-vêtements qui sèchent sur une chaise. Au mur, un poster de Michel Polnareff. C'est dingue. Tout nous rapproche alors!

Au même moment, comme dans les films américains, la radio diffuse la dernière chanson de Michel : « Un train ce soir. » Le temps s'arrête immédiatement. Vertige. Elle est là, consentante qui me tend ses lèvres. Je tombe amoureux d'un cœur de douze centimètres de haut.

Stop Sam, arrête de rêver. J'ai dix ans voyons!!!

La nuit est tombée sur le manoir.

La 2 CV m'attendait devant la porte pour me conduire à Gallardon. Après la tour cassée, nous tournons à droite pour rejoindre la petite place de l'église. Nous garons la voiture. Avec ma valise, nous entrons dans la maison. La femme est là, petite boulotte sympathique. L'assistante sociale me recommande.

– *Vous verrez, Jean-Luc est un garçon facile à vivre.*

La petite femme me demande :

– *Tu as faim. Tu veux que je te fasse deux œufs sur le plat?*

C'est vrai que j'ai une petite faim. Elle tient la poêle de sa main droite et une cigarette blonde dans la main gauche. Je n'avais jamais vu une femme fumer. J'engloutis carrément le repas. Et nous voilà au lavoir.

Comme à chaque nouvelle famille, c'est le moment des présentations.

Le soir au dîner, je fais connaissance du mari. C'est un gaillard immense, aux mains démesurées. Quand il tient une cuillère à soupe on croirait qu'il mange avec une cuillère à café. Pendant le repas nous avons droit à la télévision. Malheureusement, c'est une pièce dramatique; j'aurais préféré une émission de variétés.

Le couple me conduit à ma chambre. Elle se trouve au premier étage, qu'on atteint à l'aide d'une échelle. Un grand lit campagnard et très haut. Je dois prendre mon élan et sauter pour me coucher.

Je dors cette première nuit d'un sommeil profond. Le lendemain, après le petit déjeuner, la dame me conduit auprès du directeur de l'école. Je me présente, il compulse mon dossier; il est décidé que je commencerai au début de la semaine suivante, soit dans quatre jours. Je vais donc profiter de ces quelques jours de vacances, pour faire connaissance avec le village. La petite dame me laisse toute liberté pendant qu'elle s'occupe de son ménage.

Je me dirige vers la petite place, bordée de tilleuls. Des forains montent leurs manèges. Toujours attiré par les gens du voyage, surtout depuis ma dernière aventure, j'entre dans une caravane. Il y a là un petit garçon par terre, qui joue avec un petit canard. Le petit garçon me regarde en disant :

– *C'est quoi là, dans ta boîte?*

– *Un train électrique.*

Il faut dire que j'avais quitté la maison avec mon train, pensant pouvoir jouer avec dans la rue. Je lui dis :

– *Je t'échange mon train contre ton canard?*

– *D'accord.*

Je lui tends la boîte et je m'empresse de partir, le canard blotti dans mes bras. Retour à la maison. Je traverse le jardin, dépose le canard dans un clapier.

Je décide quand même de retourner dans la caravane. Je m'adresse au petit garçon :

– *Dis donc, je crois que j'ai fait une mauvaise affaire, tu vas me rendre mon train électrique.*

Tout en priant pour qu'il ne me demande pas de lui rendre le canard.

– *Je vais te donner autre chose, choisis,* me dit-il.

Je jette un regard dans la pièce.

– *Ça, je veux ça!*

C'est un magnifique poste à transistors.

– *Je ne peux pas, c'est à mes parents.*

– *Tu n'as qu'à rien leur dire à tes parents.*

– *Bon d'accord, mais n'en parle à personne.*

Je repars heureux, avec ma machine à musique. Je marche vite. J'évite le lavoir, j'entre dans la cuisine.

La dame :

– *Qu'as-tu sous le bras?*

– *Un poste.*

– *Où l'as-tu eu?*

– *Je l'avais dans ma valise en venant chez vous.*

– *Mais je ne t'ai pas vu sortir avec, tout à l'heure?*

– *Non, je suis sorti avec, quand vous étiez au lavoir.*

– *Ah bon! Et tu écoutais de la musique dehors?*

– *Oui!*

– *Quoi?*

– *De la musique.*

– *Heum, heum! tu le mets en marche, qu'on écoute ensemble?*

Alors là, c'est le choc. J'appuie sur tous les boutons. C'est le bide complet. Rien, pas la moindre musique, même pas Verchuren.

– *Donne,* me dit la dame!

Elle prend l'appareil, ouvre la porte à charnières d'où s'échappent deux piles plates de chez Wonder. Elle pose sa langue sur les pôles de la pile.

– *Mais elles sont mortes! Attends, j'en ai des neuves dans le tiroir.*

Effectivement c'étaient bien les piles, maintenant j'entends la voix d'un speaker qui donne les dernières nouvelles. Il est midi. Il me suivra très longtemps ce poste, à travers mes pérégrinations. De plus, il a un super son.

La dame est très gentille avec moi. Elle me laisse faire tout ce que je veux. Même les choses les plus insensées. Un après-déjeuner, alors qu'elle buvait son café en fumant sa enième cigarette, je lui dis :

– *Moi aussi je fume.*

– *Ah bon! tiens alors, tire une taff!*

J'ai toussé, craché, je m'étouffais littéralement.

– *Je crois que tu es encore un petit jeune, tu verras plus tard!*

Je l'aimais bien cette femme.

Dans la grange se trouvait une bicyclette. Elle appartenait à sa fille qui travaillait à Paris.

Je lui avais demandé la permission de m'en servir. Elle me l'avait accordée bien évidemment. Me recommandant toutefois de faire attention. Quatre jours de vacances à rouler à travers la campagne. Mon transistor accroché au porte-bagages avec un tendeur. J'étais heureux d'écouter mes idoles. Les premiers temps, je m'étais aventuré jusqu'à Bonville, la ferme où je me trouvais huit jours plus tôt. Je venais narguer la fermière. Elle me regardait, à travers la porte grillagée, méchamment, comme on ne devrait jamais regarder un enfant. Parce qu'un enfant ça se regarde avec amour et tendresse. Et puis un jour, comme j'en avais marre, je lui ai montré mon cul et je suis parti à toute vitesse.

Sur les poteaux télégraphiques, dans la campagne, je gravais mon nom et la date de mon séjour. Je n'ai pas vérifié, mais je suis sûr qu'en fouillant un peu aujourd'hui, on trouverait encore la trace de mon passage. Il était temps que je reprenne l'école, car l'aventure qui m'arriva ce jour-là, je ne suis pas prêt de l'oublier.

LA BEAUCE

J'avais décidé de me rendre à Auneau, petite bourgade distante d'environ vingt kilomètres. Il faisait beau en ce début d'après-midi, et je décidais de me reposer sur le bord de la route. Mon vélo toujours en vue, on ne sait jamais. Je roulais-boulais par jeu, jusqu'au champ de blé. J'étais là depuis cinq minutes peut-être, quand un homme qui passait sur la route en vélosolex m'a vu et s'est arrêté. Il appuie sa monture sur un platane et descend vers moi. Il est presque vieux. Habillé d'un bleu de chauffe et d'une paire de bottes en caoutchouc, on le confondrait facilement avec les gens du cru. Il s'asseoit et me demande qui je suis. Je lui explique que je me promène et que je vais reprendre l'école demain.

– *Tu veux essayer un Solex,* me demanda-t-il? *J'en ai plusieurs à la maison. Viens!*

Pourquoi pas? Je remonte sur ma bicyclette et je suis l'homme qui me précède. Nous devons faire environ trois kilomètres à travers des chemins de terre. Au loin nous apercevons une bâtisse. Au fur et à mesure que nous nous approchons, je la trouve de plus en plus isolée et délabrée. Elle est entourée d'un petit jardinet. Derrière s'étale un potager. Je pose ma bicyclette le long d'un volet de la fenêtre.

L'homme me demande si je veux boire quelque chose. J'accepte et nous entrons dans la maison. Après avoir bu un verre d'eau, je suis impatient d'essayer le Solex. Nous sortons dans la cour. Je n'ai pas roulé deux mètres sur le vélomoteur, que je tombe sur le gravier. J'ai une main qui saigne. L'homme me prie de rentrer de nouveau dans la maison pour me soigner. Je m'assois sur une chaise. A l'aide d'un coton imbibé d'alcool, il nettoie ma plaie. Puis il me dit d'ôter mon pantalon pour voir si je ne suis pas blessé aux genoux. Je suis maintenant en slip. Mes genoux sont intacts. Il pose doucement sa main sur ma cuisse et fait glisser ma petite culotte. Il caresse mes fesses. Je ne bouge pas. C'est la première fois que quelqu'un me touche dans mon intimité. Puis il cherche mon regard, ne sachant pas s'il pouvait continuer. Pour me donner une contenance, tellement je suis mal à l'aise, mes yeux font le tour de la pièce. Dans un coin, j'aperçois des toiles avec un chevalet. Cet homme est donc peintre! Je le regarde enfin. Il me dégoûte.

– *J'aimerais aller aux toilettes, c'est où?*

Je suis déjà debout, j'ai remonté mon slip et mon jean.

– *Je peux essayer encore le Solex?*

– *Bien sûr.*

Dehors j'en profite pour détacher mon transistor du vélo et le fixer sur le porte-bagages. Peut-être encore sous le coup de l'émotion, il n'a rien vu. J'enfourche le Solex et me voilà parti à toutes pédales...

L'homme a compris qu'il ne reverrait plus son engin.

J'ai bien vite retrouvé ma route et je ne demande pas mon reste. A trois cents mètres de la maison, je coupe le moteur, pour rentrer en roue libre. J'installe ma nouvelle acquisition à la place de la bicyclette. Il est tard. Je passe à table avec la dame et le monsieur. La télévision présente un programme de variétés où chantent Mike Brant et Nicoletta. J'ai la tête ailleurs. Et si le monsieur avait téléphoné aux gendarmes pour leur dire que j'étais un voleur. On allait me mettre en prison? J'avais peur de retourner chez lui, pour ramener le vélomoteur. Trop souvent dans les journaux, on pouvait lire des histoires d'enfants retrouvés assassinés et violés.

J'ai été angoissé toute la nuit. Le matin j'ai vu que j'avais fait pipi au lit. La dame ne m'a fait aucune réflexion, mais le soir sous mon drap, j'avais une alèze.

De mon histoire, j'en ai parlé à personne. Le temps effaçant les mauvais souvenirs, je me suis servi à nouveau du Solex. Il faut savoir mettre des boules Quiès à ses scrupules.

La municipalité de Gallardon organisait une fête le samedi soir. Christophe, le chanteur d'« Aline » était invité. Nous y sommes allés tous les deux avec la dame. Le spectacle était gratis. J'ai trouvé la musique différente sur les disques et Christophe moins grand que je me l'imaginais.

Nous l'avons attendu à la sortie des artistes. Les magazines ne mentaient pas. Les chanteurs devaient gagner beaucoup d'argent. C'est ce que j'ai pensé quand il est monté dans sa voiture de sport rouge. Moi aussi un jour je serai riche.

Ma première matinée à l'école de Gallardon a commencé par une bagarre. Pendant la récréation, un grand m'a traité de « parigot tête de veau » – « parisien fils de chien ». Pour la tête de veau, passe encore. Pour le fils de chien, je l'ai remercié d'un coup de poing sur le nez. Puis nous avons roulé à terre. C'est l'instituteur qui surveillait la cour qui nous a séparés.

J'étais en cours depuis deux heures, quand le directeur a fait irruption dans la salle de classe. Il m'a donné l'ordre de le suivre dans le couloir :

– Le camarade avec qui tu t'es battu ce matin a la clavicule cassée. C'est très grave ce que tu as fait. Compte tenu de ton dossier, je ne devais pas te prendre à l'école. Mais devant l'insistance de la DDASS... Alors c'est ton premier et dernier jour ici.

Il m'a tourné le dos pour retrouver son bureau. Sans rien dire à personne, j'ai récupéré mon cartable, mes stylos et je suis sorti dans la rue sans attendre la fin des cours. La maîtresse m'a regardé partir, sans un mot.

Je n'avais pas envie de rentrer à la maison. Mais comme j'avais faim, je me suis dirigé vers une supérette, pris un caddy et je l'ai rempli de toutes sortes de choses. Des gâteaux, du beurre, des œufs, un poulet, du saucisson mais surtout des yaourts. Un peu à l'écart, dans un rayon désert, j'ai bu six yaourts à la suite. Le ventre plein, les mains dans les poches, j'ai laissé le chariot ventru dans l'allée. Je suis sorti comme si de rien n'était. J'ai pris la direction de la fête foraine. En vérité je ne savais pas quoi faire de ma liberté. J'ai traîné dans les rues jusqu'au soir; quand la pendule du clocher a sonné dix heures, il était temps pour moi de rentrer. J'ai tout de suite reconnu la 2 CV devant le portail. La porte de la cuisine était grande ouverte. J'ai bien essayé de rejoindre ma chambre sans m'arrêter mais l'assistante sociale m'a rattrapé. La dame et son mari étaient assis.

– *Alors?*

– *!!!!*

– *Ce n'est pas possible, tu as le diable dans la peau?*

– *!!!!*

Toujours pas de réponse.

L'assistante sociale, s'adressant au couple :

– *Madame, vous êtes trop bonne, ou si vous préférez pas assez ferme dans votre méthode d'éducation. Je pense avoir compris votre comportement. Quoiqu'il en soit, je vais faire un rapport, et je doute qu'on vous donne d'autres enfants à l'avenir.*

Elle était arrogante et hargneuse.

Puis elle se tourne vers moi.

– *Non seulement, tu fractures la clavicule d'un*

enfant de l'école et en plus tu voles un vélomoteur!

Ça y est, je suis découvert, les bras m'en tombent. J'ai la gorge serrée. Il faut que je trouve quelque chose. Il le faut absolument. Comme il n'y a de la chance que pour la canaille, je réponds :

– *Voilà! Je me dirigeais vers Saint-Symphorien,* (j'avais pris bien soin de modifier mon itinéraire), *j'avais tellement chaud, que je me suis arrêté sur le bord de la route. J'ai posé mon vélo le long d'un platane. J'ai fait une cinquantaine de mètres pour me mettre au frais dans le bois. Quand je suis revenu prendre ma bicyclette, elle avait disparu et le Solex se trouvait à la place.*

Il y eut trente secondes d'un silence pesant. Personne n'avait cru à mon histoire :

La dernière parole de la dame a été :

– *Tu m'as profondément déçue mon petit Jean-Luc.*

Pas d'au revoir de la part de son mari non plus.

J'ai voulu monter dans ma chambre récupérer mes affaires, pour aussi m'imprégner de souvenirs. L'assistante sociale m'a arrêté.

– *Tout est dans la voiture, viens.*

Si j'avais eu quelques années de plus, j'aurais pris la parole pour expliquer à la dame ce qu'avait été mon enfance. Le dépôt, Denfert-Rochereau, le passage de l'Épargne. Elle aurait compris et pardonné. Elle était bonne la dame. Tu vois, je ne vous ai pas oubliée.

Assistante sociale : personne employée pour remplir un rôle d'assistance auprès des individus défavorisés, dans le domaine moral, médical ou matériel (Petit Larousse).

En ce qui me concerne, c'était plutôt moral. Je pensais en ce temps-là que les assistantes sociales devaient avoir beaucoup d'enfants et un mari exigeants en affection. Parce que pour nous, les démunis, elles n'en avaient plus. Les cinq minutes de trajet entre Gallardon et Relais 1, à Saint-Symphorien, se sont passées en silence. L'assistante sociale avait parlé, elle n'avait donc plus rien à dire.

J'ai retrouvé mon dortoir. J'ai bien essayé de trouver le sommeil mais en vain. Je me suis relevé à tâtons dans le noir, en approchant le plus près possible mon visage des enfants qui dormaient, j'essayais de reconnaître un copain.

J'espérais surtout retrouver Joëlle.

Toujours le même dénouement. Récupération des bagages. (J'avais tellement de souvenirs matériels, que la DDASS, cette fois-ci, avait remplacé ma petite valise par un sac à dos.) Voiture jusqu'à la gare. Train jusqu'à Paris. (Ne rigole pas François de Bonville!) Métro-gare-orangeade.

Chapitre 7
CLAIRE

Mon accompagnateur était aussi muet que ses prédécesseurs. C'est à croire qu'on leur interdit de nous parler. Comme les flics avec les prisonniers politiques.

Assis à ma place habituelle près de la fenêtre, je regarde Paris s'éloigner. Une fois encore j'allais changer d'air. Je repartais en exil. Qu'allait-il m'arriver?

Juin 1969. Aurillac, tout le monde descend.

Charmante petite ville, qui fleurit au milieu du Cantal. Un car nous promène à travers la campagne. Le soleil chauffe les pierres. Il est midi. Je le sais, j'ai faim! Le car s'arrête et l'homme qui m'accompagne m'aide à porter mon sac pour descendre. Le car redémarre et passe devant nous. Je découvre alors de l'autre côté de la route une ferme seule au milieu du désert. Nous nous approchons. Une cour immense, où s'ébat une cinquantaine de cochons. Une femme tenant dans les bras un bébé, nous fait signe d'avancer. Nous enjambons les excréments, sautons les flaques de purin, contournons les tas de fumier.

– Alors, c'est lui le p'tit Jean-Luc? J'ai bien reçu votre lettre mon bon Monsieur! Entrez!

Le sol est en terre battue, les meubles rustiques, usés et bancals. Une toile cirée à petits carreaux rouges et blancs recouvre la table. Une cheminée immense investit le milieu de la pièce. Ça sent le lait caillé, le jambon et la pauvreté. L'homme qui m'accompagne, a posé sa main sur mon bras, pour me faire avancer. Il a compris. Moi aussi. Les tests, bon Dieu, pourquoi nous font-ils faire des tests? Pourquoi nous demander où nous aimerions vivre, puisque vous n'en faites qu'à vos fichiers? Revoyez vos statistiques. Revoyez la formation de vos lieutenants. Ou laissez-nous...

Elle est rougeaude et sale cette femme. Elle n'a pas l'air méchante. Le gosse qu'elle tient dans ses bras, vient de l'Assistance Publique aussi. Je ne sais pas depuis combien de temps il est là, mais en tout cas, il profite.

– Asseyez-vous! Vous n'avez un train que ce soir à dix-sept heures, vous allez manger avec nous.

La dame me colle carrément le morveux sur les genoux. En un rien de temps, elle pose devant nous une assiette et un verre. Elle découpe trois tranches de pain, d'une miche énorme. C'est la première fois que je mange du jambon cru. J'aime bien. La dame m'a retiré le gosse qui en a profité pour m'étaler de la confiture sur la chemise. Merde! Son homme est aux champs, il ne rentrera que ce soir. Mon accompagnateur a consenti à m'adresser quelques paroles.

– Moi aussi, je viens de l'Assistance, mais dans mon temps c'était bien plus difficile que maintenant. Pas de jean, la même tunique à boutons dorés pour tout le monde.

– Il faudrait qu'on soit plus malheureux, alors?

Je me disais qu'ils avaient raison à la DDASS. Il valait mieux que leurs accompagnateurs se taisent, cela leur évitait de dire des conneries. Ça veut dire quoi, « On était plus malheureux de notre temps – Maintenant vous n'avez pas à vous plaindre ». Rien! nous sommes d'accord.

Mon séjour du côté de Saint-Mamet a été très pénible pour moi. Je couchais par terre, sur une paillasse dans une annexe, entre la chambre des fermiers et la porcherie. Il fallait faire cinq kilomètres pour trouver le premier voisin. Je n'avais plus envie de « fuguer », j'étais las, découragé! C'est dans ce bled perdu que j'ai écrit ma première chanson, qui s'appelait « Là-haut sur la montagne ».

Je ne suis pas allé à l'école. La dame n'a pas jugé bon de m'inscrire, pour quelques semaines qui restaient à courir. Je ne parlais à personne. Un jour que les piles de mon poste étaient usées, j'ai demandé l'autorisation à la fermière de me rendre en ville pour en acheter des neuves. C'est d'accord. Pas question de faire du stop. La marche à pied, c'est bon pour la santé. Il faut dire que la fermière me trouvant trop maigre à son gré, avait décidé de me remplumer.

J'ai tout de suite aimé ce petit village, ses petites ruelles, la vigne vierge qui monte le long des murs de pierres, cette lumière colorée qui transpire le soleil, la rivière à truites. Je suis entré dans la seule boutique du pays. L'épicière, une femme entre deux âges, m'a servi mes piles. J'en ai profité pour voler un paquet de chewing gum, pendant qu'elle était dans la réserve.

Sur le chemin du retour, une DS me double, et, s'arrête à environ vingt mètres. J'avance toujours. Quand je suis à sa hauteur, par la fenêtre ouverte, une jeune fille me demande où je vais.

– *A la ferme du bois Dieu.*

– *Montez, nous allons vous déposer.*

Je m'asseois à l'arrière. Une femme conduit. C'est sûrement la mère de la jeune fille.

Quand elle m'a parlé, j'ai vu qu'elle était belle.

– *C'est vous le garçon de l'Assistance?*

Je réponds oui à la mère.

– *Vous vous plaisez ici?*

– *Je ne sais pas encore.*

La femme n'a pas compris quand elle s'arrête devant la porte, que j'aurais voulu qu'elle continue à rouler pour m'emmener loin d'ici. Loin de ces gens primaires qui étaient chargés de mon éducation et qui tenaient ma destinée entre leurs mains. Loin de ce monde, qui résonnait pour moi comme un tambour crevé. Je ne fais pas de déprime, je constate, c'est tout.

La mère et la fille sont également descendues. Elles viennent acheter des œufs. Tant bien que mal elles traversent la cour.

– *Bonjour Madame, bonjour Claire*, leur dit la fermière.

Elle s'appelle Claire. Je prononce son nom dans ma tête, Claire. Je les suis. Dans la cuisine la fermière leur roule douze œufs dans du papier journal.

– *Allons bêta*, me dit la fermière, *tu pourrais m'aider tout de même.*

Je prends un œuf, je le roule dans le papier. Crac! J'en ai plein les doigts. Tout le monde se met à rire. Claire découvre ses dents dans un sourire franc et honnête. Elles paient et prennent congé. J'en profite pour les raccompagner à la voiture et les remercier.

Claire me demande si je veux bien passer la voir demain, elle est seule et s'ennuie un peu.

– *Nous ferons connaissance et je vous ferai des gaufres.*

CLAIRE

Je suis fou de joie. Je saute à pieds joints dans la bouse de vache.

Pendant le repas, mon hôtesse me demande le sel, je lui passe le beurre, le pain, je lui donne le vin. Chaud devant, v'là d'la tendresse.

Le manoir est situé en haut de la colline, soit un kilomètre du pays. Il est entouré d'un immense jardin fleuri. Je suis attendu.

– *Bonjour Claire.*

– *Vous connaissez mon nom, je ne connais pas le vôtre?*

– *Je m'appelle Jean-Luc.*

– *Venez Jean-Luc, j'ai préparé des gaufres à la confiture.*

Je la regarde. Elle a quinze ans peut-être. Pas très grande. De long cheveux blonds comme une princesse. A la manière dont elle s'habille, on sent qu'elle vient d'une grande ville.

– *Nous habitons Paris, j'ai été très malade et je me repose ici. C'est notre maison de vacances. Papa l'a achetée à un ancien notaire. Vous aimez la campagne? Moi je l'adore, surtout la nuit. Je regarde les étoiles.*

Je l'écoute parler, subjugué.

– *Il faudrait que vous veniez une nuit, je vous montrerai ma longue-vue. Vous connaissez les étoiles? Moi je connais leur nom par cœur.*

– *Je viendrai ce soir, si vous voulez?*

– *Non, je ne peux pas ce soir, nous allons dîner chez des amis; demain soir. Je vous attendrai à la nuit tombée à l'entrée du jardin.*

La journée se passe merveilleusement bien.

Et, le soir pendant le dîner, quand l'hôtesse me

demande le pain, je lui passe le sel, quand elle me demande le beurre je lui passe le poivre.

Je ne veux plus quitter ma chambre jusqu'au lendemain soir. Et quand la fermière me demande si je suis malade, je montre mes dents. J'ai mal aux dents. Ah! bon. Je me suis quand même levé à midi. Mon petit ventre réclamait. J'ai mangé du poulet avec de la purée. Le fermier m'a parlé de son pays natal. Il est Polonais. Il est venu ici pendant la guerre. Il ne dit pas grand-chose, mais il est gentil. D'ailleurs, ce n'est pas parce qu'on ne parle pas, qu'on est con! Ce serait même plus facilement le contraire. Il fait de la betterave pour ses cochons. Il aimerait bien que je reste à la ferme pour lui donner la main. C'est vrai qu'il est gentil ce type. Quand à faire ma vie dans la culture on verra. On verra avec Claire.

La nuit arrive; je suis à la porte depuis une demi-heure. Je joue avec un caillou. Viendra, viendra pas? La voilà, nous sommes déjà sur la terrasse. Je découvre la longue-vue et les étoiles.

– *Tu vois*, me dit Claire, *sur ta droite, c'est Vénus, et à gauche au fond c'est Jupiter. Regarde l'étoile filante.*

Pour régler la netteté, Claire a posé sa main douce sur ma main.

Cette nuit-là, je m'endormis avec les étoiles Grande Ourse, Petite Ourse et leurs « copines ».

A la ferme, les gens se lèvent tôt. Il y a beaucoup de travail. Les cochons, les poules, les canards, les betteraves. On me réveille à huit heures. Je déjeune d'un grand bol de lait chaud et de tartines beurrées. Ma toilette est simplifiée. Je passe ma tête sous le robinet dans la cour. La fermière me demande de l'aider quelquefois aux travaux du ménage. Ce matin, je participe à l'épluchage des haricots verts. Nous sommes assis devant la porte, un grand cageot à nos pieds.

– *Alors comme ça tu t'es fait une copine?*

– *Ouais!*

– *Elle est gentille Claire. C'est bien malheureux quand même ce qu'il lui arrive.*

– *Qu'est-ce qui lui arrive?*

– *Ben, sa mère t'a pas dit?*

– *Dit quoi?*

– *Claire a une drôle de maladie qui la ronge. Ce s'rait une espèce de microbe qui lui mangerait le sang. Mon Dieu. Pauvre petite. Ça fait déjà un an qu'c'est arrivé. Dans l'pays y'en a qui disent qu'elle va mourir. Vu qu'c'est déjà arrivé au fils du pharmacien de Lénard et qu'il est mort.*

– *Mais non, elle ne va pas mourir. Elle m'a fait des gaufres hier, elle n'était pas couchée!*

– *Enfin, moi c'que j'en dis. Pauvre Claire, c'est bien malheureux tout d'même.*

Mais elle est folle cette femme. De quoi parle-t-elle? Elle n'est pas malade Claire, elle rit avec moi. Même qu'elle a posé sa main douce sur la mienne. Elle m'a embrassé sur la joue cette nuit quand on s'est quittés. De toute façon, il n'y a que les vieux qui meurent.

Le passage chez ces fermiers a été pour moi une période de vacances. Entre les promenades à bicyclette à travers la campagne, nous écoutions de la musique, Sardou, les Beatles, Zanini et tant d'autres. Souvent Claire sortait quelques pièces de sa poche et m'invitait à prendre un rafraîchissement au café de la mairie. Comme j'aurais aimé que ses joues soient roses comme la grenadine. J'avais remarqué, que le soir, les yeux de Claire étaient plus brillants et que de grands cernes lui abîmaient le visage. Plusieurs fois elle m'a dit :

– *Je suis fatiguée, je vais me coucher, à demain Jean-Luc.*

Ses parents m'aimaient bien. Un jour que sa mère était venue me chercher à la ferme, je lui ai fait visiter ce qui me servait de chambre. Elle était outrée de voir qu'on me laissait dormir dans cet endroit. Elle n'a rien dit. Plus tard, je saurai que c'est grâce à elle, que j'ai pu quitter cette crasse.

De retour au manoir, elle me mène directement à la salle de bains. J'ai pu entr'apercevoir la chambre de Claire. Au mur étaient accrochés des posters des Beatles et de Johnny Hallyday. Petite cachotière, jamais elle ne m'avait parlé de sa passion pour les deux chanteurs.

Sa mère me dit :

– *Jean-Luc, tu vas te mettre tout nu dans la baignoire et je vais te faire un bon lessivage, car tu en as vraiment besoin. C'est impensable de vivre de cette manière.*

Je me sens plus qu'intimidé. Me mettre à poil devant cette femme, qui de surcroît est la maman de Claire.

– *Allez Jean-Luc. Tu sais, j'en ai vu d'autres!*

Bien, je plonge dans l'eau tiède et parfumée. Elle me savonne doucement. Une bienfaisante torpeur m'envahit. Mes yeux se ferment. Je ne dors pas, j'attends. La maman de Claire s'est rendue compte de mon trouble. D'ailleurs j'aurais eu du mal à cacher mon excroissance en ébullition. Elle a sorti une grande serviette du placard et m'a frotté énergiquement. Mon short, slip, chaussettes, chemise, tout est parti à la poubelle.

Elle est enfin revenue de la chambre de sa fille, avec un jean un peu grand pour moi, et une chemise rouge vif. Elle m'a également offert une ceinture de cow-boy et une paire de tennis qui correspondait exactement à ma taille. Pour finir, elle a pris un sac, l'a rempli de vêtements; une jolie veste de tweed; un short, des slips, une petite casquette très amusante. Claire, après avoir frappé, est entrée dans la pièce à son tour.

– *Maman, pourquoi ne lui as-tu pas donné ma chemise verte, et la bleue? Comme tu es beau Jean-Luc!*

Elle s'approche et m'embrasse.

Je suis gêné, j'ai honte d'être pris en flagrant délit de pauvreté.

J'ai mangé quinze crêpes avec du sucre ou de la confiture. J'ai été puni cette nuit-là de ma gourmandise. Quelle indigestion!

Claire avait demandé à ses parents de l'emmener visiter les pays de l'Est. C'était une chose dont elle avait envie. C'est donc un matin d'août qu'ils sont venus tous les trois me dire au revoir. J'étais prévenu de leur départ, mais me retrouver seul, ici dans ce ghetto, c'était terrible pour moi. La dame m'a grondé parce que n'avais pas mis les vêtements qu'elle m'avait offerts. Je me promenais encore avec un vieux short, une vieille chemise et en sabots.

– *J'ai tellement peur de les salir ici, Madame!*

– *Nous t'en avons donné beaucoup exprès, pour que tu puisses te changer souvent.*

Claire avant de m'embrasser m'a donné son adresse à Paris et m'a demandé de régler ma radio sur RTL.

– *Comme ça nous écouterons les mêmes chansons en même temps.*

Je les ai regardés s'éloigner. Je pleurais.

La mère de Claire m'avait confié une enveloppe.

– *Une dame va venir te voir, tu lui remettras, fais attention que les fermiers ne la prennent pas.*

Effectivement, une semaine plus tard, à l'heure du dîner, une inspectrice de la DDASS a fait son entrée. Après s'être présentée, elle a demandé à visiter ma chambre. La fermière lui a répondu qu'il y avait un temps pour tout, et qu'en ce moment c'était le repas.

L'inspectrice a insisté et de ce fait a pu constater le taudis dans lequel je vivais. A l'écart, je lui ai remis l'enveloppe. Elle m'a demandé ce que je mangeais et quelles étaient mes conditions de vie. C'était très simple :

– Une soupe le soir, toujours la même avec de l'eau et des morceaux de légumes.

– Du fromage, habité par des intrus, que le fermier grattait avec son couteau, avant de l'introduire dans sa bouche.

– Pas de salle de bain.

– Pas de toilettes, mais un trou dans le jardin. Heureusement que c'était l'été.

L'inspectrice est venue me chercher le lendemain matin. J'ai chargé le plus rapidement possible, mon sac et mon panier, plein de vêtements. Pour la circonstance, je m'étais habillé d'un jean et d'un blouson. Les fermiers m'ont regardé partir. Au bout de deux cents mètres, j'ai demandé à l'inspectrice de stopper sa Coccinelle, prétextant une envie de faire pipi. J'ai quitté le véhicule et couru vers l'enclos où s'entassaient tous les cochons. J'ai ouvert la barrière en grand, avec l'aide d'un bâton je les ais fait tous sortir. Les cochons criaient, couraient dans tous les sens. Une dizaine est rentrée dans le potager et l'a retourné en moins de temps qu'il faut à un Belge pour vider sa choppe de bière. Adieu! la soupe à l'eau chaude et aux petits légumes. Elles se régalaient les petites bêtes, de poireaux, choux-fleurs, pomme de terre, carottes. La fermière pleurait, trépignait, hurlait à son mari de faire quelque chose.

Le meilleur moment de la fête, c'est quand je l'ai vue courir après une truie. Devant le mur du hangar, la bête a fait volte-face et la grosse fermière a été surprise. Elle a perdu l'équilibre et s'est écrasée au milieu d'une flaque de purin.

Je l'ai regardée, jouissant de mon triomphe, en espérant même qu'elle se soit cassée les deux jambes.

Aujourd'hui j'aurais parfaitement compris qu'ils n'étaient que de pauvres gens, pas malveillants pour un sou. Le potager aurait été épargné. J'ai repris ma place dans la Coccinelle, près de l'inspectrice. Elle avait tout vu dans son rétroviseur. Elle ne m'a rien dit. Moi, je sais qu'elle souriait.

Chapitre 8
LA COLO

La route est longue et dangereuse entre Saint-Mamet et Issoire. Cent cinquante kilomètres avec uniquement des virages.

En arrivant dans la cour, j'ai trouvé l'endroit curieux. Une grande bâtisse en pierres plates, entourée de hauts murs, l'ensemble surplombant toute la région. Nous étions au couvent des Sœurs du Devoir. La mère supérieure, suivie de quatre sœurs à cornettes s'est présentée à nous.

Elle a échangé quelques mots avec l'inspectrice qui m'accompagnait. La conversation a tourné court. Les bonnes sœurs de l'endroit, sont avares de confidences. Pas d'effusion sentimentale entre l'inspectrice et moi, je ne suis plus un enfant. Les quelques bonnes sœurs présentes se sont partagées mes paquets et ensemble, nous sommes allés reconnaître ma chambre. Sobre, propre, avec un crucifix au-dessus du lit, elle n'avait rien à voir avec ce que j'avais connu ces jours derniers. D'emblée malgré l'austérité de l'endroit, je me suis trouvé bien.

Il faut dire que j'ai toujours été impressionné, par des endroits de recueillement. Les églises où flottent une odeur d'encens. J'aime y déposer un cierge. C'est comme une lueur d'espoir dans le présent et l'avenir. « Mais, faut-il être mystique, pour monter avec noblesse vers les cimes. »

Le potager derrière le couvent, est fabuleux. Ce sont les sœurs qui l'entretiennent et font pousser des légumes de toutes les couleurs. Je m'approche de l'une d'elles.

– *Puis-je vous aider?*

– *!!!!*

Pas de réponse.

– *Vous savez, j'ai déjà travaillé à la ferme une fois à Bleury près de Paris et là je viens de Saint-Mamet. Vous connaissez?*

Pas de réponse. Elle est peut-être sourde?

Alors je me mets à crier.

– *Vous m'en-ten-dez?*

C'est une autre sœur, pliée à biner derrière les pommes de terre qui me fait signe de la retrouver dans son carré de salades.

– *Elle n'est pas sourde, seulement elle a demandé d'être mise en quarantaine, pour purifier son âme. Elle ne doit parler à personne pendant quarante jours.*

– *Hum! hum! et qu'avait-elle son âme?*

– *Elle n'a pas à nous dire pourquoi elle veut cette pénitence.*

J'ai préféré partir, par peur d'être contaminé. J'en avais tellement moi, de péchés à ma faire pardonner. Je suis retourné aux cuisines, l'endroit me paraissait plus sympathique.

La messe de 18 h a duré une heure, juste le temps

qu'il fallait pour passer à table. Dans le réfectoire, je me suis assis près d'une sœur joufflue et rougeaude. Ça peut servir. Debout – prière – assis. Pas de bavardage, on se serait crus à la DDASS, mais sans les lentilles. En vérité je n'avais pas trop faim. Le repas de midi était copieux. Pendant que nous mangions, la sœur « jeunette » nous lisait des passages de l'Evangile selon saint Jean. J'essayais à travers tout ce petit monde renfermé sur lui-même, de découvrir un visage épanoui. Ils étaient tous épanouis. Alors, j'ai pris congé, au revoir Mesdames. Je préférais m'endormir avec mon transistor. Quoique...

Aucune sœur n'est venue me border. C'est normal, une sœur n'est pas une mère.

Je ne suis resté que deux jours au couvent. J'y ai été choyé, entouré et gâté. Je me souviens qu'elles m'avaient fabriqué un panier à roulettes, un peu dans le style des paniers à commissions qu'utilisent les ménagères. Ceci pour faciliter mes déplacements. Elles avaient ajouté à mes bagages, une cantine de l'Armée. A l'intérieur, elles y avaient mis :

– deux pots de miel qu'elles fabriquaient au couvent,

– une photo du groupe,

– un chapelet, que j'ai gardé longtemps, jusqu'au jour où on me l'a volé, allez comprendre!

– vingt piles neuves pour mon poste à transistors, ça c'était quelque chose d'important pour moi et elles avaient compris,

– une paire de sandalettes en cuir (sans commentaire),

– cinq morceaux de savon, fabrication maison,

– trois fromages,

– un kimono blanc et noir.

Elles étaient merveilleuses les petites sœurs. Chaque

chose déposée dans la cantine correspondait à un besoin. Il faut dire que la veille au soir je leur avais raconté mon histoire, les gitans, la fermière et ses cochons. Et chaque anecdote était ponctuée de « Ah! comme il a été malheureux le pauvre petit. » Petites Sœurs du couvent d'Issoire, vous m'avez réconcilié avec les grands.

Le car s'est arrêté devant le porche. Il paraît qu'il avait fait un détour de cinquante kilomètre pour venir me prendre au passage.

La colonie de vacances, se trouvait dans les Gorges du Tarn. Tout était fait de bois, les dortoirs, le réfectoire, les cuisines. C'est là que j'ai pu connaître mon copain Freddy.

Après le petit déjeuner du matin, les moniteurs ont réuni tout le petit monde. Il y avait là des gosses de sept à quinze ans. Le discours a tourné autour des recommandations habituelles. Interdiction pour les garçons d'aller dans le dortoir des filles. Celui qui sera pris à voler, sera sévèrement puni et renvoyé à la DASS Paris. Chacun est tenu de participer à tous les jeux organisés par la colo. J'étais pratiquement d'accord.

Le repas de midi a été plus mouvementé.

Je mangeais face à Freddy qui était également mon voisin de lit. Pendant le repas, je n'avais pas touché à mon assiette. Toute la matinée j'avais grignoté les friandises offertes par les bonnes sœurs. Pensant que Freddy ne m'avait pas vu je lui avais volé son dessert, une orange. Il me tend la main :

– *Donne.*

– *Donne, donne quoi?*

– *Mon orange. Oui mon orange, tu me donnes mon orange?*

J'aurais bien été en peine de lui rendre, vu qu'elle

était déjà dans mon estomac. Le problème par contre, c'est que Freddy âgé de douze ans, me rendait quelques kilos.

– *Bon, tu me la donnes mon orange, ou je vais être obligé de te tabasser.*

– *Hé! molo, hein! Ton orange je l'ai mangée. Je t'en donnerai une demain.*

– *Pas question, c'est maintenant ou sans cela on sort s'expliquer dehors.*

– *C'est d'accord, je sors.*

Freddy était un garçon de l'Assistance, comme moi il avait vécu les mêmes aventures, les mêmes déprimes, les mêmes angoisses. Je ne m'étais jamais affronté de cette façon, ça allait être la première fois. Je n'étais pas tellement chaud. J'avais encore dans la tête les histoires de bagarres qui tournaient mal, où l'on retrouvait l'un des antagonistes à l'hôpital dans le coma ou mort. Et je n'avais pas du tout envie de mourir. Lui non plus d'ailleurs, mais il cacha bien son jeu.

Mais la loi de l'Assistance est ainsi. Celui qui se dégonfle pour une bagarre, est catalogué, il passera toute sa vie pour une « gonzesse ». Et là il n'en était pas question. J'ai rejoint Freddy derrière le dortoir.

Une foule de gosses nous entourait déjà. Les monos n'avaient pas bougé. Ce n'était pas leurs « oignons ». J'ai défait mon blouson et mon tee-shirt que je ne voulais surtout pas salir. Freddy une dernière fois m'a dit :

– *Alors tu me la rends mon orange?*

– *J'en ai pas, tu n'as qu'à attendre demain!*

– *Fais gaffe, parce que je fais du karaté!*

Nous nous sommes avancés l'un vers l'autre, à la manière des lutteurs japonais. Freddy m'a pris aux épaules, moi à la taille. Nous avons opposé nos forces pendant une minute au moins. Puis il m'a fait passer par dessus sa hanche. Je me suis retrouvé par terre sur le dos, Freddy me maintenait à terre avec le poids de son corps. Il a levé la tête en me tirant par les cheveux.

– *C'est vrai, tu me rendras mon orange demain?*

– *Oui.*

Il m'a lâché et nous sommes devenus les meilleurs amis du monde. Et tant pis pour les spectacles!

A la colo, nous avions un atelier de fabrication de canoés. Un jour par inadvertance, j'en ai fait tomber un du tréteau où il se trouvait en réparation. Malheur! Le canoé s'est déchiré sur une longueur de trente centimètres. Le mono pour me punir, m'a confisqué mon transistor et l'a planqué sous son lit. Le soir, n'y tenant plus je suis allé le récupérer en douceur. Il n'a rien vu. J'avais tellement peur qu'il le garde pour lui, ou qu'il le revende à Paris. Pour la confiance, je suis plutôt « molo ».

Au bout d'une semaine je l'ai ressorti tout naturellement, le mono avait oublié.

Freddy et moi on se racontait les histoires de notre passé. Je me rappelle, que son rêve à lui c'était de devenir un jour professeur de karaté. Il suivait des cours à Vitry chez Monsieur Laffont. Le tube de l'été cette année là, c'est Johnny qui chantait « Que je t'aime ». J'adorais cette chanson, mais une phrase me choquait, que je ne comprenais pas, c'est quand il disait :

« Quand tu te sens plus chatte et que tu deviens chienne. » J'ai longtemps essayé de savoir, pourquoi les chiens étaient plus méchants que les chattes. De plus, pour être franc, pour moi, le mot chatte évoquait plus un endroit de l'anatomie de la femme, que le nom d'une espèce d'animal.

C'est la première fois, pendant ses vacances, que j'ai

osé tenir la main d'une petite copine. Nous partions en randonnée, j'étais toujours plus chargé que les autres, car je trimballais avec moi mon transistor. De temps en temps je trouvais un copain pour le porter et ça me soulageait.

Il y avait cette merveilleuse chanson de Julien Clerc. « Si tu reviens, si tu reviens comme une fête ». Je ne la connaissais pas auparavant Julien mais cette chanson m'a beaucoup touché. « Chimen », de René Joly, je la chantais. J'ai découvert Léo Ferré, avec sa chanson « C'est extra ». Je ne me l'imaginais pas tel qu'il était réellement. Je le voyais brun, avec des cicatrices, style baroudeur. J'ai été déçu quand je l'ai vu dans les magazines. Déçu de savoir que c'est lui qui chante ça. A tel point que je n'aimais plus la chanson.

Je n'achetais plus de disques à cette époque. J'aurais été bien en peine de les utiliser. J'avais un petit carnet où j'inscrivais tous ceux qu'il faudrait que je me procure à la rentrée, par n'importe quels moyens.

Ce qui est merveilleux, c'est que l'écoute à l'heure actuelle me rappelle une situation précise, par exemple :

– « Tous les bateaux, tous les oiseaux » de Polnareff, le pied d'un pin sur lequel j'étais adossé.

– « Que je t'aime » de Johnny, l'intérieur d'une boutique où nous étions rentrés pour voler un tee-shirt à un copain.

– « Le Métèque » de Moustaki, un paquet de cigarette « Fontenoy » c'était la première cigarette de mon existence.

– « C'est extra », une halte qu'on a fait tous ensemble, pour boire une menthe à l'eau sur les bords du Tarn.

– « Si tu reviens », un passage à niveau, j'étais dans une voiture des monos, nous avions acheté de la résine.

Nous avons descendu le Tarn en canoë. Deux voitures suivaient de chaque côté, avec la bouffe et les sacs de couchage. Le voyage durait deux ou trois jours, c'était super. La spéléologie, nous descendons dans les entrailles de la terre. J'avais un peu peur. Chacun portait un casque avec une petite lumière. Une échelle de corde et le silence. Il y avait toujours un membre du groupe qui craquait à vingt mètres en dessous. Cela a bien failli m'arriver. J'étais en queue, je me suis trompé de goulet et impossible de me retourner à cause de l'étroitesse du boyau. Il a fallu que je refasse tout en marche arrière.

Mais quels souvenirs!

Il y a les bivouacs de trois jours dans la nature. Filles et garçons mélangés pêle-mêle dans deux Land Rover, c'est l'aventure!

Nous étions à mi-parcours des vacances. Un soir, après le dîner, dans le bungalow qui nous servait de dortoir, un grand d'environ seize ans, nous propose de mesurer nos zizis. Le jeu s'est vite transformé en gymnastique anatomique, où chacun tirant sur son engin, tentait le record. Ce n'était que rigolade. Tout à coup, le grand, debout dans le fond de la pièce, nous prie de nous approcher. Il faut dire que la plupart d'entre nous, n'avait pas encore découvert l'acte d'amour. Pour cause, nous avions entre dix et seize ans. Stupéfaction générale, le record était largement battu. Mais d'une façon qui ne nous paraissait pas du tout, mais pas du tout ordinaire. L'individu dont il s'agit, semblait se caresser son endroit fragile d'un geste de va et vient. Son sexe, érigé vers le haut, semblait démesuré par rapport à nos bougies d'anniversaire. Ce fut alors quatorze juillet pour le garçon. Il ferma les yeux et un liquide blanc et visqueux, dans un jet, vient salir son ventre et ses cuisses. Il semblait ravi. Et voilà! nous dit-il. A un copain, qui s'était approché un peu trop près pour voir, il tartina de son liquide sur le visage. Tout le monde se mit à rire. Je pense que cette nuit, nombreux ont été ceux qui ont tenté le grand Chlem, mais gare aux cartes de France!

Ce samedi-là, c'est la fête au village. Seuls les grands, ont eu la permission de s'y rendre. Dans le soir, porté par le vent, ce n'est que musique et joie de vivre. Quitte à se prendre une grande claque, nous sommes quatre décidés à « fuguer ». L'air est frais la nuit dans les Gorges du Tarn, mais ça sent bon le pin et le chataignier. Nous décidons de prendre un peu de liberté. Il nous faut élaborer un plan de fuite. Le principal écueil, c'est le gardien au bout du camp. Le grand qui nous accompagne à une idée.

– *On va piquer la voiture du dirlo de la colo.*

C'est risqué. Mais notre fureur de vivre l'emporte. Avec une lime à ongles, la serrure de la porte est vaincue. Ce n'est qu'un jeu d'enfants pour faire démarrer la voiture. Deux coups de klaxon devant la maison du gardien, qui a bien reçu le code et qui ouvre la barrière.

Ouf! nous voilà dehors. Direction la fête au village. Pour plus de sécurité, nous décidons de planquer la 2 CV dans un fourré, en contrebas de la route. Mais où? l'un des nôtres fait signe au chauffeur, et lui crie :

– *C'est là!*

L'autre braque d'un seul coup, mais trop tard. La dodoche n'a pas aimé le fossé, elle s'est renversée sur le côté, dans un grand bruit de ferraille. C'est à peine si nous pouvons sortir. Le chauffeur a le poignet foulé, les autres rien, encore une chance. C'est quand même une catastrophe. Fuguer oui, voler une voiture, d'accord; mais casser la voiture du directeur, ça dépasse nos pointures.

Au loin, nous entendons une auto qui se rapproche. Bientôt nous en apercevons les phares. C'est l'un des cuisiniers qui a fini son service et qui rentre chez lui. Il ne manque pas de nous voir, la voiture dans le fossé non plus d'ailleurs. Il a vite compris :

– *Ne bougez pas, bande de petits voyous, je vais chercher monsieur le directeur.*

Nous ne demandons pas notre reste et partons en courant en direction du camp. Il faisait noir, il n'était pas évident qu'il nous ait reconnus.

Nouveau dilemme devant la barrière de l'entrée du camp. Notre chauffeur propose la chose suivante :

– *Nous rentrons par deux, en passant sous la barrière. Si tout va bien, nous sifflons et vous accourez à toute allure.*

Nous avons attendu cinq minutes, rien. Les autres avaient sûrement oublié. Alors, à notre tour nous nous sommes précipités sous la barrière, mais là, le gardien nous attendait. Il m'a saisi par le haut du bras en serrant très fort. Il me faisait mal. Mon copain, lui, se faisait décoller l'oreille. Il criait comme un cochon qu'on assassine.

Le directeur est arrivé. J'ai pris la plus grande giffle de toute ma vie. J'étais le premier de la bande récupéré par lui et il en a profité pour faire ressortir toute sa hargne à travers ce coup.

Ensuite ça été le tour de mon copain. Le directeur lui a fait traverser la cour à coups de pieds dans le cul.

– *Maintenant, dites-moi qui conduisait la voiture?*

Ça ne pouvait pas être vous, vu votre taille, et le cuisinier m'a signalé quatre ou cinq gosses.

Je n'avais jamais vendu un compère et il n'était pas question que je commence. Mon copain qui avait moins de scrupule, a dévoilé l'identité du chauffeur.

Les deux jours qui ont suivi, nous avons couché dans l'infirmerie, à l'écart des autres. Trois sont partis un matin pour retrouver leur famille d'accueil.

Le midi, j'ai vu ma mère arriver au camp. Elle n'avait par l'air commode. Elle tenait son sac crème à la main. C'était toujours le même, immense, il lui permettait d'y rentrer sa chambre à coucher, sa boîte à pharmacie, une caisse de limonade, sans oublier ses Bibles.

Pour la limonade, c'est un peu vrai. J'ai toujours vu ma mère, en consommer une énorme quantité. C'est peut-être les bulles qui lui montaient à la tête.

Le directeur avait donc téléphoné à Paris et sa requête avait suivi son chemin. Le truc habituel, quoi! la DDASS, l'assistance sociale du quartier où habite ma mère. Et maintenant ma mère qui me faisait le coup du « revenez-y ».

Dans l'infirmerie, devant le directeur :

– *Je ne veux pas d'un fils voleur.*

– *D'abord je ne suis pas ton fils, et je n'ai jamais volé cette voiture.*

– *On ne répond pas à sa mère devant monsieur le directeur, c'est de l'insolence!*

Elle hausse le ton, et s'approche de moi pour me giffler. Je monte sur le lit et en la regardant droit dans les yeux :

– *Je n'ai aucun ordre à recevoir de vous, vous n'êtes rien pour moi. Foutez-moi la paix. Vous n'êtes pas ma mère. Vous ne m'avez jamais élevé. Vous m'avez abandonné.*

CENT FAMILLES

J'en avais marre de l'autorité des grands. Marre de cette femme qui entrait et sortait de ma vie, sans y avoir été invitée!

Je suis descendu du lit en criant, en hurlant mon désespoir. Je leur dis que je voulais rester là le reste des vacances. Que je ne voulais pas repartir avec elle.

Le directeur n'a rien voulu comprendre.

C'était trop tard encore une fois. Et dans ma tête résonne la chanson faite de jeux de mots, que nous aimions réciter :

« Guerre de Troyes, trois petits chats, chapeau de paille, paillasson, somnambule, bulletin, tintamarre, marabout, bout de cigare, gare pérage, rage de dents, dentifrice, frise à plat, platonique, nique Carter, terrassier, scier du bois, boisson chaude, chaudière, hiermitage, tage de suie, suis pas contre, contrebasse, basse-cour, courtisane, zane d'arc, d'arc en ciel, ciel couvert, vermifuge, fugitif, thyphoïde, identique, tic nerveux, veuve de guerre, guerre de Troyes, trois petits chats. »

Nous avons pris le car jusqu'à la gare. Puis le train jusqu'à Paris. J'avais dix ans et je jugeais ma mère. Pendant le trajet, elle faisait de grands gestes nerveux en secouant la tête telle une histérique, et m'assaillait de :

– *Quelle honte! quelle honte!*

Et moi de répondre du fond de mon cœur, le plus fort possible.

– *Quelle honte, que tu sois venue me chercher; quelle honte, ce que tu as fait de moi. Toi qui te dis ma mère. Regarde!*

J'ai ouvert le col de ma chemise, sur mon cou, accroché à une chaîne en métal argenté, pendait une plaque où l'on pouvait lire : 65 RTP 515. C'était mon numéro de matricule à la DDASS. (RTP : recueilli temporaire provisoire).

Chapitre 9
EMPLOI DU TEMPS

En ce 20 août 1969, le passage de l'Epargne est très animé. A la faune habituelle, se mêlent toujours les marchands ambulants. Ils proposent des fruits ou d'autres choses. J'aurais voulu savoir peindre à cette époque, pour reporter sur la toile, toute cette palette de couleurs. En fait, les habitants du quartier ne partaient pas en vacances. Leurs moyens étaient bien trop limités. Et où aller, quand on s'appelle Mohamed, Omar, Stanislas, ou Antonio? Les familles de nos autochtones d'adoption, arrivaient par wagons de tous les coins du globe. La population avait augmenté terriblement, depuis mon départ.

Je retrouvais cette odeur caractéristique, le mélange des cuisines exotiques. Comme j'avais grandi, l'endroit me paraissait plus petit, moins angoissant, comme il avait dû s'en passer des choses.

Ma mère n'a pas pris de vacances en ce mois d'août. Les laboratoires Bouchara n'ont pas fermé. Elle en a profité pour ramener un plus d'argent à son ami Achour.

Nous nous sommes une nouvelle fois retrouvés face à face, Achour et moi. Ce monstre ignoble, ne m'a pas adressé la parole. Je n'ai de ce fait pas eu de mal à lui répondre. Le soir, j'ai réintégré mon lit sous l'évier. Il me fallait beaucoup de cran pour reprendre les habitudes.

J'avais remarqué, que souvent, ma mère était sollicitée, pour remplir les feuilles de Sécurité Sociale des Noirs qui croupissaient dans les caves. Le tam-tam de la jungle fonctionnait. Aux pièces, ou billets que lui tendaient tous ces gens pour la remercier, c'était un refus catégorique de sa part. Elle prétendait que c'était contraire à la religion.

En ce qui me concerne, je n'étais pas en quête d'un gourou, donc l'idée a germé en moi, que je pouvais tirer de l'argent de ces mêmes services.

J'ai donc décidé de négocier avec le tiers monde.

Imaginez trois caves superposées, les murs suintants d'humidité, des ampoules accrochées à des fils électriques, qui se baladent, aux risques et périls des habitants. Une odeur de graillon et de sueur, remplit l'endroit. Partout des lits, des corps entassés pêle-mêle qui cherchent le sommeil. Par-ci, par-là posé sur de petites tables dans de grandes écuelles remplies de l'éternelle semoule, le dîner.

Tout est parfaitement organisé. Ici, les nuits durent huit heures et ça coûte dix francs pour le dormeur. On pratique les trois huit. Ce qui donne en permanence un va et vient de gens qui se croisent. On est au café-hôtel « Chez Lalou », passage de l'Épargne.

Je commence ma descente aux enfers. Je suis bien vite entouré par une meute de « sauvages » qui crient et gesticulent. Dia Bira, le chef, fait son entrée. Il est très grand et doit mesurer deux mètres. Il porte une barbe légèrement grisonnante. Sa chemise bariolée aux couleurs de son pays natal, tombe sur un pantalon trop court.

– *Mais c'est le fils d'Yvette!*

Il me prend à bout de bras et me lève au-dessus des têtes.

– *Regardez!* dit-il. *C'est le fils d'Yvette, la plus belle femme du quartier.*

J'ai su d'ailleurs par la suite, qu'il avait un gros béguin pour ma mère. C'est peut-être ce qui m'a facilité les choses par la suite.

– *Que viens-tu faire? Tu sais que c'est interdit de venir jusqu'ici!* me lance Dia Bira.

– *Je sais que beaucoup de ceux qui sont là, ont du mal à remplir leurs papiers; alors j'ai pensé que je pouvais les aider.*

– *Mais pourquoi veux-tu nous aider?*

– *Parce que ma mère le fait!*

– *C'est bien de ta part, ça. Comment t'appelles-tu?*

– *Jean-Luc.*

– *Qu'en pensez-vous les gars, le petit Jean-Luc veut nous aider pour les papiers à remplir?*

Je récolte un accord à l'unanimité. Je décide, de commencer tout de suite. Je m'aperçois rapidement, que l'ensemble des hommes présents, est analphabète. Une idée me vient à l'esprit.

– *Dia Bira, et si j'apprenais à lire à tous ceux qui le désirent?*

Alors là, c'est la fête, pour tous ces gens qui viennent de si loin et qui n'ont pas eu la chance dans leur village d'avoir un missionnaire.

– *Ce soir, je serai là à dix-huit heures. Que tous*

ceux qui veulent apprendre à écrire soient présents. Il me faut un tableau « noir » et des craies. Ou un tableau blanc, avec des craies noires.

Ce jour-là, j'arrive à dix-huit heures précises, comme tout professeur qui veut se faire respecter. Dans cette grande chambrée, les lits ont été poussés sur les côtés et les élèves sont assis en tailleur, le tableau noir traditionnel a été remplacé, par de grandes feuilles trouvées au hasard. Je suis impressionné tout de même, je ne manque pas d'air. Les élèves ont applaudi mon entrée, comme cela doit se faire chez eux, peut-être.

Je demande si quelqu'un dans l'assistance a déjà appris à lire et à compter.

« Non? Personne? Ouf? »

Il faut dire que j'ai dix ans et demi, je ne suis pas un cancre loin de là, mais mettre en pratique une méthode pédagogique, ce n'est pas des plus faciles.

Les hommes qui me regardent, sont tous jeunes. En général ils travaillent à la ville de Paris. Ils sont employés au balayage des rues. Leurs regards transpirent la nostalgie. Ils ont quitté leur famille, leurs amis, pour venir faire fortune à Paris. Là-bas, chez eux, le nom « France » était sussuré du bout des lèvres, comme une douceur. On leur disait que la France était belle et qu'on les attendait, qu'ils reviendraient bien vite au pays avec un trésor.

Je monte sur une caisse de bière qui me sert d'estrade.

J'écris un A sur le tableau.

– *Voyez-vous ce que j'ai écrit sur le tableau, c'est un A. Répétez avec moi A...*

J'ai pratiqué de même pour B, C etc... Jusqu'à la moitié de l'alphabet. M'adressant à l'un des élèves :

– *Toi, comment t'appelles-tu?*

– *Je m'appelle Namala.*

– *Namala, viens me rejoindre au tableau.*

Il est terrorisé, il refuse de venir jusqu'à moi. Il faut que ce soit ses camarades qui l'obligent à se lever.

– *Tu vois Namala, ton nom s'écrit de cette façon : N.A.M.A.L.A., répète avec moi.*

Namala s'exécute.

– *Parmi les lettres de l'alphabet que j'ai écrites au tableau, quelles sont celles qui correspondent à ton nom?*

Namala me regarde, très malheureux. Il n'en sait rien bien sûr. J'appelle un autre élève.

– *Comment t'appelles-tu?*

– *Je m'appelle Mamahé!*

J'écris son nom sur le tableau et lui dis.

– *Tu vois, Mamahé, dans ton nom, on retrouve le M et le A comme ton ami Namala.*

Alors là, Namala, se lève.

– *Ça non, il n'a pas le droit, ces lettres m'appartiennent, tu me l'as dis, Mahamé n'a pas à prendre mes lettres, elles sont à moi.*

Et une engueulade s'est déclenchée entre les deux amis. « C'est à moi, non c'est à moi, il me l'a dit le premier. »

J'ai bien essayé de leur expliquer que l'alphabet était universel, mais rien n'y fit. Voyant comment dégénérait mon cours de français, j'ai préféré arrêter. Je leur ai proposé de remplir leurs feuilles de Sécurité Sociale. Certains m'ont fait écrire à un employeur, qui proposait un emploi de manœuvre, pour d'autres c'était une lettre pour la femme restée là-bas. Ainsi à la fin de la semaine, j'avais gagné une petite fortune.

L'argent je le dépense avec les copains aux Buttes

Chaumont. J'achète des gaufres à la chantilly pour toute la bande, je leur paie des tours de manège. Je leur achète des patins à roulettes.

Chaque jour, Yvette est attendue à la sortie du métro Laumière. Il est 18 h 45. Tous les copains sont là, nous sommes une quinzaine. René, le plus agile l'attend sur le quai, et quand elle descend de la rame, il la précède en courant et nous annonce « V'la ta mère ». Alors tous en cœur nous lui chantons « Joyeux anniversaire Yvette, joyeux anniversaire ». Tous les soirs, ça devient lassant. Les gens se retournent, Yvette est gênée, elle fait même un peu la grimace. Mais très vite, elle éclate de rire avec nous et j'en profite pour lui sauter au cou pour l'embrasser. Nous la raccompagnons tous ensemble jusqu'au passage de l'Epargne. Pendant tout le trajet, ce n'est que rires et bousculades, Yvette est rayonnante. Mais, arrivée au bas de l'hôtel, son visage se ferme. Elle reprend son regard sans lendemain.

Pour moi, passage de l'Epargne, ma vie se joue comme une mélodie sur un piano désaccordé. Le matin je me lève en même temps que ma mère, je déjeune avec elle d'un chocolat chaud. Je passe la journée dehors. J'évite Achour au maximum. Avec les copains on traîne du côté du canal de l'Ourcq, pas loin du pont suspendu où se trouvent les Abattoirs.

Aujourd'hui, c'est la même rengaine, on se balade, on traîne nos misères. Je demande aux autres :

– *Si on visitait les Abattoirs?*

Du côté du canal, peut-être à cause des péniches, l'entrée est moins surveillée. C'est donc sans mal, que nous pénétrons dans le plus grand « théâtre de la mort » de Paris. La répétition a lieu toute la journée sans interruption. On prend son billet et on regarde. On est dans le pavillon des bœufs, un rouquin à la face rougeaude et au tablier maculé de sang, tire un bœuf par une corde jusqu'au milieu de la scène. La bête beugle, les yeux exorbités, elle sent la mort, elle sait. L'homme approche, pose l'extrémité d'une sorte de pistolet sur le front de l'animal. Le bœuf est foudroyé sur le coup, il s'écroule et le résinet qui sort de l'énorme trou qu'il a à la tête coule dans le caniveau. Immédiatement les rapaces sont à pied d'œuvre et le dépècent. La démonstration aura duré sept minutes. C'est à vomir, nous sortons dégoutés. J'ai envie de devenir végétarien.

Dehors on se concerte, nous n'allons pas laisser faire ce massacre. J'ai une idée. Les chevaux sont trop bien gardés, mais pas les moutons. Nous nous approchons de l'énorme enclos, ou s'entassent peut-être mille moutons, nous ouvrons toutes les portes.

C'est la débandade, brebis, agneaux, béliers tout le monde se retrouve dans la rue. Il y en a même qui traversent le canal de l'Ourcq en nageant. Le 19ᵉ arrondissement est envahi par les mérinos.

Il n'est pas encore midi, en ce samedi de septembre, nous avons bien essayé de jouer à la marelle avec une petite boîte de tabac à chiquer mais c'est l'ennui. Nous déambulons du côté du canal. C'est un endroit presque campagnard, quelques usines, peu d'habitation et beaucoup de clochards. Il fait soleil ce week-end et les ouvriers ont déserté l'usine de fabrication de sacs de ciment. Par une porte mal fermée, nous nous glissons à l'intérieur, il fait noir. Dans une boîte de conserve qui traînait, nous avons versé de l'essence pour nous faire une lampe. La lueur est plutôt faible. Nous empruntons l'escalier métallique qui même au plus haut de l'escalier. C'est une vue imprenable sur l'intérieur. Soudain, pour jouer, un copain, fait mine de me pousser dans le vide. Pris de peur, j'esquisse un geste de repli et perds la boîte de conserve qui tombe en rebondissant. Le feu se déclenche immédiatement sur un tas de sacs prêts à partir. Quatre à quatre nous descendons l'escalier, affolés. C'est dehors que nous prenons conscience de notre méfait. A l'aide d'un seau, nous courons jusqu'au canal pour tenter d'éteindre l'incendie. Peine perdue, le feu s'est propagé à tous les étages. Du troisième étage d'un immeuble qui se trouve à proximité, un homme nous crie :

– *Ne bougez pas, j'appelle les Pompiers, j'appelle la Police! Sales voyous!*

Il n'en fallait pas plus pour nous faire déguerpir à toutes jambes. Nous commençons à entendre les sirènes des voitures de pompiers, d'abord une, puis deux, puis trois. Nous évitons le passage de l'Epargne. Au pied de la tour Flandre, nous décidons de prendre l'ascenseur jusqu'en haut, par une fenêtre de l'escalier, nous pouvons découvrir le désastre. Et là, nous avons le sentiment d'avoir commis une grosse, grosse bêtise.

Le lendemain dans les journaux on pouvait lire qu'un incendie criminel avait totalement détruit l'usine de sacs de ciment. Que c'était là l'œuvre de petits délinquants, que la police était sur une piste. On ne peut pas dire que notre acte permis de redorer le blazon du quartier. La rue de Crimée conservera son image de marque.

Avec Achour toujours pas de dialogue. Ma sœur Jamy est encore à l'orphelinat, ma mère refuse de me donner son adresse. Je commence à trouver un équilibre et un rythme de vie passage de l'Epargne. Je bénéficie d'une totale liberté. Yvette est au travail, Achour tousse et crache de plus en plus. Comme il n'est pas question pour moi de rester dans cette mansarde, je vis dans la rue, encore moins sale que notre gourbis.

J'ai trouvé un pigeon docile dans le passage, je l'ai monté à ma mère. Nous n'étions que tous les deux, pour la faire rire, j'imagine que c'est un gentleman; avec une chaussette trouée, je lui fais un petit costume, puis, d'un petit morceau de bois, je lui lie une attelle à la patte. Je décrète que c'est un corsaire qui prend possession d'un navire, nous rions, c'est comme une pièce que nous jouons à deux, pour ma mère.

Achour fait irruption dans la chambre, il voit nos rires encore figés sur nos visages. Alors, il saisit le pigeon, et d'un grand geste l'envoie s'écraser sur la vitre de la fenêtre qui vole en éclats. L'oiseau a littéralement explosé, et le ventre béant, git sur le pavé. Achour empoigne ma mère de ses mains sales et tente de l'étrangler tout en lui frappant la tête contre le mur. Je saute sur cette bête en furie, il me repousse à coups de pieds dans le ventre, ma mère réussi à s'échapper. Elle se saisit d'une énorme casserole et commence à lui assener des coups sur la tête en hurlant désespoir. Par la vitre cassée, j'appelle au secours, et c'est avec l'aide de quelques voisins accourus que nous arrivons à les séparer. Achour est dans un piteux état, il ne réagit même plus aux insultes de ma mère. Je crois qu'il a eu son compte. Nous voilà repartis. Au commissaire qui nous reçoit, ma mère explique son histoire. L'homme a l'air très intéressé, on pouvait même penser, qu'il a aussi des comptes à régler avec Achour. Allez savoir!

– *Suivez-moi!*

Il prend son revolver qu'il place dans son holster dorsal. A cet instant je me dis qu'il va tuer Achour, que c'est très bien, qu'on ira à son enterrement en chantant du Rock n'Roll.

Passage de l'Épargne, nous sommes tous les trois. Le commissaire n'a pas cru bon de prendre une escorte. Dans l'escalier, une voisine nous signale qu'Achour est au bistrot en bas pour se faire soigner.

L'entrée du commissaire s'est faite comme dans les westerns. Il s'est approché d'Achour qui portait une compresse sur la tête, entouré de toute la smala du rade qui hurlait.

– *C'est vous Achour?*

– *Oui!*

– *Suivez-moi. Police.*

– *Non, montrez-moi vos papiers!*

Le commissaire a sorti sa carte de flic en même temps que le revolver. Il lui a écrasé la joue du bout de son canon. Achour était transparent comme un voile de mariée. Ses mains tremblaient, il avait peur Achour. Hein! Achour t'avais peur. Gonzesse va! minable!

– *Ne tirez pas commissaire, non ne tirez pas!*

On sentait la détermination du commissaire.

– *Écoute-moi espèce d'arabe, si tu touches un seul cheveu de cette femme et du petit, je te transforme en accident de chemin de fer. Tu comprends, un seul cheveu et je fais sauter ta sale gueule. Après ça, t'auras plus besoin de te déguiser pour aller au bal masqué.*

Et se tournant vers moi :

– *Petit, à la moindre bavure de sa part, tu me fais signe, surtout n'hésite pas, tu me le promets.*

– *Je vous le promets Monsieur le commissaire.*

Et me tournant vers Achour.

– *S'il tente quoi que que ce soit contre nous, j'irai immédiatement vous trouver, ou bien l'un de mes copains, il y en a une quinzaine qui traînent toujours dans le quartier. Ils seront contents de me donner un coup de main.*

EMPLOI DU TEMPS

Cette nuit, j'ai fait un affreux cauchemar, j'ai vu mon père, que je ne connaissais pas et dans de telles circonstances! J'en ai encore la bouche amère. Robert Lahaeye, mon père venait d'écraser un chat noir avec sa voiture. Il rentre chez lui, sa femme Yvette lui fait quelques reproches. Il est ivre, Robert monte se coucher. Aussitôt après une véritable armée de chats entre par la fenêtre et monte à l'assaut de son lit. C'est effrayant les cris qu'ils font entendre. Tout à coup, mon père pousse un cri aigu et appelle au secours. Ma mère qui rangeait la vaisselle du dîner, arrive en courant, quel horrible spectacle, Robert a le visage lacéré, les yeux arrachés de leurs orbites, Robert meurt dans des souffrances atroces. En répétant sans cesse.

– *Le chat noir, le chat noir!*

Je me suis réveillé trempé de sueur. Quelles images, le chat noir, pourquoi? Y-a-t-il un rapport avec moi « le malvenu »?

Chapitre 10

PAS DE QUARTIER DANS LE QUARTIER

Chez moi, un état d'âme, c'est un remue-ménage dans mes petites cellules grises. Aïe, ma tête!

Le passage de l'Épargne a énormément influencé le cours de mon existence. Cette période me colle à la peau et ne me quittera jamais. Pour sortir de notre milieu et respirer la vie, nous avions choisi d'être des marginaux.

Notre révolte c'était pour ne pas accepter notre pauvreté et le mépris des autres.

Nous adorions l'inutile et détestions les uniformes. Il faut une diversité de gens pour faire un monde, nous étions ces autres. Le fer s'aiguise par le fer.

On a mis de la musique et on a commencé à délirer sur Johnny Hallyday. Nous étions une trentaine assis sur la pelouse du Sacré-Cœur.

Les touristes grimpent les marches en nous jetant un œil pas trop rassuré.

Quelques paquets de chips passaient de main en main, d'autres préféraient les gitanes sans filtre.

C'était un jour normal. Nous attendions la bande de la Trinité et celle de Clignancourt, non pas pour une bagarre, mais pour foutre le merdier dans les escaliers.

Quand tout le petit monde fut réuni, nous devions être soixante-dix ou quatre-vingts même, en haut de la Butte, prêts à dégringoler les marches quatre à quatre au premier coup de sifflet.

Le jeu était simple. Arriver le premier en bas, en affolant les foules et en bousculant tout sur notre passage. Un raz-de-marée je vous dis.

Et c'est parti. Les grands, les gros, les maigres, déboulent de partout et attention aux croche-pattes. Y'en a un qui connaît la chose, c'est le petit Pégria. Il s'est éclaté la tête, depuis, on ne l'a plus revu.

C'est encore moi qui ai eu la médaille. Il faut dire que j'ai le coup. Avec les potes je m'entraîne, ça peut servir. Même avec un handicap de 20 marches, c'est quand même moi qui gagne. Je suis le meilleur, c'est tout.

Boulos, le chef de la Trinité, encore tout essoufflé vient me féliciter.

– T'es bon, Lahaye! Mais est-ce que tu serais le meilleur à la savate?

Le grand qui vient de me provoquer, me dépasse d'une tête, vide, et doit bien avoir trois ans de plus que moi.

Son visage est passé du rouge au blanc quand je lui ai répondu :

– Va te faire enculer!

Depuis que je suis le champion de la descente du Sacré-Cœur, mes ambitions se sont élargies. Mais pas au point de me prendre pour Goliath. C'est déjà trop tard.

Le glas a sonné et Boulos se sert de moi pour jouer au petit avion. Tous les gars sont réunis autour de nous et poussent des cris d'encouragements.

Dans la position élevée dans laquelle je me trouve, ils ne peuvent servir qu'à son adversaire.

– *Lachez-moi, j'veux descendre!*

C'est fait, après trois jours dans mes tennis, je m'écrase au sol, la face la première.

Ça fait très mal. Les fauves sont rassasiés. Les mecs commencent à s'éparpiller avant que ça dégénère. Ça sent la flicaille dans le coin.

Tout en me tenant le nez, avec le petit rouquin, nous entrons dans le marché St-Pierre.

Dans le 18e arrondissement, nous entrons dans une fromagerie avec nos baguettes de pain à la main. Nous achetons du beurre et du gruyère.

– *Pardon Monsieur, n'auriez-vous pas un couteau à nous prêter pour que nous fassions nos sandwiches?*

Le marchand refuse.

– *C'est pas un bistrot, ici!*

Dur pour lui : la boutique a été transformée en stand de la Foire du Trône. Si le type y avait placé toutes ses économies, c'était foutu. Nous sommes repartis sans couteau, mais avec la balance.

La teinturière de la rue de l'Orient était très gentille. En échange du mou qu'on lui ramenait de la Villette pour nourrir ses 15 chats, elle lavait notre linge. Nous nous mettions carrément à poil dans la boutique en attendant nos affaires propres.

Toutes les récupérations de vêtements oubliés par

les clients étaient également pour nous. Ça allait du pantalon de croque-mort, aux chemises qui traînent par terre.

Dans l'ensemble, nous y trouvions notre bonheur.

Nous étions amateurs de films interdits aux moins de 18 ans. C'est dans un cinéma de la rue de Crimée que nous rappliquions à 40.

La caissière était sympa, elle nous faisait payer 8 francs la place; jusqu'au jour où elle nous a tout simplement interdit l'entrée. Allez savoir pourquoi?

Comme nous commencions à taper du pied, les flics se sont « radinés » et nous avons dû plier bagages.

Ce n'était que la première partie de l'opération. Le match se jouait en deux manches.

Nous avons réquisitionné toutes les boîtes à chaussures vides du marchand de l'avenue Jean-Jaurès. Celui chez qui on ne passait jamais sans voler, soit une paire de chaussons, chaussures, tennis, tout ce qui traîne quoi!

A la fin, le boutiquier avait même été obligé d'attacher sa pauvre vieille grand-mère branlante, sur une chaise dehors, pour garder l'étalage.

Donc nous récupérons de vieilles boîtes à chaussures et à l'intérieur nous introduisons des souris. Je peux vous assurer que l'élevage du passage de l'Épargne n'en a pas souffert.

Le dimanche, une dizaine de grands ont réussi à pénétrer dans la salle de cinéma et en plein milieu du film ont laché les petites bêtes. Si on vous répète qu'il y a eu des morts, c'est faux, mais une panique, oui!

Les femmes hurlaient debout sur leur fauteuil. Les hommes tapaient avec leurs chaussures sur les innocentes créatures, bienfaitrices de l'Institut Pasteur. La salle a dû être évacuée par les Pompiers.

PAS DE QUARTIER

Si un jour vous pénétrez, comme je l'ai fait si souvent dans la tour de la Bastille, sur les murs de l'escalier qui conduit au sommet, vous y lirez des tas d'inscriptions. Certains datent sûrement d'avant et pendant la Révolution.

J'ai tenu à y porter mes pensées les plus chères, mes espoirs. Bien sûr, à 12 ans, à part Gavroche on a bien du mal a fixer ses idées.

Quand même, avoir les mains sales représente pour moi un certain symbole, celui du travail, de la connaissance et de l'indépendance. Les mots que je griffais dans le salpêtre devaient me porter bonheur « Jean-Luc Lahaye deviendra chanteur ». Ces mêmes mots je les écrivais partout. Dans l'ascenseur de la tour de Flandre avec le petit rouquin.

A chaque étage, je portais mon sceau sur le mur pendant que mon accolyte dérangeait le peuple en tirant chaque sonnette. Je voulais conjurer le sort et provoquer mon destin. Le petit rouquin voulait faire chier le monde.

A chacun sa part de rêve.

Après un dîner sympathique avec des amis, j'ai eu l'envie de me promener le long du canal. Il était minuit. Les berges étaient éclairées par de vagues réverbères qui lançaient une lumière jaune.

Je roulais lentement à la recherche de mes souvenirs.

Je retrouvais, l'usine, le pont où dormaient les clochards.

Soudain, la petite pancarte « Au lit parfait » m'a remplacé dans le contexte.

Toujours avec les copains du passage, nous avions

décidé cette nuit-là, de visiter la fabrique de matelas. Sans trop de peine, nous avons investi l'entrepôt.

Il y en avait des milliers, entassés, de toutes dimensions. Au mur, une publicité indiquait que la marchandise était imperméable. C'en était trop.

Par la fenêtre, nous avons jeté une dizaine de matelas encore emballés dans des housses de plastique. Le petit rouquin m'avait fait le pari, de traverser le canal de l'Ourcq avec une literie comme radeau.

Nous avons craché par terre. Pari tenu. Nous voilà allongés chacun sur notre fragile embarcation. L'eau était froide, nous avons dû surnager 5 secondes. Alors de colère, trempés comme une soupe, nous avons envoyé tout le reste du lot qui traînait, par-dessus bord.

Houla, j'allais oublier de vous parler de Raymonde, l'épicière de la rue Tandou. Maquillée comme une pute et parfumée à « La Cologne », elle avait tout de la vieille peau légèrement fêlée, mais complètement parano.

Son blouclard était un infâme couloir où s'entassaient harengs fumés de la Baltique, sandales de corde, petits pois et haricots verts, jambon de Paris humide, fruits secs ou de saison, et surtout d'immenses bocaux sur le comptoir qui contenaient des bonbons multicolores, roudoudou, blizzards et malabars, le trésor.

La vieille avait un ménate encagé dans la cuisine. Elle disait que cet animal pouvait vivre 100 ans. Aux faibles cris qu'il poussait quand on rentrait dans le magasin, on pouvait penser qu'il arrivait en fin de carrière, comme l'épicière quoi ! Surtout qu'elle se vantait de l'avoir ramené directement d'Afrique après son voyage de noces.

Notre amusement favori était de lui apprendre des grossièretés, auxquelles il répondit en sifflant « la Marseillaise ». Raymonde souriait, parce qu'elle était en plus un peu sourde. Nous lui disions bonjour en envoyant :

– Bonjour vieille salope!

– Bonjour mon petit, qu'est-ce que tu veux?

– De la saucisse, Raymonde et tu te l'as mets où je pense.

Et sans sourciller, elle posait devant nous un rouleau de réglisse.

– Ça fait 50 centimes!

Ainsi passaient les jours. La blouse blanche de Raymonde devenait de plus en plus grise, son oiseau de plus en plus vulgaire et nous de plus en plus malades de voir tant de friandises en possession d'une mémé qui n'avait plus que des chicots. La première solution envisagée a été la collaboration.

– Bonjour Madame Raymonde, est-ce qu'on peut vous aider à ranger vos bouteilles vides?

– Non, non, foutez le camp, je sais que vous voulez me voler. Allez, filez!

La deuxième solution a été l'intimidation. Mais compte tenu du boxon qui régnait dans son drugstore il aurait été difficile de faire pire.

Il ne restait plus que la guerre.

Un par un, en file indienne, nous passions le long de la boutique et volions une pomme au passage.

Le lendemain, c'était une poire, après une orange. Comme on se baladait toujours à une dizaine, le kilo était vité dépassé. Ça ne valait pas les carambars, mais c'était mieux que rien.

La grincheuse était sourde, mais pas aveugle. Il a bien fallu admettre une fois de plus que nous avions perdu la bataille en voyant le car de police stationné devant chez elle. Une bataille, d'accord, mais pas la guerre.

La taupe habitait au-dessus de son épicerie et le seul moyen d'accès de son appartement se faisait au rez-de-chaussée par une petite porte. Pour rejoindre sa boutique, elle devait obligatoirement sortir dans la rue. Sur un chantier avoisinant, nous avons récupéré des parpaings et du ciment rapide.

Avec l'aide de quelques grands du passage, nous avons muré l'entrée de son taudis. Le lendemain matin, ça a dû lui faire tout drôle.

Je n'y étais pas. De sa fenêtre du premier étage elle appelait au secours. Ce sont les pompiers avec leur grande échelle qui sont venus la récupérer. Il paraît qu'ils se marraient. Les flics ont fait une petite enquête, qui n'a pas aboutie.

La disparition du passage de l'Épargne, a commencé par l'effondrement d'un bâtiment inoccupé, ou presque. Le bruit a été effroyable. Il était 6 heures du matin. Immédiatement, toute la populace du quartier s'est retrouvée dans la rue.

Chacun avait enfilé un vêtement à la hâte et ce n'était pas beau à voir.

D'abord le tas de pierres, ensuite tous ces gens affublés de guenilles disparates.

Les pompiers, sont arrivés sur les lieux cinq minutes plus tard. La question était de savoir si quelqu'un gisait sous les décombres. Normalement, non, puisque l'immeuble avait été déclaré insalubre. Seulement voilà, un type, un gardien du zoo de Vincennes le squattait. Bien sûr, il était seul, mais quand même.

Un coup de téléphone passé immédiatement au zoo a rassuré les pompiers, oui, parce que les autres s'en foutaient totalement. Le type était parti à son boulot avant la catastrophe.

Les Pompiers, aidés par quelques bonnes âmes, qui n'étaient certainement pas du quartier d'ailleurs, déblayaient les décombres, quand notre squatter est arrivé sur sa mobylette bleue, il l'a carrément jeté à l'entrée et a couru jusqu'à ce qui avait été ses appartements. Le type était maintenant agenouillé par terre et sanglotait.

Le capitaine des pompiers s'est approché, sentant la tragédie.

– *Que se passe-t-il? Il y a encore quelqu'un la dessous. Dites-nous!*

– *Ce sont mes petites bêtes.*

– *Quelles petites bêtes?*

– *Mes serpents, quoi! J'en ai une centaine.*

– *Des serpents, mais vous êtes fou!*

Des péquins qui s'étaient approchés également avaient entendu la discussion. La rumeur s'est répandue comme une traînée de poudre.

Une brigade spécialisée est arrivée à son tour et a commencé par questionner notre charmeur de serpents. Il ne faisait pas le commerce de ses pensionnaires. Le quartier a été passé au peigne fin.

Cela a été une occasion unique pour la police et les services sanitaires, de voir dans quel merdier vivait tout ce petit monde de nulle part.

Aucun serpent n'a été retrouvé. L'aventure n'a fait qu'accélérer la démolition du passage de l'Epargne qui s'est faite quelques années plus tard.

Le coup des serpents, c'est peut-être la municipalité qui sait?

J'ai eu droit à la visite de Madame Martino, l'assistance sociale. Il est 18 heures ce soir-là, passage de l'Épargne, je traîne, elle me reconnaît. Elle m'emmène prendre un verre. Je souhaiterais que mes copains viennent avec nous. Elle me dissuade.

– *J'ai besoin de te parler et à toi seul Jean-Luc.*

Nous sommes assis, au petit café à l'angle de l'avenue Jean-Jaurès et de la rue Pierre Girard. Je prends mon petit diabolo-menthe, c'était ma boisson préférée à l'époque, parce que ma mère adorait la limonade, j'avais décidé que c'était la meilleure boisson du monde.

– *Voilà,* me dit Madame Martino. *Nous allons tenter une nouvelle expérience avec ta maman. Elle va mieux en ce moment, surtout depuis qu'elle accepte ses trois piqûres par semaine. Elle a l'air d'être régulière dans son travail. A la maison comment ça se passe?*

Je lui raconte l'affaire avec Achour et le commissaire. L'assistante sociale a pensé qu'on serait peut-être définitivement tranquilles maintenant.

– *Tu vas faire ta rentrée à l'école communale là-bas. Tu vois le drapeau qui flotte, c'est au bout de la rue Pierre Girard.*

Madame Martino a ouvert un dossier. Pendant une demi-heure, elle m'a fait faire des tests d'intelligence. Je m'en suis très bien tiré. Excusez du peu. Il était intéressant de savoir ce que je pouvais faire comme métier plus tard.

– *Chanteur, chanteur!*

Elle allait déposer à l'école de la rue Pierre Girard une demande d'inscription. Il fallait que ça se passe bien que je travaille beaucoup pour m'en sortir plus tard.

Je ne l'écoutais plus, je savais ce que je voulais faire plus tard. Je savais que je voulais chanter et rien d'autre. J'avais d'ailleurs troqué mon petit transistor, contre un énorme, qui pesait au moins dix kilos. J'étais très fier de posséder ce poste, je ne le laissais pas chez Achour bien entendu. Je le rangeais chaque soir, au quatrième étage chez un de mes copains. Je lui avais interdit de s'en servir, pour plus de sûreté, je retirais les piles.

Ce poste avait une excellente sonorité. Nous allions nous installer avec les copains au bout du passage. Là, le volume à fond, nous écoutions nos chanteurs préférés. On dansait autour, toute la bande « s'éclatait ».

Je faisais pas mal de patins à roulettes. On roulait deux par deux en faisant des figures. J'étais très bon. On se faufilait entre les gens et les voitures. A cette époque je commençais à trafiquer mes jean, je faisais coudre par ma mère des écussons, l'emblème américain, des morceaux de tissus à fleurs. On subissait l'influence d'Antoine et de ses élucubrations.

On débarquait à une dizaine dans une boulangerie, de préférence en dehors du quartier. On piquait tout sur notre passage. Notre lieu privilégié était les Buttes-Chaumont, près des studios. On attendait les artistes à la sortie. J'avais un carnet où une page était réservée à chacune de mes stars. J'y avais collé leur photo et inscrit leurs meilleurs chansons, une place était réservée à la signature. J'ai pu ainsi récolter des autographes de Johnny, Sylvie, Jacques Dutronc, Polnareff, Sardou, Dalida. Je tenais à mon petit carnet, comme à la prunelle de mes yeux, malheureusement on me l'a piqué à l'école, j'étais furieux.

L'un d'entre nous entrait dans la boulangerie, il attirait l'attention de la vendeuse sur une marchandise quelconque, un paquet de biscottes, placé le plus loin possible de l'entrée, pendant qu'elle tournait le dos, nous pénétrions dans la boutique tous en même temps et raflions nos gâteaux et friandises préférées. Toujours avec nos patins aux pieds nous nous enfuyons à toute vitesse, la bouche pleine et les poches aussi, poursuivis par le patron de la boulangerie, desespéré.

Comme le système fonctionnait bien pour les boulangeries, un garçon de la bande a proposé de le faire pour les bijoutiers. C'était une façon comme une autre de devenir milliardaire. Alors, un après-midi, je me souviens très bien encore de l'emplacement, par contre, je ne sais pas si ce sont toujours les mêmes propriétaires. Pour éviter les représailles, je dirai seulement qu'elle se situe entre le 18e et le 20e arrondissement. Nous avions pendant quelques minutes, sur le trottoir, examiné les montres, il y avait de magnifiques Roleix. On avait tiré au sort celui qui entrerait le premier, ce fut moi. Je devais discuter avec le bijoutier sur un cadeau à faire à ma maman. A mon signal, les autres devaient investir la place, un vrai western, quoi!

J'entre, il y a effectivement un monsieur assis derrière son bureau. Il a un certain âge, il se lève, je lui dis.

– *J'ai un peu d'argent sur moi,* je lui montre quelques billets, *je voudrais acheter des boucles d'oreilles pour ma mère.*

– *Mais mon pauvre garçon, avec ce que tu peux mettre, tu n'aurais certainement pas des boucles en or, peut-être du plaqué, enfin, on va regarder ensemble.*

Et le vieux tire une plaque d'un meuble à tiroirs et me montre différents modèles de boucles d'oreilles. Je fais semblant de m'intéresser.

A l'extérieur de la boutique, je vois mes copains qui attendent le signal convenu. J'ai du mal à faire le signal, j'ai un peu peur quand même. Là, c'est pire qu'une tarte au citron ou qu'une religieuse. J'hésite, finalement on tombe d'accord sur une paire de boucles d'oreilles, imitation créole, un style plaqué or, plus ou moins plaqué. Le vieux commence à me faire un petit emballage cadeau.

– *Ça fait cent quatre-vingt-cinq francs!*

Je sors ma liasse de billets et au moment de lui donner l'argent.

– *Attendez, tenez, je vais prendre celles-ci, pour ma sœur.*

Je lui désigne une autre paire de boucles d'oreilles. Le bijoutier a la mine réjouie, il se dit qu'en fin de compte, je suis un bon client. Il ressort une nouvelle plaque du meuble. A ce moment, je fais signe à mes copains. C'est la ruée vers l'or. La porte s'est claquée. Je me précipite sur le bureau pour récupérer mon petit paquet avec les boucles pour ma mère. Je fais demi-tour pour m'emparer des montres en vitrines. Je me cogne à une vitre de protection. Mon copain me dit :

– *Casse-la!*

Je reste perplexe.

Alors, lui, d'un grand coup de coude, fait voler la vitrine en éclats et s'empare des montres.

Nous nous enfuyons, passant et repassant à travers les voitures avec nos patins à roulettes. Nous nous sommes donnés rendez-vous, sous le dôme des Buttes Chaumont. Là, mon cœur bat très vite, nous avons basculé dans le banditisme. Ce n'est pas encore, le vol à main armée, mais nous n'en sommes pas loin.

C'est l'escalade, une nouvelle étape de la délinquance.

Le petit gitan arrive à son tour, en jean et ceinturon clouté, torse nu, il a retiré son tee-shirt pour y mettre les bijoux. C'est le partage, je retire de la poche de mon blouson le petit paquet cadeau. Chacun dépose ce qu'il a dérobé, immédiatement, je m'empare de la Roleix, décrétant d'emblée que c'est moi qui ai pris le plus de risques. Nous nous sommes séparés, en espérant ne pas avoir été reconnus.

La Roleix était beaucoup trop grande pour moi, c'était une montre d'homme. J'ai attendu ma mère ce soir-là, comme d'habitude au métro Laumière. Je l'ai emmenée boire une limonade. Je lui ai dit :

– *Maman, il faut que tu ailles aux toilettes.*

– *Mais je n'ai pas envie d'y aller.*

– *Mais si, il faut que tu y ailles.*

Alors de bonne grâce, elle s'est pliée à ma demande, et, à la place de son verre, j'ai mis le petit paquet.

Elle l'a ouvert, vu les boucles et s'est mise à pleurer. De grosses larmes coulaient sur son visage, elle m'a pris par le bras et m'a embrassé. C'était la première fois de toute son existence qu'elle recevait un cadeau. Elle a voulu mettre ses bijoux, mais le lobe de ses oreilles n'était pas encore percé. Elle le ferait faire par une de ses collègues de travail. Elle souriait, c'était une autre femme. Grâce à ce petit paquet, je lui avais ouvert le chemin de l'espoir. Je lui prouvais que quelqu'un l'aimait. C'était moi, son fils. Elle retrouvait un peu de vacances dans sa mémoire fatiguée.

Chapitre 11

LULU : GRAND-MARNIER

Septembre 1969

Lucette Boidard, dite la « Soifarde » et appelée par ma mère « Lulu Grand-Marnier »; avait été baptisée passage de l'Épargne dans une fosse à merde. Du moins, c'est ce qu'on disait et vous allez savoir pourquoi.

Pour 1,50 mètre de haut et autant de large, elle avait une voix qui laissait entendre, qu'elle avait des poumons jusque dans les bandes moletières.

– *Fulbert va vider la poubelle, merde!*

Fulbert, c'était son homme et on avait du mal à croire, qu'un jour il l'avait trouvée belle.

Blonde filasse, rougeaude, transpirant sans cesse son alcool préféré, elle déambulait ce matin-là, dans sa robe de chambre fleurie, le seau hygiénique à la main.

Ici, à l'Épargne, le chant des oiseaux dans la fraîcheur d'une campagne odorante, était remplacé par la fosse, où tous les punis se retrouvaient pour vider les excréments de la nuit.

Comme Fulbert partait au boulot bien avant que Lulu soit réveillée, c'est elle chaque matin qui était de corvée.

Lulu avait le geste maladroit. Pour une femme de ménage, ça la fout plutôt mal. Sa patronne devait se balader derrière elle, avec un tube de colle.

Lucienne Boidard balança son seau. Malheureusement, ce lundi-là, son horoscope ne lui était pas favorable et c'est encore toute endormie qu'elle est allée rejoindre le contenu de son seau dans le trou nauséabond.

Elle avait pied, mais quand on est dans « la merde », on y est jusqu'au cou.

– *Au secours, je me noie!*

Sans l'intervention rapide des déracinés des caves du 3e sous-sol, la pauvre serait morte asphyxiée. Pour la sortir, ils l'avaient tirée par les cheveux et la robe de chambre était restée dans les entrailles de la citerne.

Lulu, ahurie, gisait là, dans sa nudité. Entre l'odeur et reste, il eut été impensable qu'elle se fasse violer, même par une compagnie de Légionnaires en goguette après 6 mois de Sahara.

C'est ainsi que Lulu créa sa légende.

Sa voisine et meilleure amie de picolle est morte d'un éclatement du foie. Lulu a dû doubler sa ration journalière de Grand-Marnier, pour surmonter son chagrin. Il faut dire qu'on a retrouvé la morte au bout de trois jours, au milieu de ses 17 chats qui commençaient à la bouffer.

Lucette dans un relent d'alcool et de vieille affection a dit à Fulbert :

– *Faut qu'on se tire en vacances, j'en peux plus!*

Voilà comment je vais me retrouver avec ces bienfaiteurs dans le Limousin, pour une quinzaine de jours.

LULU : GRAND-MARNIER

Avant, il faut que je vous parle de Fulbert.

C'est un grand type sec, qui porte une casquette pied-de-poule, légèrement sur l'arrière du crâne. Une fine moustache, nous rappelle un peu trop ses idées politiques. Il est employé aux blanchisseries de Grenelle depuis toujours. C'est pourquoi il porte en permanence cette combinaison verte de la maison. Jamais je ne l'ai vu habillé autrement. Fulbert est con et dangereux, surtout quand il a bu un coup de trop.

On ne peut pas dire que les Boidard soient très liés avec ma mère; mais Fulbert qui a baroudé en Algérie pendant la guerre, échange quelques fois, des souvenirs avec Achour. Si je n'étais pas parti avec eux, j'aurais passé mes vacances à traîner dans le quartier.

Il est 8 heures, nous roulons déjà depuis deux heures en direction de Limoges. La cabine du semi-remorque des entreprises Legrand à Chalus est spacieuse. Le chauffeur est un vague cousin de Lulu et de la façon dont elle lui balance des œillades, c'est sûrement un parent très très proche!

A midi, Marcel gare son camion devant son « Routier » habituel à Châteauroux.

Trois tournées de Ricard, trois litres de Côtes-du-Rhône, 5 Cognacs et 6 grands Marnier ont échauffé les corps et les « esprits » de nos trois héros. Quant à moi, j'ai découvert les harengs-pommes à l'huile. Je me suis tellement régalé, que j'ai dû boire l'après-midi une caisse de Vittel. J'avais trouvé la combine. Les hors-d'œuvres variés étaient rangés sur une petite desserte, entre le bar et la cuisine. La première fois, j'ai demandé à la serveuse, une grande rouquine, si je pouvais avoir du rabe :

– *Sers-toi mon petit, c'est là, sur la table.*

J'en ai fait mon affaire. Les Boidard et le « cousin »

discutaient de la supériorité du Côtes-du-Rhône sur le Côtes-de-Provence. J'en étais à mon quatrième poisson et j'avais lâchement abandonné les pommes de terre au fond du ravier.

Maintenant, je faisais le numéro de l'avaleur de sabre. J'avalais mon hareng, la tête penchée en arrière, comme un spaghetti. L'huile dégoulinait de ma bouche le long de mon cou et s'infiltrait sous ma chemise. Quand le plat fut vide, huilé comme une minette qui bronze au soleil de Saint-Tropez, j'ai attendu la suite.

Au café, Lulu s'est levée pour aller aux toilettes, Marcel l'a rejointe 30 secondes après. Fulbert m'avait entrepris sur son service militaire.

Au bout de vingt minutes, je commençais à trouver le temps long.

Fulbert qui n'avait pas de problème de prostate, s'est levé à son tour. Mais les cabinets, c'est fait pour deux, pas pour trois, et de la bagarre qui s'ensuivit je m'en souviens encore.

Lucette n'avait pas eu le temps de se rhabiller et traversait la salle du restaurant, le slip en bas des jambes. C'était un fou rire général. C'est Marcel qui poursuivait Fulbert en le frappant avec le balai des chiottes.

Nous avons fini sur le bord de la route avec nos valises à la main. Lulu tenait la cage de Fifi son canari. Son rimel avait coulé sur son visage boursouflé. C'est dans une bétaillère tirée par un tracteur que nous avons rejoint la gare la plus proche.

Lucette est née à la Bénéchie, un petit hameau près de Cussac, en Haute-Vienne. Quelques maisons ont poussé là, au milieu de la forêt. C'est une région très pauvre. Les enfants, très tôt doivent partir travailler à la ville. Ne restent que les purs, ceux pour qui l'argent ne compte pas.

LULU : GRAND-MARNIER

Lulu a deux frères célibataires qui sont restés au pays, ils vivent chichement, sans aucun confort dans la maison des défunts parents.

Aux embrassades fait suite une tournée de gros rouge. Jamais je n'ai vu une maison et des gens aussi sales.

La pièce principale servait de salle à manger, de cuisine, de cabinet de toilette, de chambre à coucher, de fumoir, de stockage de bois.

Sur la grande table de ferme, s'entassait de la vaisselle sale, des bouteilles vides et des épluchures datant de plusieurs semaines.

Pour manger, les propriétaires des lieux repoussaient les détritus pour se faire un peu de place.

Les verres n'étaient jamais lavés, ils servaient à tout le monde et les traces de vin séché ne gênaient personne.

On avait jeté par terre une paillasse, dans la chambre des vieux, que je partageais avec Lulu et Fulbert.

Lui, passait ses journées à la pêche dans les étangs du coin. Elle, jacassait et picolait avec ses anciennes copines d'école.

J'avais fait la connaissance d'un feuillardier, Jean. Il habitait dans le haut du village. Il était grand maigre et n'avait jamais voulu abandonner sa vieille mère.

Avec lui, je ratissais la forêt à la recherche des champignons. Il m'apprenait la nature, les oiseaux, les fleurs.

Quand il était content de la cueillette, il m'invitait à partager sa soupe et son omelette aux girolles.

Il était bon Jean, tout le monde l'aimait bien. Jamais il ne parlait de ses misères et pourtant, il en avait eu.

A 18 ans, au désespoir de ses parents, il s'était engagé pour combattre les oppresseurs en Espagne. Il avait des idées bien précises sur la liberté et c'est à cause de cela qu'il avait préféré rester au village.

Le soir, tout le monde se réunissait autour de la fontaine, source de vie et de contact entre les gens.

C'est la coutume et chacun y allait de son histoire.

Germain, le berger, n'était pas le dernier. Le béret en arrière, les mains croisées sur sa canne de châtaignier, il faisait revivre le passé.

Dans cette ambiance simple, j'écoutais en ayant l'impression d'avoir aussi une famille. Quand je n'étais pas avec Jean, j'étais avec Martine, une petite brunette que j'avais connue au lavoir.

Elle sentait la tartine de pain beurré. Avec elle, j'allais garder les vaches. Elle voulait toujours que je lui parle de Paris. Au début, je lui disais qu'à Paris la vie était extraordinaire. Des cinémas, des magasins, des gens qui marchaient, le métro.

Plus tard, je lui avouais qu'elle avait beaucoup de chance de vivre ici et que j'aimerais rester.

– *Mais pourquoi, Jean-Luc, là-bas, tu as tout?*

– *Non, Martine, pas le principal : l'affection!*

Elle m'a pris la main et m'a embrassé sur la joue.

Les vacances se sont terminées, il a fallu repartir. J'ai correspondu averc Martine. Quelques mois plus tard, le facteur qui passait par là, a reconnu Jean, assis sur le bord d'un talus.

– *Alors, Jean, tu piques un petit roupillon?*

Jean n'a pas répondu. Il était mort.

Chapitre 12
RETOUR A LA CASBAH

Octobre 1969, rentrée des classes. Je n'ai pas de cartable. J'entre les mains dans les poches. On m'a désigné pour être en CM 2; l'instituteur me prie d'aller voir le directeur. Je suis dans son bureau, il ouvre mon dossier. Le directeur est Corse, il est très sévère. Je l'ai constaté par la suite, souvent je l'ai vu remonter ses manches et faire le coup de poing avec les élèves du CET d'horlogerie. Il me regarde avec ses grands yeux.

– *Ici ce n'est pas comme à la DDASS, on file droit.*

Il me dit également qu'il est très croyant, qu'il déteste le désordre, qu'il faut me faire couper les cheveux, qu'il veillerait particulièrement à ce que je sois présent à tous mes cours, parce que j'étais de la *DDASS*. Qu'il n'avait pas du tout l'intention qu'un étranger vienne foutre la merde dans son école. Que j'habitais passage de l'Épargne, que ce quartier devrait être rasé, que cet endroit engendrait les plus grands bandits de la terre. Bref, qu'ici, c'était lui le patron.

CENT FAMILLES

Ça commence très mal pour moi.

Je me fais un très bon copain à cet école. Un nommé Schwartz, un Allemand, il habite avenue Jean-Jaurès, il est grand pour son âge. Il a douze ans et doit faire un mètre soixante-cinq, il est blond.

Avec mon nouvel ami, nous allions nous asseoir sous un tilleul dans la cour. Cette fois-là, nous jouions avec un petit gravier. On le poussait, avec un geste de catapulte, pris entre le pouce et l'index. On avait imaginé qu'il contenait un micro-ordinateur espion, qu'il venait d'une autre planète. Nous lui avons parlé pour qu'il transmette notre message.

Le soir, nous l'avons jeté dans le canal de l'Ourcq, tremplin aérospatial. Nous l'avons vu descendre rapidement vers le fond et remonter aussi vite, pour s'envoler vers une autre galaxie.

Ce n'est pas tout ce que nous avons jeté dans le canal. Un peu plus tard, en octobre, un dimanche avec les copains du passage de l'Épargne, nous pêchions l'écrevisse. Trois clochards entamaient leur sixième bouteille de rouge. Pour rigoler, nous avons voulu qu'ils partagent leurs casse-croûte. Pas question. Il s'en est suivi une bousculade au bout de laquelle, un des clodos est tombé à l'eau. Il faisait froid et aucun de nous, ne voulait se tremper les fesses. Voyant que leur camarade allait couler, un second clochard a sauté pour récupérer son pote. Malheureusement sa bedaine trop lourde l'emmenait également vers le fond. C'est donc le troisième qui a plongé à son tour. Nous avons quand même pris conscience du danger. Nous avons appelé au secours, ce sont des automobilistes qui ont sauvé nos trois lascars. Inutile de préciser la suite des événements.

RETOUR A LA CASBAH

J'étais monstrueux en ce temps-là. J'étais le plus jeune de la bande, je suivais, mais la situation m'amusait.

Les mathématiques me semblaient austères. Elles ont d'ailleurs toujours gardé leur mystère.

Pour moi, c'était du genre « on sait comment ça finit, on ne veut pas savoir comment c'est arrivé là ». La géographie, discret, très discret, quand à l'histoire, les dates et tout, ça me gonflait!

Vingt trois décembre 1969, jour de mon anniversaire, avec les copains, nous décidons de fêter l'événement. Et, pour qu'une fête soit complète, que faut-il?

Des guirlandes. Vous avez gagné!

A l'entrée du Prisunic, nous avons récupéré un chariot. Il est rempli très vite, de boules dorées, de bougies, de Pères Noël, de guirlandes électriques. A la caisse j'en paie pour sept cent cinquante francs, une fortune. Comme la caissière ne m'a pas fait de ristourne, j'ai volé une petite voiture miniature. Les copains portent les paquets. Pas patient pour deux sous, j'ai vite déchiré l'emballage de mon jouet. La petite voiture rouge, roule déjà sur le trottoir. C'est à cet instant, qu'un grop type me prend par le bras.

– *Où as-tu eu cette petite voiture?*

Effronté comme je l'étais, je lui réponds que je viens de l'acheter, avec mon pouce, je montre le Prisunic derrière nous.

– *Donnes-moi le ticket de caisse!*

– *Écoutez monsieur, nous venons d'acheter pour sept cent cinquante francs de guirlandes, demandez à la caissière.*

Le type me prend par la chemise et me tire en direction du magasin. Je suis sûr de mon bon droit. Une petite voiture, pour sept cent cinquante francs de guirlandes, c'est pas du vol. Les copains me suivent, toujours avec les paquets dans les bras. Nous traversons le magasin, les gens nous regardent d'un air réprobateur. Enfin, pas tous. Le directeur a refermé son bureau de deux tours de clé, et a glissé la clé dans sa poche.

– *Où as-tu eu cet argent?*

– *Avec le travail que je fais le soir passage de l'Épargne.*

Et je lui explique, que chaque soir, au lavoir, avec ma mère, nous remplissons toutes sortes de papiers pour les gens. Qu'au début, c'était le ghetto des Noirs, mais que maintenant notre clientèle s'était étendue, que nous avions installé une table de cuisine en formica, que nous recevions plein de gens qui avaient des problèmes pour écrire.

Il n'a pas du tout cru à mon histoire. Entre-temps il avait appelé le commissariat et déjà les agents frappaient à la porte du bureau. Ils nous ont fait monter dans le panier à salade. Mes copains étaient verts de peur.

– *Je connais le commissaire divisionnaire.*

– *Ah! oui! et comment s'appelle-t-il?*

Je ne m'en souvenais plus du tout. Il m'avait dit passage de l'Épargne qu'en cas de problèmes je le prévienne. Les flics nous ont enfermés dans la cage du commissariat. Ça puait. Le commissaire est arrivé, c'était bien lui, nous étions sauvés. Je l'ai appelé, pas de réponse.

– *Jean-Luc, du passage de l'Épargne, Monsieur le divisionnaire.*

Alors, il s'est retourné, m'a reconnu, en venant vers moi.

– *Que se passe-t-il petit, pourquoi es-tu là?*

Je lui raconte.

Il ordonna aux flics qui nous avaient enfermés :

– *Allez, sortez-les de là! Soyez gentils.*

– *Mais Monsieur le Commissaire, le Prisunic!*

– *Occupez-vous de vos affaires, je connais le petit, ainsi que sa mère. Il vous a dit la vérité.*

Se tournant vers le privé du Prisu :

– *Ça fait combien cette petite voiture. Tenez, voilà vingt francs. N'oubliez pas que c'est Noël, non plus, et, le petit vous a acheté pour sept cent cinquante francs de marchandises.*

Et moi de crier :

– *C'est mon anniversaire aujourd'hui!*

Le commissaire réplique :

– *En plus c'est son anniversaire, au revoir Monsieur.*

Le privé est sorti, tout dépité.

Le Commissaire principal a demandé à mes copains de m'attendre dans la rue, et moi de le suivre dans son bureau. Là il s'est assis et m'a prié de venir près de lui.

Je restais debout. Il m'a pris entre ses genoux, a posé ses mains sur mes épaules et droit dans les yeux.

– *C'est ton anniversaire, dis-moi ce qui te ferait plaisir comme cadeau?*

Mon regard a parcouru la pièce.

– *Mais non, nigaud! dis-moi ce que je peux t'acheter?*

J'ai encore parcouru la pièce du regard.

– *Çà!*

– *Quoi çà! Mais ce n'est pas un jouet, c'est un pistolet!*

Je rêvais de posséder un truc comme ça. Il s'est levé, a sorti le pistolet du holdster.

– *Tiens, c'est pour toi! en me tendant le Holster de cuir marron.*

– *Attends, je vais te l'envelopper dans un journal. Il ne faut surtout pas qu'on te voit avec dans la rue. Tu le caches jusqu'à chez toi. Tu n'en parles à personne, c'est promis?*

J'étais fou de joie, de ma poche j'ai sorti la Roleix.

– *C'est pour vous!*

Il l'a regardée, la tournée dans sa main. Je crois qu'il avait parfaitement compris. Il s'est baissé pour m'embrasser.

– *Bon d'accord, je ne sais pas qui me l'a donnée, c'est comme toi pour le Holster.*

Monsieur le Commissaire,
En faisant un rapide calcul, je pense que vous êtes à la retraite, mais où?... Quoiqu'il en soit, je n'oublierai jamais que vous avez été l'instigateur de ma destinée, pareil à l'aiguilleur qui dirige le train sur la bonne « voix ». Vous avez sans doute oublié le petit Jean-Luc, sa crasse, sa misère et tout ce qui peut faire un enfant malheureux. A moins que les aiguilles de cette montre, me rappelle à votre bon souvenir. Gardez là longtemps Monsieur le Commissaire, c'est le signe d'amitié d'un enfant et c'est tout ce qu'il possédait.

Juillet 1985

J'ai retrouvé mes camarades sur le trottoir. Ils m'ont pressé de questions pour savoir. Mais je n'ai pas avoué.

A mi-chemin du passage de l'Épargne, alors que je m'amusais comme font souvent les gosses, je laissais courir ma main le long des murs en marchant. Devant le café « l'Albatros », j'ai soudain ressenti une immense douleur. J'ai cru qu'on m'avait coupé la main. En vérité, mon petit doigt venait d'être pris dans la fermeture d'une porte, que quelqu'un avait refermé violemment. Je hurlais de douleur. Un copain a eu la présence d'esprit d'ouvrir immédiatement la porte. Horreur! mon auriculaire pendait, coupé au trois quarts et retenu par un nerf et la peau. Mon copain s'affolait.

– *Vite, il faut aller à l'hôpital!*

Moi, je ne pensais qu'à une chose, ma mère. J'ai couru, couru, pour rentrer à la maison. J'ai monté les escaliers quatre à quatre. J'ai ouvert la porte de la chambre. Je pleurais, Achour se trouvait devant la cuisinière il se réchauffait du café.

– *Achour, Achour*, (c'est la première fois que je l'appelais par son nom), *je me suis coupé le doigt, j'ai très mal.*

Il a regardé en se tournant légèrement, puis de sa démarche fatiguée il s'est dirigé vers la porte. Il l'a fermée à double tour, a enfoui la clé dans sa poche. Il est retourné devant la cuisinière, s'est servi son café, l'a sucré et l'a bu, avant de s'allonger sur le lit pour s'endormir tout habillé.

Assis sur une chaise je pleurais, le sang continuait à couler et je pensais que j'allais mourir. Enfin, j'ai entendu ma mère dans l'escalier. Elle a frappé. Entre deux sanglots je lui ai parlé, elle a tout de suite compris qu'il se passait quelque chose. Elle a fouillé dans son sac, a sorti ses clés et m'a délivré. En voyant mon doigt, elle a poussé un cri. Sans parler, elle m'a pris le bras et nous sommes partis. Dans le métro les gens me regardaient, le torchon dans lequel mon doigt était enfermé, était rouge de sang. Nous débarquons à l'hôpital Larriboisière service des urgences. J'ai eu droit à la cousette à vif. On m'a reconduit dans le couloir auprès de ma mère :

– *Madame, vous avez un fils très courageux. Pour son doigt, n'ayez aucune crainte, c'est réparé. D'ici quelques jours, la cicatrisation sera faite et le doigt reprendra petit à petit son activité habituelle.*

Nous ne sommes pas rentrés directement. Ma mère voulait absolument rencontrer une assistante sociale. Nous avons marché, jusqu'à la maison familiale du 19e arrondissement. Étant donné l'heure avancée le bâtiment était fermé. Enfin, nous avons retrouvé le passage de l'Épargne. Il était 21 heures, j'étais mort de fatigue. Cette journée avait été riche en événements de toute nature. Je me serais bien couché sans dîner. Après avoir avalé une bonne soupe de légumes, je me suis endormi. Nous avons été réveillés par quelques coups tapés à la porte. C'est Achour qui est allé ouvrir. Je l'ai vu reculer de quelques pas, puis le commissaire Bertrand est entré. Son regard s'est immédiatement détendu en me voyant.

– *Madame Fourniquet, me permettez-vous d'emmener votre fils faire un tour?*

Ma mère toujours respectueuse des conventions.

– *Bien sûr, Monsieur le Commissaire!*

Achour s'était recroquevillé dans un coin de la pièce, comme un chien galeux, qui a peur de prendre des coups. Dans la rue, le commissaire m'a pris par la main, celle qui était valide. Je lui ai raconté mon aventure, le silence d'Achour. Il a soupiré.

– *Il fallait que je te parle Jean-Luc. Tout d'abord, cette montre, elle provient d'un bijoutier qui a été agressé, un après-midi de septembre.*

– *C'est vrai, Monsieur le Commissaire.*

– *Est-ce toi qui l'a volée?*

– *Non, c'est un copain, il me l'a donnée.*

– Jean-Luc, je ne veux pas d'histoire pour toi, le dossier je vais l'oublier. Mais dis toi bien, que c'est la première fois dans toute ma carrière de flic, que je ne fais pas mon boulot. J'ai encore autre chose à te dire. Tu sais, vivre dans ton gourbi, avec un Achour malfaisant et une mère fragile, ce n'est pas bien pour toi. Si tu restes passage de l'Épargne, tu ne tarderas pas à devenir un délinquant irrécupérable. Tu veux devenir chanteur? C'est bien! Alors prépare-toi à devenir quelqu'un. J'ai un fils, qui doit avoir ton âge. Nous avons divorcé avec sa mère, il y a six ans environ. Elle l'a emmené et je ne l'ai plus revu. Jean-Luc, il faut absolument que tu quittes le quartier. Tu dois retourner à la DDASS.

– Mais je ne peux plus. Et toutes ces familles d'accueil qui me détestent. J'ai mes copains ici, ma mère que j'aime.

– C'est ta dernière chance petit. Il faut te sortir d'ici. Avec tout ce que tu as vécu, tu es un homme. Tu dois donc comprendre et me faire confiance. Tu es d'accord?

– Oui! je vous fais confiance.

L'assistante sociale et ma mère discutaient dans le bas de l'escalier. Ma mère est remontée, les yeux couleurs de brouillard. Elle avait de nouveau ses tics qui l'agaçaient. Achour, allongé sur le lit, le visage tourné vers son récipient, toussait et crachait.

– Mon Jean-Luc, nous allons faire ta valise. Tu vas retourner à la DDASS. C'est mieux ainsi.

Je lui ai seulement demandé une photo d'elle.

Aujourd'hui encore je m'interroge, je ne sais toujours pas qui elle est. Nous ne nous sommes jamais parlé comme je l'aurais souhaité et le grand mystère demeure.

CENT FAMILLES

Lorsque j'écrivais ce livre, chez moi en Vendée dans la maison de vacances, j'ai tenté l'impossible. Il fallait absolument cette fois que nous nous rencontrions, je voulais savoir. Dès les premières minutes, de part et d'autre nous avons su que jamais nous ne pourrions briser la glace. Tu restais dans ta chambre et moi dans mon univers. La seule chose que tu me répétais sans cesse qui semblait te préoccuper plus que notre vie, c'était :

– *Mais elle n'est pas à toi cette maison. Tu racontes encore des histoires mon Jean.*

– Tu te rappelles quand je venais te chercher à la sortie de ton boulot, il y a pas encore si longtemps, avec Aurélie et Margaux ta petite fille. Tu sais ce que je voulais au fond? C'était reconstituer le puzzle de la famille, mais il me manquera toujours quelques pièces égarés. Il nous faudrait aller ensemble du côté des objets perdus.

Continue à m'envoyer tes jolies cartes postales en couleur, de Notre-Dame, du Sacré-Cœur, ou d'un Saint quelconque.

Chapitre 13
Yvette

L'adolescence d'Yvette s'est passée normalement, plutôt bien même, entourée de l'affection de ses parents.

Il y a d'abord la mère, Marie-Louise Pauline Lejeune; le père, Denis Constant Fourniquet; les oncles, les tantes, et surtout pépère Aimable, pépère Tendresse, mes deux arrières grands-pères. Sa sœur Denise est son aînée de cinq ans. Entre elles c'est plus difficile. Sa scolarité se termine à l'âge de quinze ans, avec l'obtention de son certificat d'études. Pour elle qui pensait que la fin de ses études serait une délivrance et la porte ouverte sur la vie, le désenchantement commence.

Sa tante Esther qui l'a élevée avec ses parents, lui trouve immédiatement un emploi de bonne à tout faire à Paris, chez des riches commerçants de la confection, dans le quartier Strasbourg-Saint-Denis.

Six mois plus tard, elle est renvoyée sans aucun motif. Elle travaillera également chez un médecin réputé du Faubourg Saint-Honoré, mêmes fonctions, même durée, même renvoi. Alors elle se retrouve un beau matin dans la rue avec son baluchon, ses petites économies et un immense désespoir. On imagine aisément ce qui se passe dans la tête de cette jeune provinciale. Elle a seize ans, elle est seule, désorientée dans un Paris trop grand pour elle.

14 août 1955 : Yvette a marché tout l'après-midi. La nuit commence à tomber.

Les quais de la Seine, elle se penche et voit sa propre image, ses souvenirs, un brave cordonnier assiste à la scène, mais le temps qu'il met à réaliser, elle a sauté. L'homme saute à son tour, et tant bien que mal arrive à la ramener sur la berge.

Yvette se réveillera dans une chambre d'hôpital, avec à son chevet l'assistante sociale de l'établissement. Conclusion, elle sera envoyée chez les Sœurs à Senlis.

Elle s'attache immédiatement à sœur Bernadette auprès de qui elle trouve gentillesse et compréhension. Ensemble, elles passent des journées entières à laver du linge au lavoir. Elles parlent, elles se comprennent et sœur Bernadette n'a aucune difficulté à convaincre Yvette de l'existence de Dieu. C'est à partir de cette période que la Bible et la croyance ne la quitteront plus. C'est la foi qui lui donnera la force de vivre.

Réconfortée, elle quitte le couvent pour aller vivre chez sa sœur Denise à Paris. Entre temps, cette dernière s'est mariée et habite dans un petit appartement rue de la Folie Régnault, face à la prison de la Roquette.

Yvette trouve un emploi chez Kodak, 10 heures par jour, elle roule les pellicules dans le noir. Elle ne parle à personne. Elle ne s'attarde même pas sur le chemin du retour, sauf peut-être de temps en temps pour regarder furtivement les jeunes de son âge, qui rient bruyamment.

Nous sommes le 12 juillet, elle pousse la porte de l'appartement, et elle surprend une conversation entre sa sœur Denise et son beau-frère. Ils parlent d'elle. Ils ont décidé que pour les vacances elle resterait seule à Paris. Ses jambes flageolent, les larmes lui montent aux yeux. Elle qui avait préparé ses vacances depuis si longtemps. Ils partiront le lendemain et Yvette ne verra pas la mer.

Yvette est seule dans la salle à manger, assise elle pense à sœur Bernadette. Tout à coup, de la fenêtre ouverte parviennent des bruits de pétards qui éclatent. Maintenant c'est une fanfare bien vite transformée en musique de danse par les accordéons nostalgiques. Elle se lève pour venir à la fenêtre et quelle n'est pas sa stupeur de voir Paris embrasé par des milliers et des milliers de lampions. Cris, bousculades, rires. C'est la fête!

Demain c'est le 14 juillet, jour chômé. Le bal se trouve à proximité. Des guirlandes de toutes les couleurs ornent la place. Elle se mêle à la foule, encore toute excitée de cette première liberté. Yvette veut vivre!

Aussi quand ce jeune homme s'approche d'elle pour l'inviter à danser, Yvette accepte.

Elle tourne, elle tourne.

Ce jeune homme; la musique; la danse, c'est un peu le bonheur. Ils échangent un peu de leur vie, entrecoupée de sourires complices. Et quand elle se retrouve quelques heures après, dans un tête-à-tête qui n'a plus rien à voir avec la danse, elle sait qu'il est trop tard. Les regrets n'y font plus rien. Les jours qui vont suivre, Yvette va vivre dans l'angoisse. Elle prie pour que le Bon Dieu ne lui fasse pas payer trop cher sa faute. Elle ne sera pas exaucée.

Il sera de plus en plus difficile à Yvette de cacher sa grossesse à son entourage et en particulier à sa sœur. Quand celle-ci l'apprendra, elle se mettra dans une colère folle. Denise, sans aucun ménagement, renvoie sa propre sœur et lui ferme définitivement sa porte.

Pauvre Yvette, il ne lui reste plus qu'à retrouver le père de l'enfant. Elle recherche le petit bout de papier que lui avait remis le beau jeune homme cette nuit là. Robert Lahaeye, oui, c'est bien cela. Elle le retrouvera; mais la splendide demeure dont il lui avait tant parlé, cette grande maison de famille, c'est l'Armée du Salut!

Ils se marient entre deux témoins pris au hasard dans les couloirs. Ils sont obligés de quitter l'Armée du Salut pour laisser leur place à d'autres, plus nécessiteux.

Viennent alors les jours d'errance dans les endroits publics. On peut considérer qu'à cette époque, Yvette et Robert Lahaeye, sont de « la cloche ».

Yvette arrivera tout de même au terme de sa grossesse. Elle mettra au monde son premier enfant qu'ils appelleront Serge. Son mari, lui offrira comme premier cadeau une brosse à dents, ça paraît insensé, mais c'est pourtant vrai. Serge, je le rencontrerai plus tard, à l'âge de 22 ans dans le 18e arrondissement par le plus pur des hasards.

Yvette est heureuse. Son mari a dégoté une petite chambre à Menilmontant. Le propriétaire ému par le couple et le bébé que porte fièrement Yvette dans ses bras, accepte de l'embaucher. Tout va pour le mieux.

Mais pour Yvette, comme toujours le bonheur est éphémère. Son bonheur à elle, est comme le soleil qui traverse les arbres de la forêt en automne.

La vie au sein du couple devient vite insupportable.

YVETTE

Il règne entre Yvette et Robert un conflit permanent. Et ce qui doit arriver, arrive. Yvette a recours à l'assistante sociale, qui emmène immédiatement Serge pour le placer au Dépôt.

Pour ceux qui ne le sauraient pas, le Dépôt est l'endroit le plus sinistre, le plus angoissant, le plus gris pour tous les enfants abandonnés. C'est l'antichambre de l'orphelinat. Le couloir qui mène à l'autre bout de sa vie.

Serge sera récupéré six mois plus tard par la maman de Robert qui habite près du Père Lachaise. Ils habiteront là jusqu'à sa majorité. Aujourd'hui Serge et sa grand-mère vivent toujours ensemble du côté de Sussy-en-Brie. La famille s'est agrandie. Il est marié et papa d'une petite Sandra.

Serge m'a laissé sans le savoir, la lourde charge de l'existence que je connaîtrais.

1956 : Naissance de Jamy, même trajectoire quelque 11 mois plus tard, dépôt, assistance publique.

Et puis : Jean-Luc
Aimable
Pascale
Emmanuelle...
Etc...
J'en passe, et j'en laisse.

Chapitre 14

NAISSANCE DE JEAN-LUC

Nous sommes en avril 1958. Il fait beau sur Paris. Le soleil fait craquer les premiers bourgeons. A la radio, on parle de la guerre d'Algérie et du retour du général de Gaulle. Yvette est beaucoup plus préoccupée par sa toilette, Robert a promis de l'emmener au cinéma. On ne peut pas dire que la famille Lahaeye a les moyens de se payer le cinéma, loin de là. Seulement Robert à travers ses rencontres de bistrots s'est fait un copain, Lucien, qui est opérateur de cinéma à « la Cigale ». Côté boulot, pas de problème il est réglo, côté bouteille c'est autre chose. Enfin, le malheur des uns fait le bonheur des autres. Et aujourd'hui, le bonheur est pour Yvette qui va oublier pendant quelques heures ses soucis. Les voilà bras dessus bras dessous qui déambulent boulevard de la Villette.

« La Cigale », Yvette est radieuse de voir qu'on y joue aujourd'hui le film qui fait la une de tous les magazines : « Sissi Impératrice », de quoi faire rêver toutes les midinettes. Ils entrent. A la caissière qui les arrête, Robert demande à parler à Lucien l'opérateur. Yvette et Robert restent là à attendre l'air un peu gauche dans leurs vêtements du dimanche.

Enfin, voilà celui qu'on espère. Présentation, Yvette ma femme, Lucien, tu sais celui dont je t'ai parlé. Mais oui! Lucien demande au couple de le suivre. Ils ne sont pas peu fiers les Lahaeye en montant l'escalier qui les mène directement à la cabine de l'opérateur. Surtout que les gens qui font la queue les regardent avec envie.

– *Voilà,* leur dit Lucien, *c'est là. Ça c'est l'appareil de projection, refroidissement par système de ventilation électrique.*

Mais le spectacle doit commencer et pour Lucien le boulot c'est le boulot.

– *Bon, asseyez-vous là,* leur dit-il en leur montrant deux chaises dans le renfoncement de la cabine *et surtout pas de bruit, j'ai pas envie de me faire virer, moi!*

Après le documentaire sur Deauville, Yvette et Robert sont impatients de voir le film. Yvette pour « Sissi », Robert pour caresser Yvette dans le noir. Bonbons, caramels, esquimaux, chocolats! puisqu'ils n'ont pas payé leur place, ils ont droit à une petite fantaisie. Robert rapporte à Yvette un paquet de bonbons et à Lucien un esquimau glacé au chocolat. Puis la lumière s'éteint et c'est un cri de joie dans la salle.

Générique : Robert pose sa main sur la cuisse d'Yvette. Yvette esquisse un mouvement de recul pour regarder vers Lucien. Celui-ci semble bien affairé le film commence. Nouveaux assauts de Robert, cette fois-ci, Yvette se laisse caresser. Il faut dire que la musique est porteuse de sentiments.

Et c'est là, dans cette cabine d'opérateur du cinéma « la Cigale », pendant que Lucien règle ses appareils, que

NAISSANCE DE JEAN-LUC

Robert a vaincu Yvette, qu'Yvette grisée s'est donnée, consentante, et que le petit Jean-Luc a été conçu.

A cette époque, ils vivent dans une chambre au n° 17 de la rue de Chartres. Cette rue se situe face à l'hôpital Lariboisière. C'est une rue typique du vieux Paris. J'y suis passé dernièrement afin de retrouver quelques souvenirs. J'ai cherché la fenêtre où ils vivaient, histoire de retrouver mes origines, quoi.

Yvette se rendra à pied à l'hôpital Lariboisière pour me mettre au monde. Mon arrivée fût paraît-il longue, douloureuse et mémorable, aux dires de ma mère. Une vraie révolution dans la salle de travail. Médecins, sage-femmes, internes, infirmières, tout le monde s'activait. Ma mère hurlait. L'accouchement dura treize heures. Le cas s'annonçait difficile et délicat.

L'interdiction de boire fut donnée à ma mère, qui ne put s'empêcher d'aller prendre de grandes rasades d'eau au robinet des toilettes. Les complications se multiplièrent. Les heures passèrent, un ensemble de gémissements et de cris stridents couvraient mon impatience de sortir de ce néant. Il était huit heures et dix minutes, ce matin du 23 décembre 1958, un congrès médical international siègeait ce jour au sein de l'hôpital Lariboisière. Et ce fut un hourra prononcé dans toutes les langues qui marqua mon entrée dans le monde. Je crie, je hurle, et je chante paraît-il, mais ça c'est la légende qui commence.

Enfin, ma mère porte son regard attendri sur moi. Ça y est, elle l'a choisi, je m'appellerai Lucien-Baptiste. Encore aujourd'hui je bénis le médecin qui lui a interdit de m'appeler ainsi. L'assistante sociale qui suivait ma mère était venue à ma naissance pour remplir les feuilles destinées à la Sécurité Sociale et à l'état civil.

Tout comme le médecin, elle a convaincu ma mère

de me donner un prénom beaucoup plus simple. Alors, ma mère a ouvert une Bible, celle qui ne la quittait jamais depuis sa rencontre à Senlis avec sœur Bernadette.

Jean comme saint Jean, Luc comme saint Luc, voilà j'étais baptisé Jean-Luc.

Chapitre 15

L'ART DE LA FUGUE

Cette année 1970, j'ai dû faire une quinzaine de familles d'accueil. J'ai « fugué » au moins dix fois.

Elles étaient incapables de m'élever.

En Charente-Maritime, parce que je n'étais pas arrivé à l'heure pour le repas du midi, la femme m'a battu si fort, que je suis tombé et ma tête a cogné sur le coin d'un meuble. Elle m'a fait relever à coups de pieds et quitter la cuisine.

– *La prochaine fois, tu viendras à l'heure! Cochon de parisien.*

Ma réponse, je la lui ai donnée l'après-midi. La maison était vide. Je suis monté dans la salle de bains. J'ai ouvert en grand les robinets de la baignoire et du lavabo. J'ai plié soigneusement mes affaires dans mon sac, et je suis parti.

Dans la Creuse, le maître de maison, m'appelait le « pisseux ». Tout ça, parce que mon incontinence nocturne, était de retour. Quand j'étais avec ma mère, je ne pissais plus au lit. Il suffisait que je la quitte, pour que ça recommence. Les deux filles se moquaient de moi également. C'était toujours la même rengaine, la même honte.

– *Ah! le pisseux. Ah! le pisseux.*

J'ai profité de leur absence, un jour, pour aller pisser sur les lits de toute la famille. Rien n'était épargné, les draps, les oreillers, les couvertures. J'ai pris bien soin de laisser un petit mot.

« De la part du pisseux »

Avec mon baluchon sous le bras, j'ai savouré ma vengeance et je suis parti.

Tous ces gens me révoltaient. J'en avais assez, j'étais saturé des mêmes questions, fatigué de faire les mêmes réponses. J'aurais voulu poser mes valises, mais une sorte d'instinct animal, m'obligeait à fuir.

Il n'y a que la musique qui m'aidait. Elle seule me permettait d'attendre et d'espérer.

L'été 1970, le grand tub, c'était « Darla dirla dada ». On en trouvait de nombreuses versions. C'est Dalida qui chantait la version française. La couverture de *« Salut les copains »* de novembre, montrait Joe Dassin, tout habillé de cuir noir, appuyé sur une grosse moto. C'était l'image que je voulais avoir. Et de fugues en familles, j'ai découvert la France. Metz ville de garnison, entourée de hauts murs, Roubaix, Lille, Chartres et sa cathédrale faite de dentelle. C'était partout le même processus. On me dirigeait sur le centre DDASS du département. Le directeur demandait mon dossier au centre précédent. Il y portait ses conclusions. C'est ainsi qu'à ma majorité, lorsqu'on me remit mon dossier, j'ai compris que j'étais un cas social. J'avais vécu en dehors des barrières.

L'ART DE LA FUGUE

Le bien et le mal, c'est quoi, quand on a 11 ans. Des mots inventés par les adultes, des mots qui ne veulent rien dire quand on passé sa vie à l'orphelinat, à se battre au dortoir, au réfectoire, à l'école. Le bien c'est quand on vit, le mal c'est quand on pleure. L'orphelinat vous rend fort et faible à la fois. Fort dans la détermination de réussir plus tard, pour leur montrer. Faible dans la recherche d'affectivité. La DDASS c'est aussi l'école de l'égoïsme et de la contradiction. Son bonheur, on le gagne, on le mérite. Mais on est toujours prêt à le faire partager. Quand j'étais petit, entre deux prières, ma mère m'avait appris que nous possédions en nous, deux anges, l'un, le blanc, le bon qu'il fallait écouter avec attention, l'autre le méchant, le diable qu'il fallait faire taire à tout prix. Le problème, c'est qu'à la DDASS, on a pas sa maman, pour nous les situer. Alors très vite, on les mélange. Le bon et le mauvais ne font plus qu'un. Au centre Denfert-Rochereau, comme dans tous les centres du monde, ce qui compte exclusivement c'est le règlement intérieur. Pour ce qui est de l'extérieur, l'important c'est de ne porter préjudice en aucune façon à l'administration. Le directeur tient à sa place et à son avancement. Chacun peut donc mener sa vie à sa guise. En ce qui concerne les cours de maintien, tu repasseras! Pour les éducateurs, le Bien, c'est quand tu es en bonne santé physique. Le Mal c'est quand tu les fais chier! Conclusion, c'est que la moralité n'est pas la même pour tout le monde. Le tout est de savoir, qui se rapproche le plus de la vérité.

La famille Martin habite à Rumigny dans les Ardennes, petite commune non loin de Charleville.

Ils ont une fille, Françoise âgée de 9 ans.

Légalement, ils vivent des salaires versés par la DDASS, pour les enfants dont ils ont la garde.

La réalité est tout autre. Ils dressent les orphelins à voler dans les voitures. Les raids dans les parkings sont dirigés par Jean-Michel, un analphabète de 16 ans. Il a de gros sourcils, des pattes et un strabisme divergent.

Une nuit, dans le grenier qui nous servait de dortoir, pour me prouver qu'il était un homme, il m'a réveillé :

– *Regarde!*

Ses deux sœurs jumelles étaient couchées près de lui, nues. Il a baissé sa culotte de pyjama et s'est allongé sur la première.

– *Tu vois Jean-Luc, mes frangines sont vierges et bien je vais les dépuceler.*

Pour moi, « vierges et dépuceler » n'étaient que des mots qui ne représentaient pas grand-chose.

Les filles riaient nerveusement. Et, leur frère, une bête, les meurtrissait.

Dans cette soupente éclairée par une simple bougie, les ombres dansaient sur les murs. C'était un spectacle ahurissant. Une odeur de moisi dégagée par les feuilles de tabac qui séchaient, envahissait la pièce. Il faisait froid.

L'école était très aléatoire, Martin préférait nous voir errer dans les stationnements aux abords de la gare et du supermarché. Nous étions quatre autour des voitures. Il fallait trouver la porte ou la fenêtre ouverte.

Jean-Michel arrivait sur les lieux et choisissait le butin. Souvent, je devais m'introduire à l'intérieur du véhicule en me glissant par une fenêtre laissée maladroitement entrouverte par le propriétaire. Martin récupérait les objets et se chargeait de les écouler. En contrepartie, nous avions droit à quelque nourriture, c'est tout.

Comme dans toutes les villes ouvrières, un jour les habitants en ont eu marre de se faire cambrioler et de l'inefficacité de la police locale. Ils ont créé une milice de quartier. Sans uniforme, il était difficile de les repérer.

Nous étions sur le parking de l'hôpital à attendre que Jean-Michel ait ouvert la glace d'une DS Citroën.

Il était midi environ. Les jumelles et moi, nous faisions le guet. Cinq hommes ont surgi avant que nous ayons eu le temps de crier. Ils ont sauté sur Jean-Michel et l'ont fait tomber. A l'aide de barre de fer, ils le frappaient en l'insultant. Le pauvre gosse pleurait en encaissant les coups. Des gens commençaient à s'intéresser au massacre. Alors, les justiciers ont pris la fuite. Jean-Michel, les deux jambes brisées a été conduit à l'hôpital.

Il était temps pour la famille Martin de quitter la région. De plus, cela faisait quatre ans qu'ils ne payaient plus leur loyer. Ils ont chargé la vieille caravane qui pourrissait au fond du jardin et un ami de la famille l'a accrochée derrière sa voiture.

Nous nous sommes retrouvés dans une vieille usine désaffectée près de la frontière belge.

Le vent soufflait par les ouvertures démunies de vitres. Françoise Martin et les jumelles pleuraient à cause du froid qui leur piquait les doigts et le visage.

Cette nuit-là, j'ai bu deux litres de vin rouge que j'avais réussi à voler dans un supermarché.

Pour nourrir la famille, il fallait faire des provisions. L'alcool m'a tourné la tête. J'ai bu jusqu'à ce que mon corps disparaisse.

C'est Yvette qui m'a sauvé. Comme elle le faisait parfois, un dimanche elle est arrivée. Quand elle a vu l'endroit dans lequel je vivais, elle en a fait part immédiatement à l'antenne de la DDASS quarante-huit heures plus tard, les jumelles et moi étions rapatriés sur Paris par le train.

Dans le compartiment, j'étais assis entre les deux filles qui me bourraient de coups de coude. Elles ne voulaient surtout pas que je raconte trop d'histoires à notre accompagnateur. Pourtant, je n'oubliais pas le jour où elles m'avaient déshabillé et ri de ma petite zézette enfantine et de mon manque de duvet. Elles avaient quinze ans, elles étaient insouciantes.

Cette famille d'accueil avait été choisie par la DDASS, sans aucune enquête. L'administration dans ces années 70 était submergée par les enfants abandonnés. Il était très facile d'en avoir la garde.

Les centres étaient beaucoup moins structurés qu'aujourd'hui et manquaient du nécessaire. Les éducateurs étaient recrutés plus pour leur bonne volonté que pour leur compétence. Et souvent, ces hommes et ces femmes, se dévouaient même sur leurs deniers personnels. Mais nous, les mômes de nul part, on ne voulait pas savoir.

Lyon est une belle ville, j'y ai passé 11 jours. La femme qui m'a hébergé était veuve, toute vêtue de noir. Son mari s'était tué deux ans après leur mariage, dans un accident de moto.

Nous sommes deux enfants de l'Assistance. Gérard est là depuis sept mois. Comme il n'a aucune famille pour lui donner son argent de poche, il travaille avec d'autres copains. Ils sont une dizaine qui à chaque sortie de classe, proposent de laver les pare-brise de voitures aux feux tricolores.

Armés d'un seau d'eau et d'une raclette en caoutchouc, ils se précipitent sur les automobilistes.

Certains sont généreux, d'autres pressés, ou franchement désagréables.

D'après Gérard, on peut se faire, avec une moyenne d'un franc par client, 150 francs par semaine.

Je suis convaincu, il ne me reste plus qu'à me procurer le matériel.

La pauvre veuve au regard sans lendemain, n'est pas opposée à cette initiative, d'autant que Gérard de temps en temps la remercie par un petit bouquet de fleurs.

Me voilà à mon compte, j'ai retrouvé quelques copains de la DDASS, cela nous rapproche.

Comme territoire, j'ai choisi l'Avenue de la gare, il passe beaucoup de voiture. Ceux qui arrivent et ceux qui partent. En une heure j'ai déjà empoché 15 francs.

Je me tracasse déjà pour savoir comment je vais les dépenser. Une Ami 6 s'arrête près de moi, je m'avance pour mouiller le pare-brise. Le chauffeur me fait signe de dégager. Une fois sur deux c'est leur réaction, mais à la fin, gênés ils payent.

Le feu s'est mis au vert, je n'ai pas fini, le type klaxonne et accélère. Je suis légèrement bousculé. J'appelle mes copains, je leur explique.

Dans la bande, il y a deux vélomoteurs. Nous enfourchons les machines et prenons en chasse l'automobiliste malveillant.

Il est midi et demie, à cette heure, les encombrements sont déjà importants, il nous est facile de le rattraper. Nous le suivons. Il longe le Rhône en direction de Villefranche. Enfin, il s'arrête. Il pénètre dans une station service et gare son véhicule. Il échange quelques mots avec le pompiste et s'en va. Quelle va être notre vengeance? Crever les pneus? C'est trop commun. Rayer la peinture? Ce n'est pas assez voyant.

Il nous faut une perceuse. Qui peut rentrer dans le garage sans se faire remarquer? De toute façon, les ouvriers sont partis déjeuner.

Pendant que je demande des autocollants, Gérard est entré dans l'atelier. J'ai un peu peur car le patron de la station m'a balancé les publicités, pressé de finir son boulot pour aller déjeuner à son tour. Il sort du bureau et se dirige vers l'Ami 6.

– *Dis donc toi, donne-moi un coup de main à pousser la voiture, nous allons la rentrer.*

On ne pouvait pas mieux faire, quelle aubaine. Je fais semblant de partir en lui criant :

– *Salut m'sieur!*

J'attends quelques minutes et je cours retrouver Gérard à l'intérieur. Les deux autres font le guet. J'avais déjà vu des bricoleurs se servir d'une perceuse. Nous avons laissé la mèche. Je monte sur le toit de l'Ami 6.

– *Passe-moi la machine!*

Cinq secondes suffisent pour percer le plastique et dix secondes pour agrandir le trou. Si on n'y fait pas attention, c'est encore invisible.

– *Gégé, tire le tuyau là-bas, et donne-le-moi.*

Il s'exécute. J'en introduis vingt centimètres dans l'orifice et descends pour ouvrir le robinet d'eau.

La capacité d'eau que peut contenir l'habitacle d'une Ami 6 est incroyable. De plus, l'ensemble est étanche. Cela pouvait faire une bonne pub.

Malheureusement, nous n'avons pas pu attendre le remplissage complet, c'est long. Quoi qu'il en soit, le propriétaire n'aura plus qu'à y jeter des poissons rouges...

Après notre exploit, nous avions décidé de « fuguer » avec les copains, pour faire « Le Tour de France » de nos familles respectives. Tout était prêt, les bicyclettes, les sacs, les vêtements nécessaires et l'argent économisé.

Nous étions 7 à partir, tous aussi décidés. Nous avions prévu 5 jours pour remonter sur Paris.

La nuit il a plu si fort qu'il a fallu nous réfugier dans une grange. Nous avions parcouru 50 kilomètres dans la journée. J'avais les mollets qui me faisaient terriblement mal. Nos vêtements étaient humides et nous grelottions. Michel, le petit rouquin, se lamentait parce qu'il avait faim et qu'il regrettait déjà sa famille d'accueil.

– *Oui, c'est vrai qu'ils ne sont pas toujours gentils avec moi, mais chez eux, j'ai un bon lit et de quoi manger.*

La fatigue nous a poussé dans un sommeil profond. Au petit matin, la double porte s'est ouverte, et en guise de petit déjeuner nous avons eu les gendarmes. Cinq sont retournés dans leur famille du coin, seuls, Gérard et moi, considérés commes les meneurs, avons été renvoyés sur Paris, comme d'habitude.

Bonjour la capitale!

Je n'étais pas très à l'aise sur Fuégo. Mathias avait beau me soutenir que c'était un cheval confortable, il me baladait d'avant en arrière et le cuir de la selle échauffait mes pauvres cuisses.

J'en arrivais à regretter la promenade. Il était 7 heures du matin, le soleil commençait à chauffer la peau, et les oiseaux planaient déjà sur l'étang en quête de nourriture. C'est beau la Camargue.

J'étais arrivé trois jours auparavant dans cette famille de Villeneuve. Le couple âgé d'une cinquantaine d'années cultivait la vigne. Leurs trois enfants étaient partis faire fortune à Marseille. Pour les Maurel, j'étais un souffle de jeunesse. Mathias était le fils de leur voisin le plus proche.

Ses parents élevaient des chevaux et des taureaux. Une dizaine de gardians surveillait les troupeaux. C'était des gens riches. Mon nouveau copain était né en décembre et la même année que moi. Tout de suite, nous avions sympathisé.

– *Regarde les chevaux sauvages, allez, viens.*

Un petit coup de talon et nous voilà partis au galop. Au bout d'une semaine, je maîtrisais parfaitement ma monture, et je prenais des risques. Il faut dire que Mathias s'employait activement à mon instruction.

Quand son père partait en ville, nous sautions dans la camionnette pour l'accompagner aux Saintes-Maries de la Mer, en croisant les gens, j'avais l'impression d'y retrouver mes origines, surtout parmi les Gitans.

Un soir que nous revenions de randonnée, Pierre le chef des manades nous a avertis qu'Antoinette allait mettre bas. C'était une jument de 8 ans, blanche comme l'écume de mer.

A aucun prix je ne voulais manquer ça. Avec Mathias nous nous sommes approchés du box où était allongée la « future maman ». Le père de Mathias était là avec le vétérinaire.

Sur la pointe des pieds, j'essayais d'apercevoir quelque chose. La naissance de la vie implique le silence.

Antoinette semblait souffrir. Le véto lui passait un linge mouillé sur le museau. Nous sommes restés là à attendre quatre bonnes heures. Puis, la jument a commencé à bouger, les contractions se rapprochaient, elles avaient lieu toutes les cinq minutes.

J'avais la gorge sèche. Mathias comme les autres était tendu. Et puis, ce fut le miracle de la nature. Deux petites pattes sont apparues, suivies d'un museau.

Le père de Mathias parlait à Antoinette.

– *Allez, c'est bon, pousse ma belle,*

D'un seul coup, le poulain, tout mouillé est sorti. J'en avais des frissons et les larmes me montaient aux yeux, je n'étais pas le seul d'ailleurs.

La maman a fait la toilette du nouveau-né qui instinctivement s'est mis à la téter. C'était un mâle, il s'appelait « Jason ». L'odeur du cheval, les longues promenades à travers les marais, tout était nouveau pour moi.

Chaque soir, en rentrant chez les Maurel, j'avais bien du mal à finir mon dîner, n'ayant qu'une envie, m'écrouler sur mon lit.

Ces gens étaient bons pour moi. Ils avaient compris que j'avais soif de liberté et ne me posaient jamais de question.

Antoine Maurel m'avait seulement proposé une partie de pêche sur l'étang de Vacarès un prochain matin.

La 403 Peugeot grise était garée près du cellier. Je ne pouvais pas me tromper, l'inscription publicitaire peinte sur les portières portait le nom de :

« ÉMILE CHABERNOT » Coiffeur hommes et femmes

C'était donc lui que ma mère avait choisi pour venir me reprendre à ma nouvelle vie.

Quand ce n'était pas moi qui « fuguais » de la famille qui m'hébergeait, c'était ma mère, tel un chien dans un jeu de quilles qui renversait mon équilibre tant recherché. Une fois de plus j'étais vaincu par la fatalité.

Émile Chabernot, Yvette et les Maurel étaient attablés autour de la grande table. Antoine leur avait servi un vin de sa vigne. Chabernot, hirsute et les mains douteuses, parlait de ses aventures. Ils avaient mis 15 heures pour descendre. Une fuite au radiateur les obligeait à s'arrêter tous les 20 kilomètres pour remettre de l'eau.

Mimile comme l'appelaient les habitants du passage de l'Épargne, tenait son salon avec sa vieille maman Germaine. Assise derrière la caisse elle commentait les points du quartier.

Mais le plus original, c'était la couleur de ses cheveux qui variait au gré des inventions chimiques savantes de Mimile. Il ne voulait absolument pas traiter ses clientes avec les produits traditionnels.

Dans son genre, c'était un écolo. Fallait voir.

Germaine était passée par toutes les couleurs fondamentales et les autres. Une fois, il s'était trompé de produit, et sa mère était devenue complètement chauve.

Les activités de Mimile ne s'arrêtaient pas à la coiffure et à ses recherches scientifiques. L'arrière-boutique était encombrée de photographies, livres, cocottes minute, pendules, lampes, la panoplie complète du receleur.

Quand un client passait à la caisse il ne manquait jamais de l'inviter à le suivre dans son petit magasin.

Voyant ma mère et son chauffeur fatigués, les Maurel leur ont proposé de passer la nuit là. Je n'ai pas voulu dîner avec eux. J'ai retrouvé Mathias et je lui ai fait mes adieux.

– *A bientôt peut-être!*

Quand ils m'ont regardé tous les deux, j'ai senti un malaise. Ce n'était pas le paquet cadeau qu'ils attendaient. Il faut dire que je n'avais absolument rien d'un blondinet aux yeux bleus.

Rien qu'à voir leur physique, ils auront beaucoup de mal à me faire passer pour quelqu'un de la famille.

De toute façon, là n'est pas le problème. Ou ils m'acceptent tel que je suis, ou je me tire, un point c'est tout.

C'est rare quand l'homme et la femme sont d'accord dans ce genre de jugement et d'à priori. En général, il y en a toujours un des deux qui s'en balance et souvent, c'est le mari.

– *Bon, puisque tu es là, entre.*

Ça va être très difficile de me faire accepter. J'ai tenté le sourire commercial, néant, le bide complet. Cette nouvelle famille d'accueil, limitée dans les sentiments, souffre déjà et regrette sa démarche auprès de la DDASS. Je le sens, c'est viscéral et le soir au lit, en éteignant la lumière, ils vont s'engueuler. Tans pis, j'y suis, j'y reste.

D'ailleurs, je vais foutre la merde, cela les confortera dans leur jugement à mon égard. Je sais sourire, je sais aussi être abject.

Si j'ai bien compris, le type travaille à l'EDF comme chef. C'est lui qui dirige l'équipe. C'est facile, il y en a un qui monte au poteau, quatre qui regardent et un qui porte la casquette.

La femme a déjà deux gosses, elle a préféré arrêter de travailler pour les élever, mais comme il faut payer la maison Phénix, que la vie augmente et qu'ils veulent changer de voiture pour les vacances, ils ont traité avec la DDASS.

Avec moi, ils veulent jouer les parents éducateurs, mais ça ne marche pas.

Moi, j'aime les pauvres qui sont pauvres et les riches qui sont riches, pas ceux qui font semblant.

Rien que de voir la façon mémée dont s'habille la petite dame, encore jeune, « j'ai les glandes ».

Par contre, j'ai remarqué que certains après-midi, elle fait un excès de toilette. A l'heure où ça se passe, je doute que ce soit pour son mari.

Maintenant, mon doute a disparu, elle me demande de garder les mômes pendant son absence. Elle rentrera vers 16 heures. Elle est revenue comme prévu. Je l'ai trouvé bizarre, guillerette et mal à l'aise.

– *Ce n'est pas la peine de dire à André que je suis sortie!*

C'est bien la première fois qu'elle l'appelait pour moi, André.

Ses petites escapades se sont renouvelées très souvent. Elle n'avait plus besoin de me demander de me taire. Ça va, j'avais compris.

Son « d'Artagnan » s'appelait Maurice, comme son mari, il travaillait à l'EDF et c'était même son meilleur ami.

Dans le genre gluant, on ne faisait pas mieux. En fait, ça devait être une épée. Comme j'étais dans la confidence, « Juliette » me faisait chaque jour une pâtisserie différente. Si j'avais eu trois ans de plus cela aurait été une fantaisie. Elle achetait mon silence et quand le « Craignos » la sautait dans la cuisine, je devais occuper les gamins à jouer aux petits chevaux dans la salle à manger.

Samedi soir, « Dallas » n'étant pas encore au programme de la télévision, nous étions invités chez Maurice. J'allais aussi connaître sa chère et tendre épouse. **Mon jour de gloire était arrivé!**

Même banlieue, même maison, une belle-mère en plus. La femme de Maurice était tout à fait comme je l'avais imaginée. Le contraire d'une poufiasse. Il a fallu prendre les patins dans l'entrée. Meubles modernes, clairs, froids et sans histoires. Pendant « l'apéro », André et Maurice discutaient de leur boulot, les nanas de leurs gosses et la « belle doche » mâchouillait son dentier.

A table, le vin coulait dans les verres. On n'en était pas encore arrivé à la politique, ni au plat de résistance. Le ton montait et descendait comme les cours de la bourse pendant une période électorale.

Le scandale viendrait du froid, c'est sûr. La maîtresse de maison apportait la glace pour le dessert.

Un truc de supermarché au parfum synthétique. C'est l'instant que j'ai choisi pour prendre la parole.

– *Dites, Monsieur Maurice, pourquoi n'avez-vous pas les mêmes horaires que Monsieur André?*

Silence.

– *Oui, car à chaque fois que vous passez à la maison pour voir André, il n'est jamais là.*

Maintenant, c'est André qui reprenait.

– *Tu me l'as jamais dit que tu étais passé à la maison pendant mon absence, toi non plus Juliette.*

– *Je ne suis passé qu'une fois, un jour que j'étais dans le coin.*

– *Mais ce n'est pas ton secteur!*

– *Monsieur Maurice, j'ai compté que depuis que je suis dans la famille, vous vous êtes enfermés dans la cuisine sept fois, pour prendre un café.*

– *Juliette qu'est-ce que ça veut dire?*

André s'était levé, tenant sa serviette serrée dans sa main droite. Sa mâchoire craquait. La maîtresse de maison n'a pas perdu la face, elle a posé la glace au milieu de la table. André s'en est immédiatement emparé, et de toutes ses forces l'a jetée au visage de son ancien pote.

André a saisi le bras de sa femme en la traitant de « putain » et l'a obligé à le suivre dans le couloir. La paire de baffes qu'elle a reçue a résonné jusque dans ma tête. Les mômes pleuraient. La belle-mère gémissait.

– *Ma pauvre petite, ma pauvre petite.*

La maîtresse de maison, gisait sur un fauteuil les bras ballants, étouffée par tant de cruauté.

Son parquet sali, la table tachée, le mur persillé. Elle était plus contrariée par le ménage qu'elle aurait à faire le lendemain, que par les fredaines de son mari.

Nous avons réintégré en silence la maison de l'orgie. Tout le monde est allé se coucher.

Je ne sais pas si j'ai rêvé cette nuit-là, mais il me semble avoir entendu des gloussements venant de la chambre des parents.

Le matin, de très bonne heure, mes valises avaient été jetées sur le trottoir.

Les disques me passionnaient, plus pour l'emballage que pour le contenu. J'aimais ces pochettes glacées et cartonnées. Ces couleurs vives et chatoyantes. Je vivais avec les artistes. Mes revenus étaient plus que modestes. Pour assouvir mon goût pour la musique enregistrée, j'avais mis au point un système de vol à la tire. Les petites boutiques de disques n'avaient pas encore été mangées par les supermarchés. J'entrais avec un dossier à chemises. Je prenais mon temps pour choisir et de temps à autre, je demandais au disquaire d'écouter un titre. Quand j'avais fait mon choix, je passais à la caisse, je payais un disque et repartais avec six. J'avais pris soin de le glisser dans le dossier. C'est ainsi que j'ai grossi ma discothèque de Polnareff, Dassin, Hervé Vilard.

Hervé était très aimé par les enfants de la *DDASS*. Pour cause, il avait passé quelques mois de sa vie à Saint-Vincent-de-Paul.

Actuellement, sur 200 lettres que je reçois en moyenne par jour, cinquante environ proviennent de gosses, issus de la *DDASS,* cas sociaux, et autres démunis d'affection.

L'ART DE LA FUGUE

Cette année-là, j'ai carrément rejeté mon trousseau :

- 2 pyjamas
- 4 maillots de corps
- 4 slips
- 6 mouchoirs
- 3 paires de chaussettes
- 3 paires de socquettes
- 4 serviettes de toilette
- 4 gants de toilette
- 1 blue-jean's
- 2 polos
- 2 chemises habillées
- 2 chemises ordinaires
- 1 pull habillé
- 1 pantalon habillé
- 1 costume
- 2 blouses de travail
- 1 survêtement
- 1 paire de pantoufles
- 1 paire de baskets
- 1 paire de chaussures de ville
- 1 maillot de bains
- 1 valise
- 1 nécessaire à chaussures
- 1 trousse de toilette

Il était inconcevable que je ne sois pas habillé comme les stars, que je découvrais dans les magazines. Portant les cheveux longs, j'ai opté, comme Johnny Hallyday, pour le style hippie. Mon jean's à soufflets s'ouvrait sur un magnifique drapeau américain.

Fin novembre 1970, accompagné par un éducateur, je suis ramené à Paris. Je suis devenu le « cas », le « roi de la fugue ». Le problème de l'administration, c'est qu'elle n'a aucune emprise sur moi. Je suis un R.T.P. (enfant recueilli temporairement au titre de la prévention). Ma mère ne m'a jamais abandonné juridiquement.

Je retrouve mon ambiance habituelle, du centre de Denfert-Rochereau.

Au réveil, on défait son lit. On replit les draps et les couvertures. Avant le déjeuner, on fait son lit, après déjeuner, sieste obligatoire. Dîner à 18 h 30, coucher à 20 heures. Télévision seulement le samedi et le dimanche. Dimanche, visite éventuelle des parents, c'est un peu comme une prison.

Cette nuit, j'ai été réveillé par un frôlement. Il a fallu que je m'habitue au noir et soudain j'ai vu quelque chose glisser sous le lit de mon voisin. C'était trop gros, pour être un rat. Et ce serait bien la première fois qu'on trouverait des rats à Denfert, c'est trop propre ici. J'ai retenu ma respiration pour mieux écouter. Cette fois, je vois mieux. C'est un des grands, qui traverse le dortoir, mais, pour aller où ? Je n'ose pas bouger de peur de faire grincer mon lit. Tel un serpent, il s'est glissé doucement dans le lit d'un nouveau, après avoir retiré son pyjama. Ils chuchotent maintenant tous les deux. L'un a jeté également son pyjama par-dessus bord. Je ne comprends pas ce qu'ils disent vraiment, mais c'est long comme des soupirs. Le claquement bref de la porte du surveillant me fait sursauter. Une lumière traverse le dortoir, un glissement de chaussettes sur le parquet et la lumière s'arrête sur le lit du nouveau. Le surveillant s'approche et d'un geste rapide, découvre les deux enfants. Ils sont nus, apeurés, le surveillant giffle le grand, en le traitant de petit saligaud. Déjà quelques têtes apparaissent réveillées par le bruit. Pendant ce temps, le nouveau a eu le temps d'enfiler son pyjama, il ne comprend pas trop. Il ne sait pas non plus quelle attitude adopter. Le surveillant a saisi le grand par les cheveux et d'une démarche rapide, lui fait quitter le dortoir. Arrivé à la porte, il se retourne :

– *Allez, ce n'est rien, dormez maintenant.*

Noël approche, j'ai décidé de reporter chaque instant de ma vie sur un journal. Je me suis procuré un cahier que j'ai enluminé de toutes sortes de dessins. Ce sera mon journal intime, il va m'écouter, je lui parlerai de mes joies, de mes peines, et les jours où ça fait trop mal, il recevra mes larmes.

Ce matin, le directeur du centre est passé pour me parler.

– *L'administration et moi-même, en avons assez de tes fugues répétées. Tu sais que nous avons la possibilité de te renvoyer d'où tu viens. Le passage de l'Épargne pour toi, ce sera la fin, tu deviendras un petit voyou.*

Il me tend une main que je refuse :

– *Donne-moi ta parole que tu ne « fugueras » plus.*

J'ai fait mine d'être absorbé par un magazine que je feuilletais. Sa main qu'il me tendait et la parole qu'il souhaitait, sont restées suspendues dans le vide.

24 décembre 1970 :

Hier, c'était mon anniversaire. Pour mes douze ans, je n'ai rien eu comme d'habitude. C'est pas de chance de naître à Noël. Avec Freddy, on a décidé de fuguer demain. Nous passerons par la porte de la lingerie. Il veut qu'on aille chez sa sœur. J'emmène juste mon sac de sport et ma collection de Polnareff. De toute façon, ici c'est mortel, les gens sont tous des toutous. Moi, je ne me laisserai pas faire, heureusement que j'ai un ami comme Freddy. Lui, c'est plus que mon frère : demain on se fait « frère de sang ». Il veut devenir professeur de karaté, et moi, je veux devenir chanteur. Je suis sûr que nous réussirons. J'en ai marre du lycée, en plus je me fais coller de plus en plus. Boumassé le prof de français m'aime bien, il dit que j'ai des talents d'auteur! Je lui demanderai plus tard de m'écrire des poèmes, pour l'instant je n'ose pas.

J'emmène mon journal, personne ne saura qu'il existe, même pas Freddy.

En sortant du centre de Denfert, nous ne sommes pas allés chez la sœur de Freddy. Je l'ai emmené passage de l'Épargne. Au café « Chez Lalou » par la vitre, j'ai vu Achour qui jouait aux dominos avec ses copains.

– *Freddy, je suis ton pote? Tu vois le type avec son chapeau là-bas, j'aimerais que tu ailles le provoquer.*

J'aurais pu tout lui demander à mon copain. Il avait quatorze ans et était déjà bien taillé pour son âge. Sans poser de questions, sachant ce qu'Achour représentait pour moi, il est entré dans le bistrot. De la démarche normale d'un client du lieu c'est-à-dire, plutôt lente, il s'est approché de la table.

Il semblait très intéressé par la partie. Il a giflé de toutes ses forces Achour, qui a basculé de sa chaise, entraînant la table et son contenu. Il est sorti, sans que personne ait eu le temps de faire un geste. J'aime jouer avec la dynamite, surtout quand j'allume pas la mèche.

Dehors, il m'a rejoint et nous sommes partis en courant. Nous avons couru autour du pâté de maisons, pour nous retrouver à l'autre entrée du passage de l'Épargne. Nous voulions voir! Dans le café, on avait relevé Achour, très mal en point. Son hernie avait reçu un mauvais coup. Nous sommes repartis en direction rue de Crimée des Buttes-Chaumont.

3 janvier 1971 :

Freddy et moi, nous nous sommes faits piquer par les flics, dans le parc des Buttes-Chaumont. J'ai juste eu le temps de piquer une gaufre à la Chantilly. Ça fait deux nuits qu'on n'a pas dormi, je suis crevé! On a été dénoncé par un copain de la sœur de Freddy. J'écris en ce moment du poste de police, ils ont téléphoné au centre et on attend Michel le directeur. C'est encore moi qui vais prendre, on me met toujours tout sur le dos. Quand on est entré dans le commissariat, tout à l'heure, on était mort de rire. Il y a un flic qui a mis une baffe à Freddy, lui, il lui a mis un coup de pied, de toute façon, ils ne peuvent rien faire, nous sommes mineurs... Durant ces quelques jours, nous nous sommes quand même super marrés. J'ai rencontré une fille super mignonne, elle s'appelle Nathalie, j'ai son adresse...

Ma scolarité à cette époque est moyenne sur toute la ligne. Je commence ma révolution intérieure. Je suis devenu le meneur, celui qui invente les « couillonnades ». Je trouve les idées dans les BD.

En fait, j'ai besoin d'user tout mon chagrin. Avec Freddy, pour trouver la lumière, on allumait les rouleaux de papier hygiénique dans les toilettes. Ça démarre très vite, ça se consume doucement.

Les éducateurs adoraient monter des pièces de théâtre, surtout au moment de Noël. J'avais peaufiné mon rôle d'Attila. A l'aide d'un bidon de tue-herbes, j'avais aspergé la pelouse, inscrivant le mot « liberté ». Il faut dire qu'au début ce n'était pas tellement lisible. Par contre, au printemps!

J'avais lu dans l'un de mes magazines favoris, qu'un groupe de rock Outre-Manche, pour améliorer sa promotion, avait trouvé une astuce :

Il demandait à ses fans de découper le nom du groupe dans une plaque de carton. Ensuite avec une bombe de peinture, de remplir les blancs de préférence sur un mur. L'idée m'avait parue géniale. Une nuit, j'ai convaincu les copains d'en faire autant. Découpage, remplissage le travail s'est terminé vers 4 heures du matin. Nous n'avions pas chômé et le résultat était grandiose. Sur tous les murs du dortoir, on pouvait lire les noms les plus prestigieux du show B. « Johnny Hallyday, Michel Sardou, Michel Polnareff, Joe Dassin, Julien Clerc, Françoise Hardy. »

Le directeur nous a réunis dans la cour. Ce sont nos mains qui nous ont trahis. Les punitions qui tombaient, étaient toujours les mêmes. Suppression des visites familiales pendant un mois. Alors là! Privation de dessert pendant le même temps. Pas de problème, suivant la loi de la jungle, je n'ai jamais manqué de sucrerie. Depuis toujours, les gosses de la DDASS ont imposé leur propre loi. La loi est basée sur un ordre hiérarchique, qui va du plus faible au plus fort, sachant qu'il y a toujours un plus faible que soi, et toujours un plus fort. Malheur au mouchard, son étiquette le suivra tout au long de sa traversée. Les éducateurs sont parfaitement au courant de ces lois et les respectent. S'il y a une réprimande à faire l'éducateur prendra directement contact avec le chef de bande, qui se chargera de faire appliquer le règlement. Les éducateurs sont testés à leur arrivée. Rapidement on connaît les faibles et les forts, les stagiaires sont les plus à plaindre. Ils sont envoyés au centre pour faire leurs premières armes. On va leur apprendre leur métier. Pour devenir chef de bande, il faut être le premier. Il est arrivé, que des éducateurs soient dominés par des chefs, le mieux pour eux, c'était de demander leur changement. Même le directeur s'appuie sur l'organisation, pour gérer le centre. C'est un état anti-démocratique, où la puissance de la mâchoire, l'emporte sur les possibilités du cerveau.

Chapitre 16

LA BRETAGNE 1971

Ma valise me semble lourde sur le chemin caillouteux. Nous avons quitté Paris ce matin par le premier train.

Je ne connais pas cette odeur, le soleil qui réchauffe les blés, le granit et le vent du large.

Je vois la mer, elle est là, en contrebas, qui se jette de toute sa force sur la falaise. Nous marchons mon « guide » et moi, vers ce château breton dont les propriétaires doivent m'accueillir.

La grille rouillée grince, une cour fleurie, et cett bâtisse immense, impressionnante comme une œuvre d'art sculptée dans un rocher.

La pierre est grise, piquetée par les années. La porte d'entrée est surmontée d'une grosse cloche, avec une chaîne.

Les oiseaux piaillent; déjà il règne une ambiance surnaturelle et quelque peu envoûtante. Je ne sais pas si la crainte qui m'envahit est due à l'environnement ou à cette famille que je vais découvrir. Ma curiosité l'emporte, je veux savoir chez qui je suis.

Notre appel a été entendu, une femme peut-être vieille nous ouvre la porte. Elle est petite, l'œil vif et autoritaire, le costume qu'elle porte me rappelle un livre d'images que j'avais feuilleté chez la tante Esther, « Bécassine ».

Tout de suite j'ai compris que c'est avec elle qu'il faut être bien.

– *Entrez messieurs, madame n'est pas là pour l'instant, mais elle m'a priée de vous préparer une collation, suivez-moi.*

Nous traversons une pièce sombre, froide qui sent l'humidité. On croirait que les gens d'ici cachent leur vie. Nous arrivons dans une grande cuisine.

Sur un coin de la grande table se perdent deux assiettes. Une immense cuisinière à bois réchauffe la pièce. Une marmite chante sur le milieu.

– *Asseyez-vous!*

J'ai faim. Le croissant et le chocolat que j'aie pris à la gare Montparnasse sont déjà bien loin.

La bonne, puisque c'est ainsi qu'il faut l'appeler, pose devant nous une cruche d'eau fraîche et une miche de pain. Elle se saisit de nos assiettes et les remplit d'une espèce de soupe aux choux épaisse, où surnage une saucisse.

– *Madame, j'aurais préféré simplement un morceau de fromage.*

Elle se tourne vers mon « guide ».

– *Vous avez déjeuné dans le train?*

– *Non, nous avons seulement pris quelque chose avant de partir.*

Je sens que lui non plus n'est pas familiarisé avec le choux-saucisses.

– *Bon, après çà, t'auras le fromage! Plas a walch a gavo* (assez de place il trouvera).

Je ne sais pas pourquoi, mais cette femme rude aux gestes simples, je l'aime bien déjà. Sa coiffe me fait sourire.

– *Bon, venez, je vais vous montrer la chambre du petit.*

Elle se saisit de ma valise, sans que j'ai eu le temps de respirer et nous voilà dans l'escalier.

Nous pénétrons dans ma chambre. Elle est grande comme un appartement. Un lit pour deux personnes, recouvert d'un dessus en satin vert passé, une table basse en verre, deux fauteuils d'osier, une bibliothèque laquée blanc, tout est disparate. C'est comme si on avait entreposé là les meubles d'un parent décédé. De ma fenêtre, je vois la mer à l'infini.

La bonne a rangé mes affaires dans une armoire.

– *Si tu veux faire un brin de toilette, tu as un lavabo derrière le paravent.*

Je me suis lavé les mains et passé de l'eau sur la figure. Puis avec mon guide, nous sommes descendus faire connaissance avec la famille.

Dans le salon, tout le monde était réuni. C'était comme un rituel. Le père était assis et fumait la pipe. La femme se tenait debout à ses côtés, une main posée sur son fauteuil. Cinq enfants attendaient près de la porte.

– *Alors, c'est toi Jean-Luc Lahaye?*

– *Oui monsieur!*

Le ton de l'homme était sec mais pas méchant.

– *Est-ce que vous avez fait bon voyage?*

C'est le « guide » qui répond en donnant quelques détails et quelques explications par la même occasion, me concernant.

– *Alors tu vois, Jean-Luc, ici tu auras affaire à*

deux personnes, ma femme et Marie. Si j'étais obligé d'intervenir, ce serait mauvais signe pour toi. Sauf cas de force majeure, bien sûr. Est-ce que tu aimes les papillons?

– Vous savez monsieur, à Paris, nous n'avons pas tellement la chance d'en voir beaucoup.

– Bien, si tu es sage, je t'emmènerai avec moi dans la lande.

Mon regard s'est porté sur les enfants. La fille devait être la plus âgée. Ses cheveux blonds descendaient jusqu'à ses reins. Elle avait peut-être 12 ou 13 ans. Ses yeux d'un bleu très clair trahissaient une certaine fragilité. Elle était belle comme une peinture du passé. Elle portait ses vêtements comme un voile de mariée.

Les garçons avaient entre 6 et 10 ans. Je n'aurais pas grand-chose à partager avec eux, si ce n'est notre grande solitude d'enfants abandonnés.

Après quelques jours, j'en savais suffisamment pour comprendre. Le maître de maison était un collectionneur de papillons. Il écrivait également des livres qui ne lui permettaient même pas de faire bouillir la marmite. Il avait choisi de vivre sa passion, et il en vivait.

Sa femme avait hérité d'une fortune familiale, mais leur vie oisive avait fini par tout dilapider. Il ne leur restait comme vestiges de leur brillant passé que ce castel breton et cette vieille bonne attachée à la famille depuis deux générations.

Le couple n'avait pas pu avoir d'enfants, alors ils avaient joint l'utile à l'agréable. La subvention qu'ils percevaient de la DDASS leur permettait de survivre.

Il n'est même pas certain que Marie, la bonne, touchait quelque rémunération, mais elle était là depuis tellement longtemps, qu'elle faisait partie des meubles.

Sa mère et sa grand-mère avaient également travaillé au château, c'est un peu comme de la famille.

Isabelle m'a fait visiter cette grande maison pleine de secrets. Il paraîtrait qu'un chemin de ronde circule à travers les murs, qu'on peut y accéder par les cheminées. La nuit, des coups ou des pas surgissent de nulle part. C'est le « Fantôme ». Isabelle n'a pas peur, elle en parle même avec une certaine affection, un peu comme si elle était de connivence avec les esprits. L'« Ame boiteuse », c'est ainsi qu'elle surnomme le revenant. Plus je la regarde, et plus j'ai envie de la connaître.

Cette maison avec ses gens bizarres en pays bigourdin, l'espace et la liberté, tout va nous rapprocher.

Elle me raconte que sa mère est morte quand elle avait un an. Son père ne pouvait pas assumer la responsabilité de l'élever, il en a laissé le soin à la société. Elle ne lui en veut pas, c'est un faible, m'a-t-elle dit. Sa maman a dû lui manquer beaucoup, comme à moi d'ailleurs.

Elle sort de sa poche un portefeuille. Elle déroule la ficelle qui l'entoure. Une photo en noir et blanc prise sur une falaise de Bretagne ou de Normandie s'échappe.

– *C'est ma mère.*

C'est étrange, comme Isabelle lui ressemble, mêmes yeux, même nez retroussé, même regard éperdu de l'animal pris au piège.

– *Elle est morte de quoi ta mère?*

– *Elle s'est suicidée. Elle n'a même pas été enterrée à l'église, parce que c'est un péché de se donner la mort.*

– *Pourquoi a-t-elle fait ça?*

– *Je ne sais pas. Peut-être avait-elle du mal à vivre avec ces gens. Son père était Allemand, un soldat. Ma grand-mère a eu des tas de problèmes à la Libération. Mon père m'a dit qu'elle avait été tondue. Je crois qu'il ne m'aimait pas non plus.*

Isabelle s'est retournée et a reniflé très fort; je me suis approché, doucement, je lui ai pris la main :

– Allez, montre-moi la lande, la mer et la plage.
Nous sommes partis en courant et en riant.

La Bretagne, c'est le bout de la terre. Entre nous et l'infini, il y a un phare perdu comme un bateau. Personne. Nos cris résonnent et reviennent portés par le vent. Je passe ma langue sur mes lèvres salées. Isabelle s'est arrêtée, elle a ouvert ses bras et face au soleil :

– Je m'appelle Isabelle, I.S.A.B.E.L.L.E. Je suis heureuse.

Des mouettes survolent la plage dans un ballet de bienvenue.

– Je m'appelle Jean-Luc, J.E.A.N.-L.U.C. Je suis heureux!

Jour après jour, nous découvrons une autre vie, un bonheur qui nous semble éternel. A part le ciel, qui pourrait supprimer ou changer quoi que ce soit?

J'ai oublié la DDASS et mes copains, même Yvette et son Achour. Je me demande parfois si le passage de l'Épargne a vraiment existé. S'il ne fait pas partie tout simplement de mon imagination.

J'ai quitté la terre pour une autre planète. Je découvre autre chose que peut-être un « père » et une « mère » m'auraient donnée.

Mes yeux regardent la nature. Mes mains caressent les arbres sans l'envie de les tuer. Je marche sur la plage comme tous les enfants qui ont le droit de rêver.

Agenouillée près de moi, Isabelle gratte le sable blond, doré, aux paillettes brillantes. Elle me raconte qu'il vient de très loin, arraché aux rochers par les pluies, les cours d'eau, transporté jusqu'à la mer par les fleuves. Qu'il a fallu le lent et patient travail des eaux pour amenuiser petit à petit les blocs de rochers, les graviers,

**Le grand-père d'Yvette :
Pépère tendresse,
c'était son vrai prénom.**

**J'ai 5 mois, je mange bien. Dans un mois je serai immatriculé
à la DDASS et Yvette retrouvera sa liberté.**

Ma première famille d'accueil ;
M. et Mme Dupré
dans leur jardin,
dans la Nièvre.

Voyage en “Juva 4” chez la tante Esther avec un copain de rencontre. Yvette et Achour ne sont pas loin.

Le même jour chez ma tante Esther qui a pris la photo. Achour fait “toujours la gueule”.

Première colo : je croise ma sœur Jamy.

Brève rencontre furtive avec ma maman à Hendaye.

Au centre DDASS
de Hendaye.
Au loin on voit la mer
et le reste.

Ne rêvons pas, cette maison n'était pas à moi.

Avec la famille Baptiste à St-Pée-sur-Nivelle (Pyrénées) :
petite pause avant d'attaquer la montagne.

**Une famille d'accueil parmi tant d'autres,
avec un petit orphelin qui partage le même sort que moi et Yvette
qui est venue nous rendre visite.**

A 11 ans, l'orphelinat en "colo", cherchez-moi.

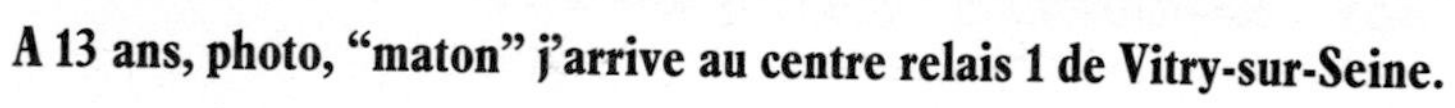
A 13 ans, photo, "maton" j'arrive au centre relais 1 de Vitry-sur-Seine.

14 ans : avis de recherche.

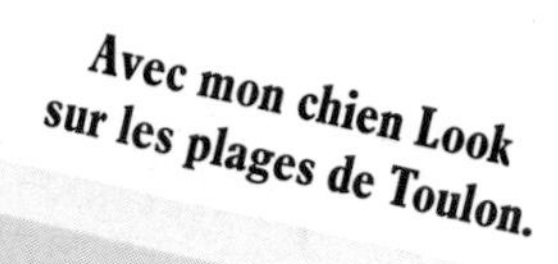

Avec mon chien Look
sur les plages de Toulon.

Une "conversation"
avec un perroquet.

1979 :
premier 45 tours,
photo d'artiste

Mon premier “shopper”.

Mes premiers pas sur scène au théâtre de la Potinière en 1981.

Je tire la langue à la solitude. Ne change pas, Aurélie.

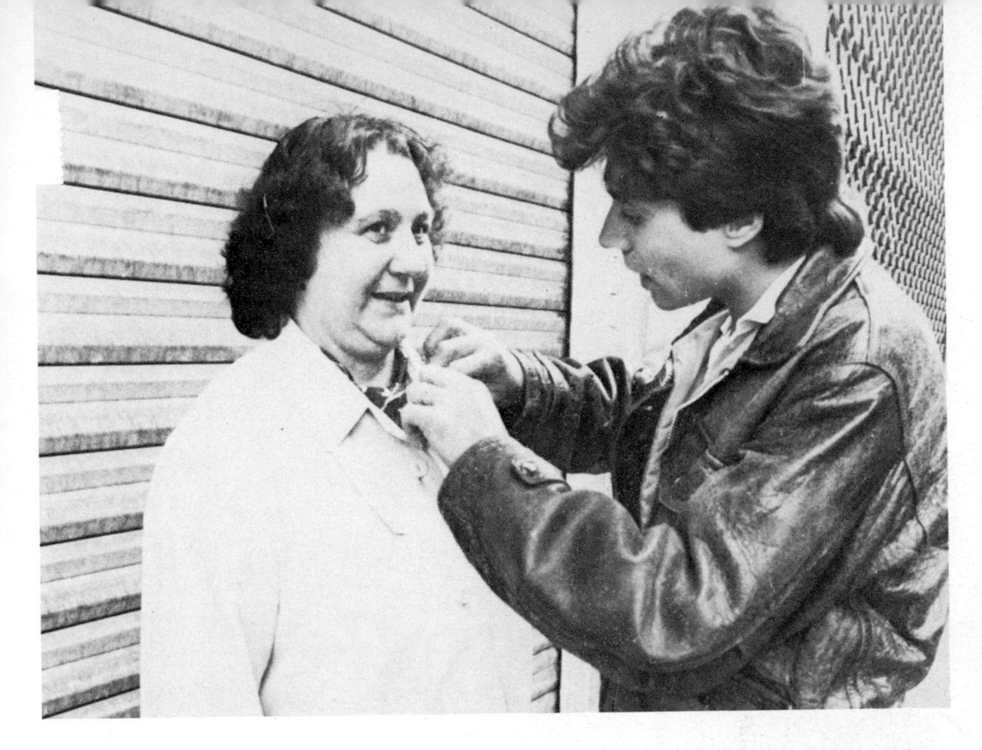

Mai 1982. Nouvelle rencontre avec Yvette que je n'avais pas vue depuis longtemps.

En tournée, arrêt chez Tonton qui m'explique comment cirer mes bottes.

Gérard Pedron, mon ami et mon producteur.
Il a été le premier à réellement croire en moi.

jusqu'à obtenir ces tous petits grains qui coulent entre ses doigts.

La mer mouille nos chaussures. Un gros crabe vert fait irruption. Isabelle pousse un cri. Je me lève et la prends dans mes bras, tel un chevalier qui défend sa belle contre le dragon. Elle se colle contre moi, je sens son corps tiède et son odeur de tilleul.

Elle avance ses lèvres comme un coquillage et je lui donne son premier baiser.

L'expérience n'a aucune importance, ce qui compte c'est l'attirance que nous avons l'un pour l'autre et nos bouches ont scellé notre ravissement. Nous ne voulions plus bouger pour ne pas arrêter cet instant magique. Nous frissonnions.

C'était un amour pur comme le cristal et bien loin du problème sexuel des adultes. A partir de ce jour, Isabelle et moi nous ne faisions plus qu'un.

Monsieur Youenn, le chef de famille m'a demandé de le suivre après déjeuner. C'est la tradition, m'a dit Isabelle, à chaque fois qu'il y a un nouveau, il essaie de l'initier à sa passion.

C'est un peu comme s'il avait honte d'en profiter tout seul. Il faut dire aussi, qu'à part lui dans la maison, je ne vois pas qui pourrait s'y intéresser.

Je vais enfin découvrir son laboratoire. Lieu saint de la science des Papilionidés.

Comme toutes les pièces du manoir, celle-ci est immense. Par contre elle ne donne pas sur la mer, mais sur des prés entourés de haies d'aubépine.

Il plane ici une odeur de formol. Chaque mur est recouvert de centaines de papillons de toutes les couleurs. Au-dessus une étiquette nous rappelle, pour le cas où nous l'aurions oublié, leur nom.

Je m'approche, Youenn allume le plafonnier qui donne aussitôt une autre dimension.

– *Tu vois, celui-ci, je l'ai ramené du Brésil, c'est un Catopsilia Philea.*

– *Oui, oui.*

– *Aphantopus Hyperanthus appartient aux Satyrines, papillons de couleur brune qui se plaisent dans les sous-bois ombreux et les taillis. Le Vanessa Cardui est une espèce tout à fait cosmopolite, que l'on trouve partout, sauf en Amérique du Sud.*

– *Vous en savez des choses, monsieur Youenn. Vous avez parcouru le monde entier pour les attraper?*

– *Oui, mon petit, c'était le bon temps, avec ma femme, nous allions partout où l'on pouvait trouver ces petites bêtes. Aujourd'hui, je me contente de les regarder et de me souvenir.*

C'est vrai qu'il était vieux M. Youenn, ridé comme un marin breton dont le visage a cuit au large de Terre-Neuve.

Sa barbe blanche frissonnait et ses bésicles lui glissaient du nez, ému par ses propres souvenirs.

Il revivait ses chasses à travers ses récits et je l'écoutais, avide de connaître la suite, mais surtout pour lui faire plaisir. Il me montra ses planches et les livres qu'il avait écrits. C'était un savant M. Youenn ou un « extra-terrestre ».

Marie avait très bien compris que pour me faire plaisir, il suffisait de me cuire quelques galettes de sarrazin. J'y laissais fondre un morceau de beurre salé et je me régalais. C'était simple, c'était bon.

L'allocation allouée à Marie pour nourrir la famille était bien pauvre. Et c'est de bon cœur que nous améliorions notre ordinaire avec les produits de notre pêche.

Ce jour-là, tous les enfants sans exception étaient réquisitionnés. Ce n'était pas pour plaire à tous, le petit Pierre avait peur des crevettes.

Nous avions fabriqué nos épuisettes et nos cannes à pêche. Isabelle s'occupait du pique-nique. C'était une partie de rigolade.

On ramenait des crabes, des crevettes, une petite friture et surtout beaucoup de joie d'avoir participé.

Pendant le déjeuner, assis côte à côte, chacun parlait d'un lendemain et pour nous faire taire, Isabelle nous montrait les oiseaux. C'était sa passion, comme les papillons pour Youenn. Je crois qu'elle aurait aimé s'envoler avec eux, peut-être pour rejoindre sa mère.

Aujourd'hui, c'est son anniversaire. Avec du bois que j'ai récupéré dans la remise, je lui ai fabriqué un coffret. Je l'ai habillé de coquillages que j'ai ramassés sur la plage.

A l'intérieur, j'ai placé un cœur que j'ai découpé dans un pétale de rose.

Dans le grenier, sur une table que j'ai recouverte d'un rideau de dentelle, j'ai déposé un candélabre, deux assiettes, deux verres, deux petites cuillères.

Avec Marie que j'ai mise dans la confidence, j'ai confectionné un gâteau au chocolat. C'est ce qu'elle préfère, Isabelle. J'ai planté treize bougies que j'ai aussitôt allumées pour voir le spectacle.

– *Isabelle, viens me rejoindre dans le grenier.*

Je l'attends devant la porte.

– *Ferme les yeux et donne-moi la main.*

Ensemble, nous faisons quelques pas et je la place devant la petite table éclairée.

– *Vas-y, tu peux regarder.*

C'est une véritable surprise et je m'en veux un peu de la faire mouiller ses joues.

– *Bon anniversaire!*

Elle se jette à mon cou.

– *Jean-Luc, c'est merveilleux, tu ne peux pas comprendre.*

– *Mais si je comprends, tiens c'est pour toi.*

Elle ouvre le petit paquet, le coffret, et sa main trouve le pétale de rose.

– *Je t'aime tu sais, je n'ai que toi! Surtout, ne me quitte jamais, je pourrais en mourir.*

– *Non, nous ne nous quitterons plus jamais quoi qu'il arrive. Personne ne pourra nous séparer. Même pas le bon Dieu.*

En dégustant le gâteau, nous faisions des projets. J'apprendrais vite un métier, je construirais moi-même notre maison, Isabelle s'occuperait d'apprendre les oiseaux à nos enfants.

Le facteur a donné la lettre à Marie. A son œil noir, on sentait la catastrophe.

Pendant la journée, la maison tourna au ralenti. Le soir à table, Youenn nous informa que le père d'Isabelle viendrait la chercher demain midi.

– *Tu sais Isabelle, ton père s'est remarié, tu vas avoir une vraie famille maintenant.*

– *Mais je ne veux pas partir, ma famille elle est ici, avec vous tous. Youenn, il faut lui dire, vous ne pouvez pas accepter ça. C'est ici que je veux vivre, mon père je ne le connais pas et la femme avec qui il vit non plus.*

Elle se met à crier.

– *Je ne veux pas les connaître, vous m'entendez?*

Elle s'est levée en sanglots et s'est enfuie en courant à travers la campagne en direction de la plage. J'ai couru derrière elle.

– *Isabelle, attends-moi!*

– Jean-Luc, ne les laisse pas m'emmener. J'ai besoin de toi, des oiseaux, de Youenn, de Marie, de cette plage. Ne les laisse pas faire.

Son père est arrivé vers 11 heures. Les valises étaient déjà sur le perron. J'étais inefficace. Isabelle a embrassé tout le monde et s'est arrêtée devant moi :

– *A bientôt Jean-Luc, je reviendrai.*

Elle ne pleurait plus. Elle s'était résignée.

La voiture s'est éloignée et je l'ai suivie sur le même chemin caillouteux qui nous avait amenés jusqu'ici.

Ce soir-là, je n'ai pas dîné et Marie n'était pas commode. Je suis monté retrouver Youenn dans son laboratoire.

– *Monsieur Youenn, n'auriez-vous pas un livre sur les oiseaux?*

Trois jours qu'elle était partie. La vie reprenait le dessus. La veille, un nouveau était arrivé. Youenn avait fait son discours habituel.

J'avais éteint la lumière de ma chambre quand un caillou cogna sur mon carreau. Tiens, le fantôme?

Au second, j'ai tout de suite compris. Elle est là, exténuée, le regard brûlant de fièvre.

– *Viens!*

La remise où est entreposé le bois n'est pratiquement jamais visitée.

– *Tu veux manger quelque chose?*

– *Je ne sais plus, je suis tellement fatiguée.*

– *Ne bouge pas, attends-moi là.*

Je fais une razzia à la cuisine. Quand je reviens, elle s'est endormie. Je n'ose pas la réveiller, alors je me couche près d'elle.

Au lever du jour, je retrouve ma chambre pour ne pas éveiller les soupçons.

Isabelle s'est sauvée, elle ne pouvait pas vivre à Paris entre ce père trop gentil et cette femme qui ne parle que de sa grossesse. Ce sont des étrangers.

Nous construisons notre plan. Nous allons embarquer sur un cargot en direction du Canada. C'est sûrement facile. Quand nous serons à bord, et en pleine mer, le commandant ne nous balancera pas par-dessus bord. Il nous faut de l'argent, des vêtements chauds, et de quoi se nourrir pendant quelques jours.

Youenn m'informe du coup de téléphone du père d'Isabelle.

– Elle a disparu depuis cinq jours, t'es pas au courant de quelque chose j'espère?

– Non.

L'après-midi, nous avons eu la visite des gendarmes.

Ils m'ont interrogé. Je n'avais rien à dire. Isabelle de sa planque a tout vu. La nuit, nous avons décidé de mettre notre plan à exécution pour le lendemain matin.

Les sacs sont prêts. Nous nous sommes endormis tôt le matin.

Je n'ai pas eu le temps de regagner ma chambre, d'ailleurs cela n'aurait rien changé.

De l'estafette garée dans la cour sont sortis une dizaine de gendarmes avec un chien. Je les ai vus échanger quelques mots avec Youenn et commencer à chercher.

Isabelle a compris qu'il était trop tard pour s'enfuir. Elle a ouvert le battant de la remise, le soleil est aussitôt rentré, elle s'est mise à courir en direction de la maison.

Elle avait peut-être une chance de ne pas être vue, mais le chien s'est mis à aboyer. Alors elle a couru de plus belle.

Les gendarmes ont commencé à réagir. Elle entre dans la maison et monte l'escalier.

La fenêtre de ma chambre s'ouvre et Isabelle apparaît sur le toit du chien-assis.

– *Laissez-moi, vous comprenez, c'est ici que je veux vivre. Je ne veux pas retourner là-bas.*

La terre s'est immédiatement arrêtée de tourner. Les gendarmes ne savent plus quoi faire. Youenn est livide et sa femme sanglote. Seule Marie prend la parole.

– *Isabelle, tu sais que tu es ma petite fille, alors ne fais pas de bêtise. Ici tout le monde t'aime. Tu n'as pas le droit de nous faire de la peine et de gâcher ton existence. Je t'en supplie, arrête!*

– *Isabelle c'est moi, Jean-Luc, tu te souviens de notre promesse, personne ne pourra jamais nous séparer. Personne même pas le bon Dieu.*

Elle s'est envolée comme un oiseau, ses cheveux au vent, avec sa robe de mariée. Dans sa main, elle serrait très fort un petit coffret fait de coquillages.

Je ne pouvais plus rester dans cette famille. Les mots n'y avaient plus la même signification. Je préférais retrouver le gris de la capitale et les murs de mon orphelinat. Là-bas, je ne suis qu'une partie du peuple, un marginal, un oublié.

Le train, ce train, ne s'arrêtera-t-il jamais? Ma révolte est la même : « le merdier, rien que le merdier, tout pour le merdier ». Je regarde les gens comme les vaches dans les alpages. C'est pas la joie.

– *Salut les potes, quoi de neuf ici, pour moi ça va.*

Chapitre 17
L'ARBOUSIER

17 juillet 1971 (journal intime)

Demain, nous partons en colonie de vacances du côté de l'Atlantique. Je ne sais pas où c'est. Il paraît que c'est super, heureusement, je sais nager. Il paraît que c'est mixte, dommage que Nathalie ne puisse pas venir.

Tout à l'heure, je vais lui écrire une lettre pour lui demander de ne pas s'inquiéter. Je ne l'oublierai pas. Je sais qu'elle est jalouse, et dire que je ne l'ai jamais embrassée!!! J'ose pas. Freddy n'arrête pas de se foutre de moi, en septembre, c'est décidé, je la coince. Si elle se fâche, tant pis, je suis un homme après tout! Si elle voulait, on pourrait même faire un enfant, mais je ne sais pas si à 13 ans, ça peut marcher. J'aime bien ses yeux.

Bon, j'arrête un moment pour préparer mes affaires. Ce coup-ci, je laisse mes disques, j'emmène juste celui de Mike Brant, « Qui saura? ». Je laisse mon journal, caché ici.

Que celui qui pénètre ici en ami, y trouve bonheur et joie. Que Celui qui vient en ennemi, retourne sur ses pas.

S'il y a des gens qui ont compté dans ma vie, le Père Du Plessis tient une grande place. Je le considère encore aujourd'hui, comme un être unique en son genre. Pour le situer, je dirai qu'il a pris de Saint-Vincent-de-Paul et de l'abbé Pierre ce qu'ils avaient de meilleur. Il possède la sensibilité de Don Quichotte et la réalité de Sancho Panza. Père Du Plessis, je vous remercie d'avoir existé.

Il est grand, plutôt bel homme, portant pantalon et pull noir à la manière des prêtres ouvriers dont il fait parti. Que ce soit l'hiver ou l'été, il marche avec d'infatigables sandalettes en cuir. S'il fait vraiment très froid, il enfile un anorak.

Il dirige un foyer d'accueil à Issy-les-Moulineaux, en même temps qu'il gère son église : Notre-Dame des Pauvres.

En 1956, après de nombreuses tractations avec le Maire de Lege, il obtient la concession pour dix-huit ans d'un terrain d'un hectare. Il en occupera quatre, c'est là, à deux kilomètres du village de Claouey et à quatre kilomètres de l'océan, dans le bassin d'Arcachon qu'il va créer le « Camp ».

Tout de suite, il va s'entourer de gens qui ont la même foi que lui, pour construire avec leur sueur et leur cœur, cet endroit merveilleux qu'était l'Arbousier.

Le nom provient d'une petite chapelle, montée de quelques pierres et d'une croix sous un arbrisseau du midi qui porte des fruits rouges.

Ces maçons improvisés, vont mettre plusieurs mois, pour ériger sur de grandes dalles de béton, un réfectoire, une cuisine, une infirmerie. Les dortoirs et leur contenu, viennent directement des surplus de l'armée. Ce sont de grandes tentes qui peuvent recevoir vingt lits et qu'on appelle plus communément des « marabouts ». Le camp est divisé en deux parties. A l'est les filles, au sud les garçons, au milieu le Père Du Plessis, qui dort sous une tente léopard.

On peut considérer son rôle, comme celui d'un médiateur, un peu comme l'armée des Casques Bleus. Ce qui n'a jamais empêché, chaque année au retour des vacances, de ramener au moins quinze filles enceintes. Pour limiter les dégâts, il aurait mieux valu remplacer les lits métalliques, par des hamacs de la marine.

Les enfants sont encadrés par des anciens d'Arbousier. La tradition se perpétue, chacun vient et revient pour apporter sa pierre.

Cette année, la DDASS m'envoie passer mes vacances à l'Arbousier. Les gosses ont rempli les trois cars qui vont nous descendre jusqu'au bassin d'Arcachon.

J'ai commencé à foutre « ma merde » dès le départ du car. J'étais assis à l'arrière avec mon copain Freddy. Ces places sont réservées aux chefs de bandes. Assis à mes côtés, un garçon à lunettes. Je le trouvais un peu bébête. Je l'ai bousculé un peu, pour qu'il laisse sa place à une petite brunette avec qui j'avait déjà échangé quelques sourires. Je jouais déjà les Don Juan de banlieue. Comme le garçon n'a pas voulu bouger, j'ai balancé sa valise par la fenêtre. Dans le car, personne n'a bronché. Freddy a fait comprendre au gosse qu'il avait intérêt à se taire.

Nous avons roulé comme ça jusqu'à la première station où le chauffeur avait prévu de faire le plein. Le môme est descendu bien vite en pleurant pour aller se plaindre à qui de droit.

C'est là que j'ai fait connaissance avec le Père Du

Plessis. Il a fait ouvrir la soute à bagages, et sortir ma valise. Il m'a ordonné de l'ouvrir et de partager par moitié son contenu avec mon innocente victime. Tout le monde riait. Mes mâchoires craquaient, j'éprouvais de la haine. Le temps de tout remballer, de récupérer les filles et les garçons qui s'étaient éparpillés dans la nature, nous sommes repartis avec une heure et demi de retard.

Cinq heures du matin, arrêt obligatoire au buffet de la gare de Bordeaux, collations, juke-box, cigarettes, pipi. Arrivée au camp dans la matinée.

J'ai passé trois années de suite mes vacances à l'Arbousier. J'y ai laissé un peu de moi, j'y ai pris beaucoup de souvenirs.

Aujourd'hui, devant ma feuille blanche, des milliers d'anecdotes me reviennent à l'esprit. Je sais pourtant que j'en ai oublié, sûrement les mauvaises.

Comme chaque année à la même époque, c'était la panique dans le village. Les boutiquiers multipliaient les mesures anti-vols. Imaginez 200 enfants, dont l'âge varie entre 10 et 18 ans, lâchés dans la nature, sans aucune barrière, en toute liberté.

Le libraire commençait par rentrer ses journaux à l'intérieur du magasin.

Chaque tente portait un nom, et ce nom changeait chaque année. Cette fois, j'avais appelé la mienne « Les Daltons », et nous avons tenu parole.

Nous n'étions pas obligés d'assister à la messe du matin avant le petit déjeuner et à celle du soir avant le dîner. Mais je sais que le Père Du Plessis aimait que les enfants viennent prier avec lui. Pour les remercier, il les emmenait dans la clairière pour leur raconter une histoire. Tous assis par terre, l'écoutaient avec attention.

Le seul point d'eau se trouvait au milieu du camp. La municipalité avait installé une pompe. Il fallait tourner une grande roue pour faire monter l'eau. Nous remplissions de grands seaux qui devaient servir à tous les usages. La corvée, c'était la vaisselle, le soir, après le repas. Le Père tenait une vraie comptabilité pour savoir qui devait participer. Nous faisions chauffer l'eau dans de grande marmites, sur le gaz des cuisines. Nous en profitions pour chahuter un peu, et la soirée se terminait toujours par de la vaisselle cassée. Il était également difficile de se soustraire à la journée bricolage. Toujours suivant le même principe de participation, le Père prenait deux enfants pour le suivre dans ses réparations. Quand on était choisi, on échangeait quelques clins d'œil avec les copains, l'air de dire « tant pis ». Il y avait continuellement un raffistolage à effectuer.

Le cadeau du Père, chaque soir, pour remercier Dieu de nous avoir donné cette bonne journée, c'étaient les étoiles. Il nous les offrait une par une. Assis les uns contre les autres, sur le sable du terrain de volley, nous contemplions le ciel, au rythme de sa poésie. Quand le miracle était passé, nous rallumions les lampes électriques.

Pour faire les courses, notre bienfaiteur avait rallongé un tube Citroën. On apercevait les soudures de l'ossature. Le pratique prenait le pas sur l'esthétique.

Ses « relations » lui faisaient des dons en nature ou en espèces et chaque semaine on le voyait rentrer avec du bric-à-brac. Il aurait pu s'installer comme brocanteur. Il entassait ces trésors près de l'entrée.

La plage s'étend sur des kilomètres et des kilomètres de sable fin. La mer roule d'énormes vagues. Personne pour nous empêcher de vivre.

Pour atteindre ce paradis, il nous faut parcourir quatre kilomètres à travers la forêt de pins et escalader trois hautes dunes. Quand on est là, à contempler l'infini, on est heureux.

Jamais il n'a été relevé d'accident grave, malgré les dangers de l'océan. A chaque arrivée, le Père nous réunissait pour nous mettre en garde. Nous étions responsables de nous-même.

A environ un kilomètre du camp, à travers un chemin taillé à coup de bulldozer, à l'embranchement de Claouey, on trouve le café « Chez Linette ». C'était un point de ralliement. La patronne était près de ses sous. Nous étions très durs avec elle. On peut même dire qu'on lui en a fait voir de vertes et de pas mûres.

La maison voisine est occupée par des Parisiens qui reviennent chaque année. Leur fille, très belle, me faisait rêver. J'espérais que le vent du large lui porterait mes paroles d'amour. Je la regardais se balancer dans le jardin et quand je m'approchais pour lui parler, elle se sauvait dans la maison. Elle avait mon âge. Un jour j'ai su qu'elle était muette.

Pour l'oublier, je me suis précipité dans les bras d'une petite brunette, Maryvonne que j'avais surnommé « Éva ». Elle appartenait au centre DDASS de Soulaires près de Chartres. Cet endroit était renommé pour recevoir les cas difficiles. Du genre « maison de redressement », il était géré par les bonnes sœurs. On comprend pourquoi les demoiselles en vacances avaient le désir de s'éclater.

Notre bel amour a duré tout l'été, puis quand la bise est venue, nous nous sommes perdus de vue. Il paraît que j'étais mignon à cette époque disaient les jeunes filles. Je savais également être tendre.

8 septembre 1971

Je retrouve mon journal. Beaucoup de choses ont changé depuis. J'ai passé des vacances fantastiques, et puis, j'ai rencontré une fille super-belle... elle s'appelle Éva, j'ai presque fait l'amour avec elle, je crois que je suis amoureux.

J'irai la voir en cachette, de toute façon, je ne peux plus me passer d'elle.

J'adore la région des Landes, on était au moins 200 dans la « colo », plus de filles que de garçons. Freddy n'y est resté qu'un mois. Il a changé, en plus, il s'est fait un nouvel ami, Joël, le petit con du dortoir du haut, un intellectuel qui ne sait même pas chanter! L'autre jour je lui ai conseillé de ne pas me croiser, c'était avant les vacances. On va me changer de chambre. J'aimerais en avoir une pour moi tout seul, comme ça, je pourrais écouter des disques tranquillement! Demain, je vais aller en piquer chez le disquaire.

Chapitre 18
RETOUR AU BERCAIL

L'administration connaît l'état de santé précaire de ma mère. Elle sait que nous vivons dans un taudis de 8 m². L'assistante sociale qui nous visite, est avertie de tous les dangers susceptibles de m'atteindre. Malgré tout cela, la loi est la loi, le règlement c'est le règlement. Je dois, sur la demande de ma mère, retourner passage de l'Épargne. J'ai bien essayé de m'opposer à la décision directoriale, en vain.

Un seul cas, aurait pu enrayer la machine, mon état psychologique.

Les tests ont prouvé que j'étais apte à partir. Autrement dit, que j'étais bon pour assumer mon « Chemin de Croix ».

J'ai retrouvé Achour, plus vieux que jamais. L'école de la rue Girard et mon copain Schwartz qui triplait son cours moyen 2e année.

« Mon ami. Tu vis toujours dans cette minuscule

piaule de l'avenue Jean-Jaurès. Je sais que tu liras mon bouquin, puisque c'est un morceau de ta vie aussi... Il y a un an je suis passé te voir une fin d'après midi. J'ai laissé ma moto garée devant le café où nous aimions jouer au flipper. Sans y croire j'ai grimpé les quatre étages. Sur les murs les mêmes graffiti, puis le petit escalier de bois qui monte chez toi. Sur la palier toujours le même bordel, des vieux cartons, des souvenirs dont on ne se sépare jamais, et puis j'ai frappé et tu as ouvert. Toi et moi face à face, plusieurs années après.

Bien sûr on a changé. J'ai retrouvé le même décor qu'autrefois. Putain! que c'est petit chez toi!

En ce temps-là je voyais ça immense. Les gens changent, mais les choses gardent leur dimension.

J'étais assis sur le canapé qui te sert de lit. Tu venais de sortir de prison, pour une histoire de baston. Tu avais l'air d'un chien battu, une jambe un peu fatiguée, une démarche bancale. Une barbe de huit jours creusait les traits de ton visage, te donnant un air las et désabusé.

– *Je savais que tu reviendrais*, me dit-il.

Le silence s'est installé. Nous devions refaire connaissance, tant de choses déjà nous séparaient peut-être. Mais pour moi tu étais toujours mon pote.

– *Et tes parents? ta sœur?*

– *!!!!!*

Eux aussi, comme moi, passage de l'Épargne, ils vivaient à quatre les uns sur les autres, dans ce qui me semblait à l'époque un château par rapport à ce que je vivais.

Schwartz, aujourd'hui comme hier tu es encore sur la ligne de départ. Moi, je fais mon chemin, chanteur. Je voulais être chanteur, je le suis. Mais toi que voulais-tu devenir? »

RETOUR AU BERCAIL

Ma sœur Jammy âgée de 17 ans, vivait dans un foyer de jeunes filles, tenu par des bonnes sœurs. Elle avait droit à un peu plus de liberté qu'à la DDASS et plusieurs fois par semaine, elle attendait ma mère à la sortie du métro. J'étais très fière de ma sœur. Ses longs cheveux noirs, descendaient jusqu'au bas de son dos. Et si mes copains m'accompagnaient encore certains soirs, c'était plus pour Jamy que pour Yvette. Elle nourrissait à l'égard d'Achour, une haine supérieure à la mienne. Un soir, Achour avait giflé ma sœur. Pourquoi? Sûrement plus pour affirmer son autorité, que par souci d'éducation. La petite n'avait pas eu le temps d'esquiver. La joue rouge, des larmes pleins les yeux, elle lui avait craché au visage. Depuis, ils ne s'étaient jamais revus.

J'avais convaincu ma sœur de venir ce dimanche déjeuner à la maison. A chaque étage qui nous rapprochait de la chambre, Jamy s'arrêtait, prête à redescendre. J'étais obligé d'user de toute mon affection fraternelle pour qu'elle continue à monter. Devant la porte, son cœur battait très fort. Quelques coups frappés à la porte et ma mère nous a ouvert. Elle était seule, occupée à préparer le déjeuner. Un poulet cuisait dans la cocotte et embaumait toute la pièce.

– *Ma pauvre enfant, sauve-toi vite avant que l'autre arrive.*

Ma mère était morte de peur et elle commençait ses gestes nerveux. Trop tard, la porte a claqué sur un Achour plein de rancune.

– *Tu es là, salope, tu as osé venir me narguer chez moi, putain!*

Il a saisi les longs cheveux de ma sœur. J'ai cru qu'il allait les arracher, tellement il tirait. La pauvre petite hurlait de douleur.

Avec ma mère, nous avons bien essayé de les séparer, mais il serrait sa prise, le monstre.

Voyant qu'il n'y avait plus rien à faire, j'ai ramassé un couteau de cuisine qui traînait sur la petite table en formica près de la cuisinière et d'un coup, j'ai enfoncé la lame dans l'épaule de la brute. Achour a lâché prise immédiatement. Il fallait nous sauver. J'ai ouvert la porte et poussé ma sœur sur le palier. Achour, d'un geste vif, a retiré le couteau qui entaillait son bras. Le sang commençait à couler sur sa chemise. Il a tenté de nous rattraper sur le trottoir, nous étions partis en courant.

A sa sortie de l'hôpital Franco-Musulman, où il a reçu des soins pendant trois jours, il n'a pas frappé ma mère. Il voulait paraît-il me tuer.

Pour se venger au moins un petit peu, il a forcé ma mère à lessiver tous les couloirs de l'hôtel en la suivant un nerf de bœuf à la main. Pauvre type...

Les deux nuits qui ont suivi, j'ai dormi et pris mes repas au foyer de jeunes filles. La Mère Supérieure avait pris contact avec la DDASS et nous attendions mon transfert. Pour se faire; il fallait absolument une signature de ma mère, sur un document qui permettait à l'administration de me prendre complètement en charge. Ma mère a signé, en ce mois de novembre 1971, j'étais libéré d'Achour et du passage de l'Épargne.

LA DDASS DEVENAIT SEULE RESPONSABLE DE JEAN-LUC LAHAEYE

(Lahaye est le pseudonyme de Lahaeye.)

Le passage de l'Épargne a disparu au début de l'année 1972 – rasé à jamais par la commune de Paris, qui s'est vu débarrassée de ce nid de frelons. Ma mère a profité de son emménagement dans un petit appartement bien propre de Bobigny, pour quitter Achour.

Le monstre est mort quelques années plus tard, d'une crise cardiaque avec une hernie plus grosse que jamais. Avec lui vivait Aimable l'un de mes demi-frères. Achour avait réussi jusqu'au bout de sa vie, à nous faire du mal. Cet enfant de onze ans, à force d'intrigues, lui avait été confié par le tribunal, jugeant ma mère incapable de l'élever. Achour avait même reconnu cet enfant qui n'était pas le sien. Quand il fut enterré, c'est tout naturellement la famille d'Achour qui l'a récupéré.

Aujourd'hui, Aimable vit ailleurs, dans un univers qui ne le concerne en rien. Il pleure actuellement toutes les larmes de son corps, pour retrouver sa famille qu'il ne connaîtra jamais. Moi-même j'ignore où il vit et c'est peut-être mieux comme ça.

Sur six enfants vivants, quatre ont un père différent.

Ma seule famille, c'est ma sœur, avec qui j'ai pu vivre quelques bons moments. C'est tout. Nous avons tous suivi des chemins différents, et après tant d'années, il est très difficile de se retrouver, surtout quand on n'a aucun souvenir en commun, et puis où se retrouver?

C'est trop tôt, ou trop tard. J'espère qu'ils sont heureux. Ils n'ont pas cherché, eux non plus, à me connaître, ce qui paraît plus facile a priori.

Novembre 1971 : retour à la case départ.

Je reçois un nouveau trousseau. La discipline s'est resserrée à Denfert-Rochereau. Le directeur m'a prié de me faire couper les cheveux, faute de quoi je serai renvoyé dans une famille d'accueil. Tout, mais pas ça.

Je porterai donc les cheveux courts.

La veille de Noël, Freddy et moi, décidons d'être frères de sang. A l'aide d'une lame de rasoir, nous nous entamons mutuellement les veines du poignet. A la vie, à la mort. Nous mélangeons notre sang. Chaque dimanche, nous avons le droit de quitter le centre mais accompagnés d'un éducateur. Cette fois-là, je prie l'éducateur de nous conduire chez l'un de mes amis : Georges Moustaki. L'éducateur n'est pas dupe; devant mon insistance, quand même, il accepte et puis, cela fera une balade. Nous voilà donc ce dimanche matin, débarquant chez Georges Moustaki, qui demeure rue Saint-Louis-en-l'Ile. Un copain m'avait refilé l'adresse du chanteur.

On frappe et on attend quelques minutes, la porte s'entrouvre sur notre artiste, encore endormi et tout ébouriffé. C'est vrai qu'il a une gueule de « métèque ce con ».

– *Bonjour Georges, c'est Jean-Luc.*

– *Qui ça?*

– *Jean-Luc Lahaye, ton copain, ton pote quoi!!!*

– *Écoutez les gars, moi j'ai pas dormi cette nuit, alors je vais me recoucher, « démerdez-vous »!*

Georges nous a laissé en plan. L'appartement était en désordre. Notre éducateur était émerveillé de voir toutes ces choses. Des peaux de bêtes, recouvraient l'ensemble de la pièce. Des instruments de musique gisaient ça et là. A l'odeur de tabac froid, et à l'ambiance qui régnait encore dans cette pièce, on sentait qu'une équipe de musiciens avait travaillé une partie de la nuit.

Aucun de mes amis n'osait bouger. Tous étaient impressionnés d'être ici, chez ce grand chanteur français.

Afin de vivre l'intimité des lieux, je me suis choisi un yaourt dans le réfrigérateur de la cuisine. Assis sur un canapé, tout en mangeant, je me suis laissé aller à rêver.

Un jour viendra, où moi aussi j'aurai un appartement avec un piano et un frigo tellement grand que je pourrai rentrer un bœuf dedans.

L'éducateur nous a fait comprendre, qu'il fallait partir. Je ne pouvais m'en aller sans saluer mon hôte. Doucement j'ai poussé la porte de sa chambre. Et tout en le secouant :

– Georges, souviens-toi de ce nom « Jean-Luc Lahaye ». On pourra se revoir?

Il n'a pas répondu il avait sombré dans un profond sommeil.

23 décembre 1971

Je viens d'avoir 13 ans! Bof, rien de spécial. J'ai vu Michel Polnareff à la télé, tout à l'heure. J'ai l'impression qu'on se ressemble, lui et moi, il semble réagir comme moi. C'est un révolté, il a de la chance de vivre libre. J'aime bien sa nouvelle chanson, un jour, j'irai le voir chanter et je lui demanderai de me faire un disque.

Ce serait génial qu'il accepte. Personne ne me croit quand je dis qu'un jour moi aussi, je serai chanteur. « Rira bien qui rira le dernier ». Cette nuit, j'aimerais qu'il neige, pour que demain, tout soit blanc comme dans les films de Walt Disney.

Richard a un copain qui vient de s'acheter une Harley Davidson. C'est carrément mon rêve...

Je n'ai plus de nouvelles d'Éva, elle m'oublie, tant pis pour elle. De toute façon, j'ai pas le temps de la voir.

Il faut que je fasse un vœu pour mes 13 ans! Ça y'est, c'est fait.

Chapitre 19

RELAIS I
VITRY-SUR-SEINE
(mars 1972)

Il est midi. Je quitte le dortoir où j'écoutais de la musique pour rejoindre le réfectoire. Négligemment, je joue avec une boule de billard, en descendant l'escalier. Cette boule, je l'ai récupérée dans un bistrot, après une partie. Je l'aime bien, elle est lisse, blanche, parfaite. C'est mon fétiche.

En général, je la laisse dans ma poche et je la caresse.

Arrivé au premier étage, je m'arrête net, Jean-Marc Blot m'a aperçu. Nous sommes à 3 mètres l'un de l'autre, lui en contrebas. En un instant, ma tête bouillonne des insultes que Blot a laissé circuler dans le centre « Lahaye c'est une gonzesse, un petit pédé, un petit con. » Quand on vit en communauté, le qu'en dira-t-on vous colle une étiquette. Je n'ai pas le droit de laisser passer.

Alors, d'un geste rapide j'ai lancé ma boule. Jean-Marc Blot l'a reçue en pleine figure. La surprise et la douleur, lui ont fait perdre l'équilibre. Il a basculé en arrière. Sa tête a fait un bruit sourd en touchant la marche de l'escalier. Il n'a plus bougé.

Je ne comprenais plus mon geste. Tout s'est arrêté.

L'attroupement, l'ambulance, les autres qui vous crachent leur haine à la figure. On m'a enfermé dans l'infirmerie en attendant mon jugement.

Jean-Marc Blot était dans le coma, avec deux fractures du crâne. Je me suis agenouillé près de la fenêtre et j'ai prié de toutes mes forces. Je regrettais mon geste c'est certain, je ne voulais surtout pas qu'il meurt.

Sans m'en apercevoir, moi qui combattais, depuis mon plus jeune âge, la connerie des adultes, j'étais tombé dans le piège.

A la calomnie, j'avais répondu par la violence. Il y a des jours où ça fait trop mal. Ces jours-là, vous font prendre conscience de l'isolement dans lequel on se débat. C'est une voie sans issue. Il faudrait pouvoir se désagréger dans l'espace, disparaître.

11 mars 1972 (journal intime)

Demain matin, je passe en conseil de discipline. C'est à cause de ma bagarre contre Jean-Marc Blot. Je risque d'être sanctionné. Je risque la mutation dans le centre Relais II de Vitry par exemple.

Je regrette, je me sens seul, personne pour me défendre, je suis triste ce soir de ne pas avoir un père et une mère près de moi.

Qu'est-ce qu'ils comprennent ces adultes, de mes problèmes?

J'ai peur de l'avenir, si on me renvoie à nouveau, je n'aurais plus d'amis. Que vont devenir Freddy et Richard? Je m'en fous, on « fuguera » tous les trois, et on quittera la France pour toujours... De toute façon, on a rien à perdre, il faut que je me couche tôt. J'écoute mon cœur battre, c'est dingue comme je suis angoissé. Mon Dieu, faites que je reste ici.

12 mars 1972 – 18 heures

Ça y est, c'est fini, je suis renvoyé définitivement. C'est un peu comme si le monde s'arrêtait, c'est un cauchemar.

A la fin de la semaine, on vient me chercher. Que faire? Il paraît, c'est Richard qui me l'a dit, que si on « fugue », ça risque d'être pire ensuite si on nous retrouve.

Il va falloir que je quitte cet univers. Je ne suis plus rien à nouveau, un « chien perdu sans collier », comme dans le livre de Cesbron.

Richard me garde mes disques. Lui, Freddy et moi, tout à l'heure, on va se jurer fidélité pour la vie. Maintenant, je me fous de tout. Demain, je fous « la merde ». Le premier qui me cherche, va me trouver. Je serai un jour plus riche et respecté qu'eux! Je suis triste! Ce coup-ci, j'emmène mon journal intime.

19 mars 1972

Je viens d'arriver dans le centre qui s'appelle « Relais II ». Glacial, c'est plus petit qu'à Denfert. Avantage : j'ai aperçu un jardin qui donne sur une rue. Cette nuit, je fous le camp. On n'est pas tellement nombreux, une vingtaine, si j'ai bien compris.

Par contre, ce directeur n'a pas l'air commode. Un gros porc avec des lunettes, celui-là, il va pas me voir longtemps. La bouffe est moyenne, par contre, la télé est en couleurs!

Non, je ne partirai pas cette nuit, je vais attendre qu'ils relâchent leur attention.

De ma chambre, j'aperçois les toits. Il fait froid, j'ai

même pas un pull à me mettre. J'ai envie de me confier, je me sens seul...

7 avril 1972

Je viens de recevoir une lettre de mes deux amis, ça fait du bien. Ils me proposent, pour ce week-end, qu'on se tire à Lille, dans le Nord, dans un foyer de jeunes filles. Pour moi, c'est O.K. J'ai un numéro de téléphone, celui du bureau du surveillant, je les appelle à 11 heures pile, ce soir. C'est d'accord, nous avons rendez-vous vendredi soir à 20 heures, devant le « Moulin Rouge » à Montmartre, Métro Blanche.

Je prendrais mon blouson « aviateur ».

12 avril 1972

J'écris du foyer Loos Lezès de Lille, un foyer de filles. Il y en a qui sont super, paraît-il.

On est planqués dans la lingerie. Freddy est complètement amoureux. On est arrivé ce matin, Sylvianne nous a fait entrer par les cuisines.

On a fait du stop toute la nuit, il a plu tout le temps, et il était en chemise! J'ai envie de dormir. Finalement, on est bien, Sylvianne est partie chercher à manger et... deux copines à elle! J'espère que le secret va être gardé. Elle est mignonne Sylvianne.

Il paraît que sa meilleure amie est encore plus belle! Comme Richard est malade, il est donc hors concours! Le pauvre, il dort. Je suis heureux, je me sens revivre comme au bon vieux temps! Plus tard, ça me fera des souvenirs!

13 avril 1972

Nous sommes obligés de partir. Pas mal de filles, commencent à être au courant de notre présence, dommage. P.S. : Freddy part avec Sylvianne, sa copine ne veut pas venir.

15 avril 1972

Après quatre jours de « fugue », Freddy et Richard décident de rentrer à Saint-Vincent à Denfert.

Nous nous sommes séparés dans un café du côté de la Nation. Freddy a emmené Sylvianne avec lui, que va-t-il devenir ? Elle est bien cette fille, elle réagit comme un mec.

Je suis à nouveau seul, planté devant mon café-crème. J'ai même pas de quoi payer, je crois.

Bon, c'est décidé, je rentre à Relais II moi aussi. J'ai faim, je suis sale, j'ai sommeil, on verra bien... De toute façon je suis mineur.

Je me suis présenté directement devant Monsieur Parisi, le directeur. Je lui ai tenu à peu près ce langage :

– *Monsieur, j'ai « fugué », mais je reviens. Sincèrement je regrette. Pendant ces quinze jours, je n'ai pas cessé de penser aux soucis que je vous donnais et à ceux qui allaient suivre. Avec mes copains, on n'a pas fait de mal. On s'est baladé, c'est tout. Voilà, Monsieur, je voulais que vous le sachiez.*

Le type en est resté interloqué. Je ne savais vraiment plus comment prendre la chose.

– *Bon, c'est bien que tu sois revenu. Seulement, il y a un avis de recherche qui a été lancé dans toutes les gendarmeries. Pour ce qui est d'ici, je peux fermer les yeux, mais à la seule condition, que tu me donnes ta parole, de ne plus recommencer. Pour ce qui est de l'administration, c'est plus délicat. Ton dosssier n'est pas reluisant. Il se pourrait qu'on te dirige ailleurs. On verra.*

On a vu, le directeur a réussi à stopper l'hémorragie. Je suis resté à Relais II.

Freddy et Richard ont été transférés de Denfert à Relais I à Athis Mons. Pas de chance.

J'ai commencé mes cours de piano. Francis est super doué. Il joue pour moi des balades de mes chanteurs préférés. J'arrive maintenant à placer quelques accords sur les chansons des Beattles ou de Polnareff.

Chaque jour, après les cours, nous nous asseyons côte à côte. Francis à la patience de m'enseigner la musique. Lui aussi à choisi d'être saltimbanque. Nous faisons déjà des projets. Je lui donne quelques poèmes pour qu'il les mette en musique.

Je commence à chanter mes chansons devant un public immobile. Il y a là le Tout-Paris. Les acclamations me tournent la tête. Francis s'est levé pour saluer la foule en délire. Le rideau est tombé nous projetant dans le présent. La chute est très dure.

19 septembre 1972

Je viens de trouver un chien à Fontainebleau. Je l'appelle « Look », le directeur du Relais II m'autorise à le garder, je suis fou de joie, il doit avoir deux mois, il est super beau, on me dit que c'est un lévrier Sloughi, race Arabe du désert.

3 novembre 1972

Catastrophe, ce matin, Monsieur Parisi nous a tous réunis. Le centre est appelé à disparaître, il nous a expliqué que les budgets sont clos en ce qui concerne notre centre. C'est vrai que depuis quelque temps, on sentait quelque chose.

Il est triste Monsieur Parisi, nous allons être dispersés dans différents centres. Il paraît qu'on me renvoit à Denfert.

Tout à l'heure, je ferai une demande, ils ne vont pas me refuser ça. En tout cas, ici, c'était sympa.

Look est très beau, il sera grand. Je prépare mes affaires, et j'enlève tous mes posters. C'est dommage, je commençais à décorer ma chambre.

19 novembre 1972

Monsieur Parisi est venu me trouver. Impossible d'emmener Look à Denfert Rochereau, que faire? Il m'a proposé de le prendre et de le confier à son fils qui est ingénieur à Levallois, j'ai refusé : Look est attaché à moi, je le garde, et maintenant, je suis sur mes gardes. Il paraît que c'est exceptionnel que dans un centre, on accepte un chien. Ils pourraient faire une exception. Je me défendrai jusqu'au bout...

20 novembre 1972

Monsieur Parisi me fait une proposition : une famille vers Biarritz, dans une ferme, de plus, ils prennent mon Look. Là-bas, il y a la mer et tout. J'accepte, nous sommes une dizaine à partir.

Chapitre 20

VOYAGE DANS LES PYRÉNÉES ET C'EST REPARTI...

3 décembre 1972 (journal intime)

La famille Baptiste est venue me chercher au train. Ils sont complètement primaires. La ferme est dans la montagne qui domine l'océan, c'est beau.

Ma chambre est naze! Ni toilettes, ni douche. C'est carrément Émile Zola, pas d'eau chaude, je crois rêver. Ils parlent un langage que je ne comprends pas, de l'espagnol on dirait.

Le monsieur a l'air gentil, elle, je vais m'en méfier. Elle a marché sur la patte de Look, et elle l'a même pas caressé, prudence avec ces sauvages. Je vais les voir traire les vaches...

Chaque jour, je dois faire 4 kilomètres pour me rendre à l'école. C'est beau d'avoir une famille, mais pas de vivre à côté. Les Baptiste ont fêté Noël entre eux. La mère a passé sa journée à la cuisine.

Ça sentait rudement bon. La dinde cuisait doucement, dans le four de la cuisinière. Un gâteau énorme, refroidissait sur le bord de la fenêtre.

Les gens sont arrivés vers 7 heures. Pas de chahut, peu d'embrassades, le cœur est froid dans la montagne. Jusqu'au bout, j'ai espéré.

23 décembre 1972

Ils savent même pas qu'aujourd'hui, c'est mon anniversaire. Je m'en fous, Look et moi, on va se faire la fête.

J'ai piqué un jambon, cette nuit, dans la réserve. J'ai piqué aussi du fromage et du vin! On bouffe mal ici, en plus, ils veulent me faire travailler dans les champs.

Ils m'ont inscrit dans l'école communale de Saint-Pée-sur-Nivelle.

Look est allongé sur mon lit, il me regarde avec ses bons yeux. Oui, mon ami, toi et moi, on fête mes quatorze ans et Noël. Tu auras la moitié du jambon et du fromage.

Excuse-moi, mais il n'y a pas de dessert. Je crois que pour la première fois, je vais boire du vin... Pour oublier. J'ai envie d'être libre, d'être heureux.

Mon réveil a été plutôt mouvementé. Le Baptiste est entré dans ma chambre pour me faire lever et a découvert le scandale.

Le parisien, sans origine, avait volé de la nourriture. Honte sur lui. D'une poigne ferme, il m'a sorti du lit en ameutant la maisonnée. Sa femme, empêtrée dans sa chemise de nuit a voulu me gifler. Look lui a saisi le mollet, comprenant tout de suite que j'étais en danger. Le mari a lâché prise et j'en ai profité pour m'enfuir.

31 décembre 1972

Je n'ai plus de chambre, ils ont décidé que je dormirai dans la grange, là où il y a la meule. Soit-disant qu'ils ont besoin de ma chambre pour un nouveau qui va arriver, lui aussi de l'assistance. Je m'en fous, là, je suis mieux. Je peux faire tout le bruit que je veux. Je peux même aller au village en douce, la nuit. Problème : l'odeur, enfin, on va s'y faire! En tout cas, ils ignorent que j'écris un journal.

2 janvier 1973

Je n'arrive pas à oublier mes copains. Que deviennent-ils? Un jour, j'aurai une grande maison à moi. Et, tous les gens que j'aime seront à mes côtés. Même, si Dieu le veut, j'aurai une fiancée : la plus belle de France. Rien qu'à moi.

Pour l'instant, je n'ai rien à moi, même pas un blouson. Rien que mon chien, lui, il est heureux parce que je m'occupe de lui.

8 janvier 1973

Je reprends mon journal.

Ça y est, le nouveau est arrivé! Tu verrais sa tête, un véritable idiot, en plus, il est rouquin! J'ai l'impression qu'il s'attendait à un accueil plus chaleureux! N'empêche qu'il a des fringues valables! Au moins, il n'aura pas froid, lui. Il s'appelle Christian, il a l'air de « fayoter » je vais me méfier de lui. Quand il est arrivé, il m'a à peine dit bonjour.

Je ne veux pas qu'il caresse mon chien. Des fois qu'il aurait une maladie! Peut-être qu'il me prend pour un paysan? Il va vite comprendre qui je suis. D'abord, c'est lui qui va prendre le relais sur toutes leurs chères corvées!

11 janvier 1973

Catastrophe! Christian n'aime que la musique classique, quel crétin! Il est complètement taré ce mec. En plus, c'est vraiment un « fayot », il a embrassé Madame Baptiste avant d'aller se coucher, aucune dignité!

La famille Baptiste avait besoin d'un valet de ferme. Leur geste envers la DDASS, n'avait rien de philanthropique (ramassage du bois, traite des vaches, clôtures à refaire, rivières à drainer).

Je manquais de plus en plus souvent la classe.

Pour augmenter leurs ressources, ils louaient à un certain Laurent, une bâtisse dans la montagne, perdue, loin du monde, aux limites de la frontière.

J'étais chargé, deux fois par semaine, de lui monter son courrier et de la nourriture.

Laurent était un homme d'une cinquantaine d'années, au visage souriant. Il boitait.

Vers 5 heures du soir, la mère Baptiste chargeait mon sac à dos de victuailles commandée par leur locataire. J'étais heureux de quitter ces gens et d'un pas alerte, j'attaquais la montagne.

Je devais marcher pendant deux heures environ. Mais je traînais un peu. J'avais mes repères. J'avais tracé mon chemin à travers les fougères.

Je m'asseyais sur un grand rocher blanc. J'allumais mon transistor qui ne me quittait jamais. Je poussais le volume à fond et je m'émerveillais de tant de beauté; le ciel et la mer mélangés. Au fond, j'apercevais Biarritz et ses rochers.

Quand j'arrivais en fin de course, c'était toujours pareil. Laurent préparait notre dîner, et moi, j'allais faire boire les quatre vaches à la source. L'eau coulait claire. Après ma longue marche, sa fraîcheur calmait ma soif.

Rien n'était plus merveilleux pour moi, que ces instants de répit. Je rejoignais bientôt Laurent le solitaire, qui m'avait préparé de bons œufs et des frites géniales cuites comme je les aime. Il savait que j'avais terriblement faim.

Ma mère était venue me rendre visite, l'espace d'un après-midi. Nous avons pris une photo près de la rivière. Elle m'avait apporté quelques jouets. Nous avons pour la circonstance dormi dans une chambre du haut qui était infestée de punaises et de poux. Quel soulagement pour moi de retrouver ma paillasse après son départ.

Laurent faisait de la contrebande. La nuit, j'entendais des gens marcher. Cigarettes, alcool ou armes? L'Espagne était là, à côté. C'était très excitant.

Un soir, à la ferme du bas, il y eut un conciliabule à mon sujet. Les Baptiste et leurs voisins, les Bassoa discutaient de moi car j'avais tout simplement perdu une vache.

Comme tous les soirs, je devais regrouper le troupeau dans le pré derrière le cimetière. Look était avec moi. Quand toutes ces « dames » étaient présentes, je les ramenais à l'étable. Le transistor sur l'épaule, j'étais plus intéressé par les hit-parades que par le troupeau.

Aussi, en arrivant à la ferme, la mère Baptiste, qui se préparait à la traite a tout de suite vu qu'il manquait Paquerette. Le Bassoa a craché avec colère quelques brins de tabac et du haut de ses deux mètres, m'a saisi sous ses bras, m'a déculotté, et à l'aide d'une badine, m'a fouetté jusqu'au sang. J'étais rouge de honte. Et Christian, ce con de rouquin qui n'a pas bronché. Et, pour finir, le Baptiste a donné un coup de main au géant.

– *Tiens, v'là une lampe électrique, tu ne reviens qu'avec la Paquerette, et gare à toi.*

Il faisait noir dehors. J'ai marché au hasard, maudissant les Bassoa, les Baptiste, les vaches et toute la clique.

Je ne savais pas du tout comment diriger mes recherches. Une vache! tout de même, ça ne se perd pas comme ça! J'étais frigorifié. Vers 3 heures du matin, je me suis assis près du lavoir, rompu et cassé. C'est là que je l'ai retrouvée, tranquille à ruminer.

Le directeur de l'école m'a convoqué. Il n'est pas du tout content de moi. Je dois passer mon certificat d'études dans quelques mois et il est presque certain que je ne l'aurai pas.

– *Écoute petit, je connais tes problèmes, tu viens de l'assistance et ce n'est pas facile pour toi. Tu souhaiterais être renvoyé de l'école, cela t'arrangerait. Il n'en est pas question. A partir de maintenant tu vas t'installer dans mon bureau et je surveillerai tes devoirs.*

Aussitôt dit, aussitôt fait.

Derrière son bureau, accroché au mur, une collection de pipes de toutes dimensions, faisait sa fierté.

Au bout d'une semaine, nous avons sympathisé. Il partageait ses tablettes de chocolat avec moi, en contrepartie, j'allais chercher son paquet de tabac dans le centre ville. Il me donnait 10 Frs et je gardais la monnaie.

Un matin, il m'a remis un sac en plastique.

– *Tiens c'est pour toi, il était à mon fils, mais il ne lui va plus.*

Il guettait ma réaction. J'ai ouvert de grands yeux en découvrant ce blouson de cuir, complètement passé de mode. Je l'ai enfilé et me suis promené dans le bureau.

– *Il est super, Monsieur le directeur!*

Je mentirais si je disais que je l'ai mis tous les jours, mais tout de même je m'en suis vêtu de temps en temps.

J'ai obtenu mon diplôme, c'était le premier. Bien sûr, je n'ai pas eu de mention, mais quand même.

VOYAGE DANS LES PYRÉNÉES

Le directeur rayonnait en me remettant mon papier, je le soupçonne, d'y être vraiment pour quelque chose.

17 juin 1973

Triste journée. Monsieur Baptiste est mort cette nuit, on n'a pas le droit d'aller le voir. Je n'ai jamais vu un mort!

Y'a tous les gens du village qui défilent dans la ferme. J'ai l'impression qu'il va y avoir du changement. Tant mieux! Franchement, je ne les aime pas. Lui, il est mort, c'est bête pour lui, mais je n'oublierai jamais qu'il y a un mois il m'a frappé à sang, parce que Christian et moi, avions perdu une vache. Je dis bien Christian et moi. Lui, on lui a rien dit! Ce petit chouchou va! Maintenant il est dans le « caca »! Plus personne à qui cafter!

Le plus drôle, c'est que l'autre jour, Look l'a mordu. J'étais écroulé de rire! Il n'a rien osé me dire. Il faut dire que s'il n'est pas content, c'est la même chose!

J'écris sur le talus qui domine la maison, tu verrais les têtes qu'ils font ces braves gens.

16 juillet 1973 – 14 h 20

J'écris d'un lieu insolite! D'un train, d'un train qui m'emmène vers une destination inconnue. En face de moi, cette fameuse assistante sociale qui a l'air d'avoir autant de gaieté qu'un condamné qui va se faire guillotiner. Elle est en train d'essayer de lire à l'envers, mine de rien ce que j'écris, mais pour me lire, elle peut se rhabiller. Déjà que dans le bon sens, moi-même, j'ai dû mal à me relire!

Hier, en fin d'après-midi, j'ai appris que ce serait ma dernière nuit dans les Pyrénées. Ça ma fait tout drôle de savoir que je venais de terminer un épisode de ma vie.

Chapitre 21

LA PREMIÈRE FOIS

Le Père Du Plessis est venu me chercher à la gare de Facture. Ça fait du bien de rentrer chez soi. Je retrouve les copains, les copines, les habitudes. Je retrouve les odeurs de pins dans la lande. La sécurité d'une grande famille où le Père a fait vœu de chasteté, où les enfants vivent l'inconscience du moment.

Cela fait déjà un an, tellement de choses ont changé.

Le réfectoire a son toit. L'Arbousier a pris 50 centimètres. Les boutons sur les visages commencent à fleurir.

Elle s'appelle Gabrielle. Elle a 14 ans. Ses cheveux blonds et roux coulent sur ses épaules. Elle n'a jamais vraiment connu l'amour. Mon expérience n'a rien à lui envier.

Cette nuit, sera notre nuit. Nous allons nous unir, corps et âmes, nus, déshabillés de tous scrupules.

Je me suis confié à Daniel. Il m'a conseillé de faire très attention. Si Gabrielle est neuve, elle risque d'avoir mal, moi aussi.

– *Il te faut de la crème, quelque chose de gras, pour vous aider.*

Le Père Du Plessis a organisé pour l'après-dîner, un jeu de piste. Il s'agit pour nous de trouver un trésor. Le circuit s'étend sur plusieurs kilomètres. L'après-midi, les autres ont reonnu le parcours. J'étais déjà dans un autre monde. J'allais découvrir ce que les grands appelaient « La vie ». Je me laissais aller. J'étais pressé de savoir la vérité.

Quand le signal du départ a été donné, j'ai fait semblant de suivre la troupe. Au bout de 300 mètres, j'ai pris la direction du campement des filles.

Gabrielle m'attendait, allongée sur une couverture. Seul, un T-shirt cachait son corps d'enfant. Je me suis couché près d'elle. J'étais pris d'une frousse. Nous avons parlé; le temps ne compte pas dans ces moments-là. Puis, timidement, je l'ai embrassée, elle frissonnait de peur et d'envie. Lentement, pour ne pas casser le fil, je me suis déshabillé. Gabrielle fermait les yeux. Elle m'attendait.

La première fois, c'est la seule qu'on se rappelle. C'est la communion de la pureté avec la nature. C'est la fin de l'enfance, la métamorphose sans retour.

Gabrielle n'a pas crié, elle m'a seulement mordu la lèvre. Je saigne, mais je suis heureux.

Le jeu s'est enfin terminé. Nous entendions les cris de nos camarades. Je vivais un moment que je n'oublierais jamais. Gabrielle m'avait offert ce qu'elle avait de plus précieux, j'en avais conscience. Cet acte avait bouleversé ma vie, à partir de cet instant, je me rapprochais d'elle, je voulais la protéger. Il a pourtant fallu nous séparer.

Quand j'ai retrouvé les autres, j'étais heureux, je faisais un pied de nez à mon adolescence.

LA PREMIÈRE FOIS

16 août 1973

Après-demain, le père Du Plessis nous emmène à dix garçons et filles en Espagne (encore!). Gabrielle y va, alors j'y vais.

Tout le monde commence à savoir que nous sommes ensemble. Je suis super fier d'être avec une aussi jolie fille.

Tous les mecs sont jaloux, même qu'André n'arrête pas de la draguer. Même s'il a 17 ans, il peut toujours s'accrocher. Elle, elle n'aime que moi. Ce soir, je lui refais l'amour, il paraît qu'on est trop jeune pour ça, moi je trouve pas.

Le Père Du Plessis nous a chargé dans son « tube Citroën ». Nous étions heureux. Gabrielle me frôlait, me troublant de désir.

La frontière était à 300 kilomètres. Entre les arrêts pipi, les pleins d'essence et les rigolades, nous avons dû mettre six heures.

Le soleil était au plus haut quand nous sommes arrivés à la douane. Nous étions la moitié à ne pas avoir de pièces d'identité.

Le père est descendu pour parlementer avec les carabiniers. Les douaniers ne voulaient rien entendre; « pas de papiers, pas d'Espagne ». Le Père Du Plessis a bien essayé de faire jouer les prérogatives dues à sa fonction d'ecclésiastique. La barrière est restée fermée. Alors, sans faire d'esclandre, il nous a prié de descendre du camion et de barrer la route avec nos corps. Quel spectacle! Nous étions ravis de pouvoir manifester, en plein accord avec l'autorité parentale! Nous avons réussi à faire plier la guardia civile, mais à une condition, que nous acceptions de nous faire escorter par deux motards.

Pourquoi pas? D'ailleurs, au bout de 20 kilomètres ils avaient fait demi-tour. L'autorisation de séjourner sur le territoire espagnol, n'était que de quarante-huit heures. A Pamplune, nous nous sommes arrêtés devant un restaurant. Nous avions soif et faim.

Au bout d'un quart d'heure, les filles et les garçons roulaient sous la table. Moi, qui ne buvais aucune goutte d'alcool, j'avais réussi à m'envoyer sept sangrias à la suite. Même les tomates aux olives n'ont pas réussi à éponger notre état d'ébréité. Nous avons profité d'un moment d'inattention du père, pour nous enfuir, par la fenêtre des toilettes.

Quand il a compris, il était trop tard. Il a été obligé de régler l'addition auprès du restaurateur.

L'après-midi, nous avons visité la ville. C'est fou tout ce que nous avons piqué dans les magasins.

Encore aujourd'hui, le réflexe de celui qui a manqué m'oblige à freiner l'envie qui me dévore, de faire passer la vie avant le besoin. J'achète pour trois mille balles de fringues, je ressors avec un foulard gratuit. Excusez du peu! Avant c'était le contraire.

C'est juste après la douane française que le pot d'échappement s'est décroché. C'est sûrement le fil de fer qui a cassé. Nous avons roulé tant bien que mal jusqu'au premier garage. Le bruit était infernal.

En voyant les gens aux fenêtres, on se serait cru le jour du 14 juillet, pendant le défilé des blindés de la division Leclerc.

Le patron du garage nous a fait attendre deux heures, en plein soleil. Quand il a amené la facture, j'ai cru que le père allait faire une attaque.

– Comment, vous n'avez pas honte, escroquer un prêtre, parce que vous croyez peut-être que je ne connais

pas la mécanique. Il n'est pas question que je vous règle cette facture, vous n'avez qu'à reprendre votre matériel.

Le garagiste n'a pas discuté. Un regard du père nous a suffi. Nous avons ouvert la porte arrière du Citroën et embarqué une pompe à air, des pneus, des outils. Nous étions transformés en dépanneurs.

Quand le mécano a eu démonté le pot d'échappement, le père a passé la première, la seconde et la troisième et, c'est quand nous étions loin du garagiste sans scrupule, qu'il s'est retourné.

– *Les enfants, vous y avez été un peu fort. Je voulais lui donner une leçon, pas le dévaliser.*

Nous sommes rentrés au camp sous les acclamations.

2 septembre 1973 (journal intime)

L'autocar s'est arrêté à Chartres tout à l'heure, et Gabrielle m'a longuement embrassé. Des larmes coulaient sur nos visages. Elle a peur qu'on ne se revoit plus. Comment pourrais-je ne plus la revoir?

Le week-end prochain, j'irai la voir dans son centre. Elle aussi est de l'Assistance Publique.

Le car arrive sur Paris, le jour se lève, et je me sens triste sans Gabrielle à mes côtés. La reverrai-je? Je voudrais faire ma vie avec elle. Look est triste lui aussi. Il a passé de bonnes vacances avec nous. Tout le monde l'a trouvé beau, il pèse 28 kilos! Bon, maintenant, où vais-je aller? Dans quel centre? Question... Tout le monde dort sauf moi...

En attendant mon avenir, toujours incertain, je suis placé au dépôt du 13ᵉ.

J'ai la réputation d'un garçon difficile, ils veulent faire un exemple avec moi. Je suis triste, vais-je devoir me battre toute ma vie? Pourquoi ne suis-je pas un adolescent comme les autres? Aujourd'hui, je déteste la vie, si j'avais le courage... Vais-je retourner à l'école? Quel est mon avenir? Je ne sais rien, pas d'argent, pas de famille, pas d'amour, sauf Gabrielle, elle, je veux la garder.

Tiens, c'est décidé, je fugue dès cette nuit, comment vais-je récupérer mon chien? Je vais tout à l'heure repérer les lieux. Je n'ai plus rien à perdre, de toute façon, je n'irai pas en prison.

Mon Dieu, donnez-moi la force de survivre, et surtout le courage de mes décisions.

6 septembre 1973 – 19 h 30

J'écris de la Gare Montparnasse. Heureusement que je peux confier mes secrets à ce cher journal.

J'ai exactement 16 francs en poche! Alors? je sais que dans environ trois minutes, je vais piquer sur le buffet quelques victuailles pour mon chien et moi. Bon, j'y vais!

7 septembre 1973 – 6 heures du matin

J'ai dormi dans la gare. J'ai froid. C'est décidé, je vais à Chartres rejoindre Gabrielle, en stop... on verra bien.

7 septembre 1973 – 11 heures du matin

Hier soir, je suis entré en même temps qu'une fille. Elle n'a rien dit à personne, et m'a conduit auprès de Gabrielle, c'est sa meilleure amie, elle s'appelle Aurélie.

Gabrielle n'en a pas cru ses yeux! Elle m'a caché dans l'annexe désaffectée où personne ne va, j'ai même un lit! sauf que je n'ai pas mangé. Nous avons fait l'amour.

8 septembre 1973 – 20 heures

Le destin s'acharne sur moi! Je suis catastrophé. Gabrielle est venu me voir tout à l'heure avec Aurélie pour nous apporter à manger à Look et moi, et ce qu'elle m'a annoncé me laisse stupéfait.

Je suis triste mais aussi très déçu par elle, parce qu'elle le savait hier soir, mais elle ne m'a rien dit. Elle s'en va deux ans en Angleterre dans une famille et elle est ravie! Quelle salope! je me suis fait avoir, et dire que c'est pour elle que j'ai risqué tout ça... Elle me dégoute.

8 septembre 1973 – 21 heures

Aurélie est venue me voir pour m'annoncer que Gabrielle ne pourrait pas me rejoindre avant 21 h 30. Je lui ai tout dit, elle m'a compris. J'ai lu dans les yeux de cette fille quelque chose de désespéré. Je crois qu'elle me comprend si bien, elle m'a offert un pull et trois plaquettes de chocolat. Elle m'a aussi donné son mouchoir qui porte ses deux initiales « A.S. » Je n'ai pas osé lui demander son nom de famille, elle a pleuré en fermant la porte.

Quelques années plus tard...

La route est longue et l'on se retrouve toujours; il nous a fallu huit années pour que nos destinées se croisent à nouveau. Aurélie, l'aurions-nous pensé en ces instants de solitude réciproque? Aujourd'hui, tu vis à mes côtés et c'est bien.

Je revois encore Joelle une amie, ce mercredi de février 1980. Il était 21 heures, je venais de finir mon entraînement de boxe.

– Jean-Luc, ce soir je t'emmène à l'anniversaire d'un copain. C'est une soirée super.

CENT FAMILLES

– *Arrête, j'suis pas fringué, j'ai le moral dans les chaussettes.*

Beaucoup trop de monde dans cet appartement bourgeois de la rue du Bac, Emmanuel mon pote de solitude nous avait rejoint. Je n'avais qu'une idée, finir les petits fours et me tirer.

Nous nous dirigions vers la sortie, elle était assise sur le canapé, nos regards se sont croisés. Était-ce bien elle? Oui!

Nous avions tant de choses à nous dire depuis ces années. Dans mes jeans, perfecto et santiag, je mesurais notre légère différence. Elle existait, moi pas encore. Le temps passait sans que nous nous en rendions compte. Emmanuel finissait les bouteilles. Il ne fallait plus nous perdre maintenant.

Je lui ai pris la main et nous sommes partis.

Chapitre 22

RELAIS I - ATHIS-MONS

14 septembre 1973 – 15 h (journal intime)

Dans quelques minutes, je serai déféré devant le juge des enfants. Hier soir, j'ai pris un train vers Limoges, sans ticket. Je suis tombé sur le contrôleur le plus con de France. Et voilà, c'est la fin du voyage.

Look est toujours avec moi, mais c'est un flic qui le tient par la laisse.

J'ai même peur du juge. Le flic a lu tout mon journal et il m'a dit une chose incroyable, il m'a dit qu'il aurait aimé avoir un fiston comme moi. Il m'a même proposé une cigarette, mais j'aime pas les brunes, j'aime pas les blondes non plus, remarque! Bref, c'est la galère.

Je referme mon journal car on vient me chercher.

14 septembre 1973 – 19 h

Le juge a été sympa. Nous avons parlé pendant presque une heure. Il m'a demandé ce que je voulais faire. Je lui ai dit chanteur (il a souri). Comme les autres, il m'a proposé de me faire entrer dans un collège d'enseignement technique pour préparer un CAP de quelque chose (style ajusteur ou menuisier...). Il rêve.

Il m'a aussi proposé deux choses : le retour à Denfert-Rochereau, mais c'est toujours le même directeur; ou bien entrer dans ce qu'il appelle un « Foyer de Jeunes ».

J'ai choisi la seconde proposition parce que je peux garder Look et en plus c'est juste en banlieue de Paris.

Je dors ici, cette nuit, à Créteil, dans la préfecture. Je suis si fatigué.

15 septembre 1973 – 18 h

Me voilà arrivé au foyer. C'est à Athis-Mons exactement. C'est super ici, c'est carrément un petit château. L'éducateur a l'air super sympa. Mais, ce qui m'amuse c'est qu'il s'appelle Jean-Marie Galopin, un nom prédestiné.

15 septembre 1973 – 23 h

Incroyable! Mes amis Freddy et Richard sont ici. Tout à l'heure on est tombé nez à nez, super. Je suis heureux, je revis enfin quelque chose de vrai, quelque chose qui me réchauffe le cœur.

Demain, je demanderai à être dans la même chambre. Ils sont trois dans une chambre, mais le mec qui est avec eux est nul... en plus, il pisse au lit. J'espère qu'ils vont me changer le matelas.

17 octobre 1973

Je me suis fait virer du collège d'Ivry. Jean-Marie est venu me chercher. Il paraît que je lui fais honte, mais il est gentil ce Jean-Marie. Il m'a dit qu'il consacre sa vie à des jeunes délinquants comme moi et qu'à la limite, lorsqu'il n'obtient aucun résultat, il aurait envie de tout raccrocher. Moi, je ne pourrai jamais faire ce qu'il fait. Il me dit qu'il ne sait pas ce qu'il va faire de moi.

Moi je m'en fous, je veux être chanteur, comme Michel Polnareff ou Julien Clerc. D'abord, je sais que je chante aussi bien qu'eux. Bien sûr, je n'ai pas encore quinze ans. Mais je sens en moi des envies de chanter avec mes tripes. Je n'arrête pas d'écrire des chansons. J'en ai fait une tout à l'heure, dans la voiture de Jean-Marie. Je l'ai appelée « Fille oubliée ». Je la dédie à Gabrielle.

12 novembre 1973

Tiens, il y a un mois que je n'avais pas ouvert mon journal. Hier, un monsieur est venu me voir. Il paraît qu'il a très bien connu ma mère quand elle était plus jeune. Il m'a dit qu'ils étaient même sortis ensemble pendant plus d'un an. Il semblait ému de voir l'enfant d'une femme qu'il avait aimée.

Il veut s'occuper de moi. Tant que je ne suis pas majeur, il ne peut rien faire. Il est PDG d'une usine, il m'a offert 500 francs. C'est la première fois que j'ai une pareille somme d'argent.

Il s'appelle Louis Bianco. Il m'a promis de revenir la semaine prochaine. Jean-Marie Galopin a longuement parlé avec lui. Puis, il m'a dit que M. Bianco pourrait devenir mon père adoptif si l'État était d'accord.

Demain, j'achèterai le dernier Julien Clerc, le dernier Rolling Stones, le disque de Gilbert Montagné « The Fool » et une paire de bottes des « santiags » comme mon copain Richard.

17 décembre 1973

Pour les fêtes de Noël, Louis Bianco a obtenu l'autorisation de m'emmener en vacances dans sa propriété à côté de Toulon. Je n'ai pas envie de laisser mes deux amis Richard et Freddy. Mais comment lui dire? C'est vexant.

19 décembre 1973

Finalement, Jean-Marie et Louis Bianco sont d'accord. On part tous les trois à Toulon.

Freddy, Richard et moi on y va en voiture, dans une Mercédes, s'il vous plaît.

Nous partons demain. Pour la première fois, je vais laisser Look à Jean-Marie. Ici, il est bien. Et puis, je ne pars que pour dix jours. Je décide de laisser aussi mon journal.

3 janvier 1974

J'ai retrouvé mon Look hier. Quelle fête! J'ai retrouvé aussi mon journal, j'ai tant de choses à dire. D'abord, j'ai passé avec mes amis chez tonton Louis, c'est comme ça que je vais l'appeler, douze jours super.

La région de Toulon est très belle. Je suis triste de réintégrer ce foyer.

J'ai connu pour la première fois, une liberté normale, une liberté légitime. Freddy et Richard ont comme moi, le moral dans les chaussettes. Faudra s'y faire! Et puis ce n'est pas fini. J'ai hâte d'être un adulte.

7 janvier 1974

Je reprends le lycée demain. Quelle angoisse! Obligé d'obéir à des adultes que parfois je déteste.

20 janvier 1974

Il est minuit. Je ne dors pas, pour deux raisons :

La première c'est que j'ai rencontré, hier, une fille qui habite à Orly. Elle est trop belle pour continuer à vivre sans savoir qu'il y a un cœur qui commence à battre pour elle : le mien... Je vais savoir où elle habite, Pascal connaît son frère.

La seconde raison, moins importante, c'est que je vais probablement me faire virer du lycée Jules-Joffrin. Ce con de prof de maths m'a tellement vexé devant tout le monde en disant que je ne saurai compter que jusqu'à 10 dans ma vie, que je lui ai renversé le contenu de mon stylo à encre sur le sommet de son crâne; avec un peu de chance, ça va faire repousser ses cheveux!

Jean-Marie n'est pas au courant, mais ça ne va pas tarder.

P.S. Pardon, maintenant, il est au courant. Le téléphone, c'est pas fait pour les chiens! Il fait la gueule Jean-Marie...

27 janvier 1974

Jean-Marie et moi avons eu une longue conversation dans son bureau. Il m'a fait comprendre qu'il ne pourrait pas tenir à ce rythme avec moi, qu'i faut que je me calme, que si je continue comme ça, je ne ferai rien de bon dans la vie... Mais quelle vie?

Je n'ai rien, je ne suis sûr de rien, je veux vivre intensément mes moments. Tous mes moments pour ne pas pleurer un jour sur une adolescence vécue au ralenti! J'aime vivre, je veux vivre! J'assume toutes les erreurs et le reste!

J'ai reçu mon vélomoteur, cadeau de tonton Bianco, une superbe Malagutti.

Au bout d'une semaine, à la stupéfaction générale, j'ai scié le cadre en deux, afin de le rallonger d'un mètre. Un copain dont le père était plombier, m'a fait les soudures.

A force de bricolage, mon 49 cm3 est devenu un monstre. Nous montions à six dessus. Le petit moteur avait quelques difficultés dans les côtes, mais sur le plat c'était fabuleux.

C'est dommage, un soir que nous faisions une démonstration, les soudures ont lâché. L'engin s'est disloqué. Tonton avait dû le payer dans les 4000 francs. Je ne reconnais aucune valeur à l'argent, encore moins aux choses.

19 février 1974

Aujourd'hui, c'était ma première au CET d'Ivry. C'est encore plus nul comme ambiance qu'au lycée, il faut mettre des blouses bleues, tu as toujours les mains sales, tu passes quatre heures par jour devant un établi à limer des bouts de ferraille, mais ils rêvent ou quoi! S'ils croient qu'ils vont faire de moi un futur chef d'atelier, ils se mettent le doigt dans l'œil jusqu'à la rétine! Je vais même leur montrer qui est vraiment Jean-Luc Lahaye.

29 février 1974

Petit journal, je te parle à toi, parce qu'un jour, je relirai tous ces mots et sûr, cela me fera plaisir de mesurer tout le chemin que j'ai parcouru, autrement dit, c'est un document.

Une lettre que je m'enverrais et qui mettrait plusieurs années avant de me revenir.

Ici, c'est un joli village. Chez « tonton Louis », tout est propre, tout est organisé.

Lorsqu'il me parle, c'est un peu comme un dictionnaire. Il emploie des mots que je n'avais jamais entendus, et bien sûr, il ne manque jamais de me fournir le « mode d'emploi » qui va avec! Quelquefois, il est un peu bavard mais son cœur et sa générosité sont immenses. J'aurais adoré avoir un papa comme lui.

23 mars 1974

Je suis fou de joie. Au karaté je viens de passer ma ceinture verte que j'ai gagnée haut la main. Il faut dire que mes profs sont super. Ce sont deux frères, Jean et Denis Hémaff.

Jean a très envie de s'occuper des enfants déshérités en même temps que le karaté.

Ce soir, avec Freddy, Richard et Jean-Marie (qui vient de s'inscrire lui aussi), on fait la fête dans la cuisine du centre. On ouvre tous les frigos, et de préférence, ceux qui contiennent du champagne.

24 mars 1974

Tonton Louis emmène aujourd'hui mon Look. Il m'a dit aussi au téléphone tout à l'heure, qu'il avait une surprise pour moi.

25 mars 1974 (fin de mon journal)

Tonton Louis vient de m'offrir un super costume. Je n'arrête pas de le regarder comme si cela appartenait à un autre. Mais non, c'est vraiment à moi. Il est gris et noir, je vais le mettre pour aller chercher Justine au lycée.

Le Toulec, l'éducateur, est venu nous chercher dans sa Land Rover d'occasion. Il est heureux de nous faire essayer son véhicule. A force de rouler au hasard, on se retrouve à Montreuil, près de la salle des ventes.

– *Et si on entrait pour voir?*

Nous sommes quatre, Freddy et Richard nous accompagnent. Le Toulec est beaucoup plus intéressé par nos propos et nos remarques que par les œuvres d'art vendues aux enchères ce jour-là.

Nous avons remarqué un gros bonhomme, devant, qui s'engueule avec sa bonne femme. Elle voudrait tout acheter. Lui n'est pas d'accord.

Les brillants qu'elle porte à ses doigts boudinés, ne font aucun doute, c'est du vrai. Quant à l'allure du couple, nous doutons de leur compétence en peinture.

Le commissaire-priseur annonce un tableau d'un maître quelconque.

– *Le Toulec, lève le bras, vite lève le bras, c'est une super affaire!*

Le pauvre, affolé, ne comprenant pas très bien les conséquences, s'exécute.

– *Adjugé, vendu pour la somme de 17 000 francs. Quel est votre nom monsieur et votre adresse?*

– *Gérard Le Toulec – Foyer d'Athis-Mons.*

Le commissaire, se penchant vers la secrétaire d'abord :

– *Mademoiselle, vous notez; M. Le Toulec. Monsieur Le Toulec, vous pouvez vous approcher et faire votre chèque de 17 000 francs plus les frais.*

C'est le scandale, Le Toulec refuse, prétextant qu'il y a confusion. Il avait la main levée pour toute autre chose. Que c'est une blague.

Il se tourne vers moi et me traite de tous les noms.

Le commissaire-priseur, ne l'entend pas comme ça, il y a un remue-ménage dans la salle. Beaucoup ont ri de la blague, mais d'autres s'exaspèrent du temps perdu dans cette discussion. Le Toulec va donc être obligé d'acquérir une aquarelle qu'il paiera 1 000 francs. En ce qui me concerne, il ne m'adressera plus la parole pendant un mois.

Toujours avec Le Toulec, nous avons été au cinéma d'Ablon. J'ai oublié le navet qui se jouait ce soir-là. Nous balançions des bonbons déjà sucés sur les spectateurs.

Trois fois, la lumière s'est rallumée dans la salle. Gérard Le Toulec était dans ses petits souliers.

Tant bien que mal, nous avons atteint la fin du film. Nous n'avons pratiquement rien vu. Nous avons réussi à perdre notre éducateur à la sortie. Avec les copains, nous déambulions dans les rues d'Ablon, en quête d'une connerie. C'est moi qui l'ai faite.

J'ai avisé un pavillon de banlieue, où dans le jardin, séchait du linge. J'ai enjambé la petite barrière, j'ai renversé la poubelle sur le gazon et enfilé les slips et les chemises accrochés sur le fil. J'ai sonné à la porte d'entrée. Une femme d'un âge avancé, en chemise de nuit, a entrouvert. Quand elle a vu le massacre, elle a appelé à l'aide.

Nous nous sommes enfuis, très vite, non sans avoir sonné à toutes les portes des autres pavillons. Notre entrée au foyer s'est faite sur la pointe des pieds. Petit détour dans la cuisine, les cadenas aux portes des frigos ne savaient pas nous résister.

Il était midi, le lendemain, quand la DS noire a stoppé dans la cour. Nous étions à table au réfectoire.

Jean-Marie Galopin et l'homme sont entrés. C'était Alain Poher, maire d'Ablon, Président de la République par intérim. Des insultes fusaient de partout à son égard. Quel est ce vieux con?

Monsieur Alain Poher a demandé le silence, puis d'une voix autoritaire :

– *Je voudrais que Jean-Luc Lahaye se lève.*

J'avais été dénoncé.

– *Jeune homme, c'est chez moi, cette nuit, que vous êtes venu frapper. Nous avons cherché avec M. Caroff, votre directeur, le moyen de vous punir de vos exploits douteux. Nous avons trouvé. L'ancienne mairie qui va devenir une Maison pour Tous, a besoin d'un léger rafraîchissement; à compter de demain soir, et sous la surveillance d'un gardien de la paix, vous allez refaire les peintures.*

J'étais soulagé, mais vexé, à la fois.

J'ai commencé mon travail de peintre en bâtiment. Devant ma mauvaise volonté, la femme du président a préféré me renvoyer à mes petits camarades.

J'avais la voix mais pas le geste et quand je commence à bricoler, derrière moi, c'est comme après un attentat, t'as plein de trucs sur les murs.

8 mai 1974

Cet après-midi, au collège, je me suis battu. Un mec de la section « bois » qui m'a cherché. J'ai fini par lui demander s'il voulait ma photo, et devant tout le monde dans le réfectoire, il m'a jeté un verre d'eau à la figure, et moi, mon assiette de lentilles. Ça a mal tourné, il a le nez cassé, moi, j'ai juste mon jean qui est foutu.

C'est sûr, j'ai droit à un blâme, voire au conseil de discipline. Je m'en fous, moi, quand on me marche sur le pied droit, je ne tends pas le gauche. Du moins, pas où il faut. Tant que je vivrai, je me ferai respecter, quoique je fasse.

8 mai 1974

J'avais raison, conseil de discipline.

Jean-Marie est catastrophé. Ce petit con de Brossard, il ne sait pas ce qui va lui arriver. C'est pas dans le réfectoire que je vais régler mes comptes, mais dehors, comme un homme!... Dans mon domaine, moi je suis un tigre dans la rue...

13 mai 1974

Ce matin, à 10 heures, j'ai passé une demi-heure dans le bureau du directeur. Alors dans ce bureau, il y avait Jean-Marie Galopin, Mme Lambaye l'assistante sociale qui est la responsable de la DDASS d'Ivry, M. Bourrassé, le prof de français, et ce crétin de Broussard avec son père.

Tout ce joli monde m'a dévisagé comme si j'étais l'ennemi public n° 1.

Pauvre Jean-Marie, s'il avait pu se glisser sous la moquette, il l'aurait fait...

Alors d'abord le papa de ce cher Pascal Broussard m'a conseillé de ne plus jamais toucher à son fils.

Là, je lui ai carrément dit que pour cela, un de nous deux devra changer de trottoir lorsqu'il verra l'autre et c'est sûrement pas moi qui en changerai. J'ai rajouté que si, à 16 ans, il n'était pas capable d'assumer ses provocations, il ne serait jamais un homme. Là, j'ai senti que le directeur m'approuvait.

Du fond de ses yeux, j'ai vu briller une lueur d'approbation. Il a demandé au père d'éviter ce genre de réflexion, et que ce n'était pas le rôle du père de faire la loi dans le CET. Il a rajouté que Pascal Broussard n'était pas non plus un modèle de sagesse et de plus, qu'il était nul en français.

En revanche, il a tout simplement dit que j'étais le meilleur élève en français qu'il ait jamais eu dans cet établissement! Bref, j'ai un pote dans la boîte et c'est le dirlo! Il a quand même fait mine de me faire la morale, mais finalement, il est de mon côté.

Quant à Mme Lambaye elle n'a pas dit un mot. Je ne connaîtrai jamais le son de sa voix. Je m'en tire bien, mais il faudra que j'évite le scandale pendant quelque temps!

Je règlerai tout ça dehors. Jean-Marie n'en revient pas, il m'a avoué qu'il pensait qu'on me virerait séance tenante. Il faut dire que je suis étonné moi aussi...

Chapitre 23

LES JEUNES FILLES ET LEURS MÈRES

19 mai 1974

Je viens de chez Justine. On a passé l'après-midi carrément chez elle, et je lui ai fait un câlin. J'avais tellement envie d'elle. J'ai dû mettre trois heures à la déshabiller. C'était la première fois.

On a tiré les rideaux et mis un album de Polnareff. Elle m'a fait du thé, j'avais du mal à lui exprimer mes sentiments, j'étais gêné. Un moment, je me suis assis auprès d'elle et on s'est longtemps regardé dans les yeux. Polnareff chantait « Tous les bateaux, tous les oiseaux » et dans mon regard, je lui ai tout dit. Elle a compris. Moi aussi, dans son regard j'ai lu ce que je cherchais.

Elle me disait « je t'aime, mais je n'ose pas te le dire ». Ok, message reçu.

Je me sens tout bizarre, maintenant, comme si je prenais un virage dans la vie. J'ai l'impression que j'ai découvert des tas de choses, je vais maintenant devenir peu à peu un adulte. Je vais connaître, de mieux en mieux, le corps d'une femme, ses habitudes, ses secrets, c'est beau une femme, c'est sain.

C'est mieux, comme je me sens serein, je suis imprégné de son odeur, je vais la garder toute la nuit en pensant à ses lèvres...

26 juin 1974 – 13 heures

Incroyable, la maman de Justine vient de m'appeler et m'invite à boire le thé chez elle, avec sa fille. Qu'est-ce que ça cache tout ça?

Pour la circonstance je vais mettre le costume que Tonton m'a offert. Tiens, il faut que je l'appelle pour prendre des nouvelles de lui et de mon Look.

Bon, nous disons donc, costume, cheveux bien coiffés et propres, chaussures, autres que des santiags.

Mais, là, y'a un problème, je n'ai que des tennis. Je vais aller faire un tour dans les chambres désertées pour l'été, en souhaitant que je trouve chaussure à mon pied comme on dit!

26 juin – toujours – 20 heures

Journée noire. Quel ennui, cette maman! Je la plains cette pauvre Justine. Plus démodée qu'elle ça se peut pas... de toute façon, c'est fini.

Petit journal tu veux te marrer? Alors, prends note de ce qui suit et à la fin tu riras beaucoup moins, tu verras.

J'arrive à 16 heures pile, heure anglaise du thé je crois. Bien entendu, j'ai bien fait parce que tout était prêt dans le salon. Je serre la louche de madame, elle me scrute de bas en haut, sans oublier l'état de mes ongles.

Ensuite, style hypocrite, j'embrasse Justine sur les joues. Mais on n'en pense pas moins, vu la chaleur de ses joues en feu. Ensuite, madame Maman nous prie de nous asseoir pour déguster un fameux thé de Ceylan. Pur produit etc.

Je m'assois sur une chaise et mon genou cogne un pied de la table, le choc fait tomber la théière sur la table et se casse! Belle entrée en matière, je sais plus où me mettre. Justine est effondrée, la maman me jette dix tonnes de haine dans le regard et moi je m'enfonce dans la destruction.

Voulant réparer, je renverse au passage la tasse de madame, bref, c'est la panique.

Si tu vois la table, tu meurs. Un vrai chantier, dire qu'elles ont dû mettre au moins une demi-heure à la préparer. C'est la confusion, mais j'ai quand même envie de me marrer. On nettoie tout, on réinstalle.

Madame Maman me dit quand même au passage que je devrais apprendre à être un peu moins maladroit, et arrivent les questions. Mais des questions qui peuvent blesser.

Heureusement, je ne suis pas susceptible.

C'est quoi un éducateur? Prend-on des bains tous les jours? Est-ce qu'on a un matricule? A l'école est-on ensemble? etc.

Je lui dis que je suis foutu comme tout le monde et que s'il y a le moindre doute, je peux me déshabiller dans le salon. Ça les fait rire. Justine, elle sait très bien que je l'ai déjà fait, et dans la propre chambre de sa chère maman, si elle savait.

Ensuite Maman me demande de lui répondre franchement.

– *Est-ce sérieux entre ma fille et vous?*

Tiens, elle me vouvoie, ça me fait tout drôle parce que c'est la première fois que ça m'arrive. Je n'ose pas répondre et interroge Justine du regard.

La mère voyant ma gêne, répond aussitôt :

– *Ma fille m'a dit que c'était une simple amitié, et j'en suis rassurée. Vous êtes trop jeunes, tous les deux pour ce genre de chose. Je dois aussi dire que vous n'êtes pas a priori le genre de fréquentation pour ma petite. La réputation du centre dans lequel vous êtes est plutôt négative. Paraît-il que l'endroit est rempli de jeunes délinquants. Vous savez, je ne vous critique pas, mais sachez que je préférerai que vous ne sortiez plus avec Justine..?*

Je t'épargne, petit journal, la cérémonie du départ et mon chagrin; je n'oublierai jamais la route que j'ai faite à pied, des larmes plein les yeux, dans ce costume ridicule. Je n'oublierai jamais.

26 juin – toujours... 2 heures du matin

Voilà, me voici seul à nouveau. J'aimerais avoir au moins un dernier coup de téléphone de Justine.

Si ça se trouve, elle a dit ça pour calmer sa mère. Si c'était une ruse pour tromper l'ennemi, elle aurait dû me faire un clin d'œil, me faire participer à cette comédie.

Mais là, j'ai senti comme une concertation avant mon arrivée et comme elle est très influençable... Enfin, moi je déteste les situations de ce genre. Je lui demande une explication.

Mon été à Paris commence bien.

27 juin 1974 – 11 heures du matin

Je viens de téléphoner chez Justine, mais ça ne répond pas. C'est évident, elles sont parties en vacances.

Chapitre 24

A LA DÉRIVE

Roger Mille, c'est le nouvel éducateur. Jean-Marie Galopin nous l'a présenté ce matin.

Pour l'accueillir, j'ai crié :

– *Salut Mimile.*

Tonnerre de rire de mes camarades.

Roger Mille mesurait allègrement 1 m 85. Ses mains, c'étaient des rames de canoë. Le nez cassé, les yeux métalliques lui donnant un air de brute résignée.

– *Comment tu t'appelles toi, le bavard? Écoute bien et rentre cela dans ta petite tête : pour tout le monde, je suis Roger Mille, à la rigueur, on peut m'appeler Roger, mais jamais Mimile, t'as bien compris?*

Il découvre ses dents dans un large sourire.

– *Moi, je vous emmerde. Jusqu'ici, personne ne m'a donné des ordres et il n'est pas question que ça commence, encore moins avec vous. Et puis...*

Je n'ai pas eu le temps de terminer ma phrase. Le géant était sur moi et de ses grosses pattes velues, me clouait au mur. Je ne pouvais plus faire un geste. Ma respiration était courte, je sentais mon sang battre mes tempes. Il m'a tenu comme ça quelques secondes.

– *Tu veux jouer les leaders, tu sauras qu'à partir de maintenant, celui qui vous commande tous ici, c'est moi.*

Je ne savais même pas ce que voulait dire « leader ». Le directeur Carrof et Jean-Marie Galopin étaient entrés. Le type m'a lâché, avec regrets.

– *Monsieur Roger Mille, le seul patron ici, c'est moi, Vous, vous êtes responsable des pensionnaires. Jean-Marie acquiesçait. Mes copains ne bronchaient plus. Je restais donc seul.*

Le vent avait tourné, j'avais trouvé mon maître. J'ai éclaté en sanglots, de rage. La tête dans mes mains, je ne voulais plus rien.

Roger Mille s'est approché, d'un coup de hanche m'a poussé du banc pour que je lui fasse une place.

Nous étions maintenant assis côte à côte. Il a posé sa grosse main sur ma tête.

– *Allez, laisse tomber!*

Plus tard, nous avons eu le temps de parler. Roger était un ancien tolard. Sa réinsertion dans la société, il voulait la faire avec des mômes comme nous. C'est pour cela qu'il avait choisi de devenir éducateur.

Avec Jean-Marie Galopin, son chef, ça ne collait pas toujours. Il faut dire que Roger avait des méthodes répressives dignes de la mafia. Il ne discutait pas avec les intéressés, il frappait carrément.

Jean-Marie, c'était la méthode rose. Il voulait nous avoir par les sentiments. Chaque méthode a ses adeptes. Pour ma part, je n'aime pas trop les coups, mais j'avoue que c'est plus efficace.

Une fois, j'ai surpris Roger Mille, qui défonçait à coup de poings une armoire métallique. Ses mains étaient en sang. Je suis entré dans sa chambre.

– *Ça va pas Roger?*

Il s'est assis sur son lit, il pleurait.

C'étaient ses altercations continuelles avec Jean-Marie qui le mettaient dans des états comme ça.

Sa timidité lui bloquait la parole. A chaque coup de l'autre, il paniquait et sa fureur l'empêchait de répondre. C'était un type bien.

J'avais droit à la visite régulière de ma mère. Yvette passait m'embrasser au foyer, une fois par semestre. Elle s'était fait une nouvelle vie, la Yvette, depuis qu'elle habitait dans son petit appartement de Bobigny. Un jour, que je rappliquais chez elle avec ma bande de copains, elle a débouché une bouteille de mousseux.

– *A la mort d'Achour!*

Mes potes ont trouvé l'humour d'Yvette un peu douteux. Ils ne pouvaient pas comprendre.

En rentrant de chez Yvette ce jour-là, nous traînions du côté de St-Michel, sur les quais. Il y avait une messe à Notre-Dame.

Notre entrée à quelque peu surpris l'assistance. Imaginez huit adolescents en jeans et blousons cloutés. Notre sortie a été plus spectaculaire encore.

Au moment où le prêtre a fait sonner ses petites clochettes pour inviter les fidèles à se mettre à genoux, je me suis précipité dans l'allée centrale pour chanter à toute voix, « Sarah » de Johnny Hallyday. Je n'ai été applaudi, que par tous les anges qui montaient la garde sur leur piédestal.

Richard et Freddy n'ont pas voulu être de la partie. Ils préfèrent rester au dehors des sales coups. Ce n'est pas qu'ils ont la frousse. C'est une question d'état d'esprit.

J'ai enfilé des tennis et des gants de cuir, les seuls que j'avais. Le bus nous a laissés en face du centre commercial de Corbeil. Il était 22 heures et comme la cafétaria était encore ouverte, nous sommes entrés boire un café. On a fait la connaissance de types du coin qui traînaient là.

Après quelques rires et quolibets, c'est maintenant à vingt qu'on déambulait dans la zone pavillonnaire.

Nous cherchions « l'affaire ».

Enfin, nous l'avons trouvée dans une petite rue qui porte le nom d'un moraliste bien connu; La Fontaine.

La fenêtre du premier étage était ouverte. Il fallait quelqu'un d'agile pour escalader jusqu'au balcon. J'ai été choisi. Et m'accrochant après la gouttière, j'ai réussi à atteindre la fenêtre. A ma grande surprise, j'ai vu que j'étais tombé dans la chambre des propriétaires, ils dormaient à poings fermés. J'ai eu tout à coup, l'envie de faire une blague. J'ai traversé la chambre sur la pointe de mes tennis. J'ai descendu l'escalier. En ouvrant la porte d'entrée :

– *Allez-y les mecs, servez-vous, il n'y a personne!*

Et, du trottoir, toujours prêt à m'enfuir, j'ai attendu la fin du mélodrame.

Lumière, branle-bas de combat, confusion.

J'étais un salaud quand même.

Le propriétaire a quand même réussi à prendre un otage. Pas un de chez nous, heureusement.

Pour rentrer à « la maison », nous avons volé 5 voitures qui ont fini systématiquement dans le fossé. C'est con, mais c'est comme ça.

A LA DÉRIVE

Mon second brigandage, un hold-up. C'est Dominique Trumtel qui l'a mis sur pied. Il faut dire que Dominique était une tête pensante. C'est le seul dans tout le foyer qui avait réussi à tenir Roger Mille en échec. Le coup était facile. Dominique travaillait comme ajusteur pour le compte d'une société d'intérim de Créteil. Chaque vendredi, une voiture de transfert de fonds, apportait la paye des ouvriers. Avec une DS volée, nous avons roulé en arrière dans le sens interdit, jusqu'à une vingtaine de mètres de la boutique d'intérim, de façon à pouvoir bloquer la voiture qui transportait l'argent. Dominique a sorti son fusil à canon scié de son sac Addidas et m'a jeté un passe montagne sur les genoux.

17 h – rien.

17 h 15 – rien – je me demande ce que je fais là?

17 h 30 – rien – j'ai envie de foutre le camp.

18 h 15 – nous décidons de quitter les lieux. Ouf!!!

C'est fini. Je savais que je n'étais pas fait pour ce genre de truc. Il faut que j'oublie. Nous n'avons pas fait 20 mètres, qu'au bout de la rue, s'engage la 4 L rouge que je ne souhaitais plus le moins du monde.

– *Allez, on y va!* me dit Dominique.

Il passe la marche arrière. Dans sa précipitation il n'a pas vu qu'une voiture était sortie de sa place de stationnement. C'est dans un grand bruit de klaxon et de ferraille que nous nous retrouvons bloqués au milieu de l'impasse.

J'ai ouvert la portière et j'ai pris mes jambes à mon cou, invitant Dominique à en faire autant. J'ai couru, couru le plus vite possible pour me faire oublier. La poitrine me brûlait.

Le soir, c'est tout sourire que j'ai retrouvé mon

camarade, au moment du dîner. Je n'y croyais plus du tout, et les explications qu'il m'a données cette fois-là, me laissent encore sceptique.

– *Quand tu t'es enfui, je suis sorti avec mon fusil en braquant l'imbécile qui nous avait heurtés avec sa bagnole. Devant l'attroupement j'ai arrêté une voiture qui passait, j'ai fait monter mon prisonnier et nous sommes partis en direction d'une gare. Près des berges de la Seine, j'ai fait descendre mes deux zonars, je leurs ai demandé de m'oublier définitivement, j'ai jeté mon fusil dans l'eau et me suis perdu dans la foule.*

Nous avons décidé, de cesser notre association. Ça tombait bien, puisque les vacances arrivaient et que je repartais pour la troisième fois à l'Arbousier.

Mon séjour a été très court. J'avais 15 ans, les filles étaient belles, je fumais un paquet de clopes par jour. Tout va allait trop bien.

Une nuit j'organise un vidage chez les filles. Matelas, valises, tout est renversé. Ce ne sont que des cris et des pincements de fesses. Je ne sais pas comment je m'y suis pris, j'ai voulu enfoncer l'ouverture d'un marabout, le tiroir résistait, j'ai forcé de tout mon poids et la toile s'est complètement déchirée.

A onze heures, le lendemain matin, devant le réfectoire, le Père Du Plessis a réuni les deux-cents mômes.

Après un petit discours qui traitait des vacances, il en est venu à parler de mon exploit de la nuit.

– *Jean-Luc a organisé une opération de vidage chez les filles. Pour terminer, il a détérioré le matériel que nous avons eu tant de mal à fabriquer. Comme punition, j'ai décidé qu'il partirait cet après-midi en Espagne, au couvent chez les Sœurs qui lui ont fait de si bons yaourts l'année passée.*

La totalité des filles et une partie des garçons ont applaudi.

J'étais vexé au plus haut point. Je suis allé dans ma tente, j'ai détaché d'un magazine *Lui* la photo du milieu et j'ai déposé la fille nue sur le lit de camp du père. Il m'a très vite retrouvé.

– *Écoute Jean-Luc, je ne veux pas comprendre ta démarche. Le magazine « Lui » je le lis tous les mois. Les filles sont très belles, j'en ferais bien mes dimanches. Mais vois-tu je préfère passer mes loisirs à m'occuper de garçons comme toi. Avec ce que tu viens de faire, c'en est trop. Tu n'iras pas en Espagne. Je te dépose tout à l'heure à la gare de Facture. Tu y prendras le premier train pour Paris.*

Je n'étais pas gai. Je perdais beaucoup en partant. Je me déchirais. A la gare de Facture, le Père m'a remis mon billet pour Paris et m'a laissé là, seul, sur le quai. Je n'ai pas pu retenir mes larmes en attendant le train de nuit.

Plus tard, quand je l'ai revu, il m'a avoué que ce jour-là, il n'était pas vraiment parti. Il guettait mon départ.

– *Ce sont tes larmes Jean-Luc qui t'ont sauvé!*

Vous auriez pu venir me rechercher Père Du Plessis.

En septembre, tout avait retrouvé sa place. Renvoyé du lycée d'Ivry, Jean-Marie m'avait inscrit à la FPA du quartier St-Paul à Paris. J'ai tenu jusqu'en février 1975. Caroff m'a convoqué dans son bureau :

– *Je ne sais plus, je ne comprends plus. Mais que va-t'on faire de toi?*

J'ai traîné ma peau jusqu'à l'été. Ma seule occupation, en dehors de repeindre le R.C. du foyer, a été de suivre des cours d'aide moniteur avec le Père Du Plessis à Issy-les-Moulineaux. Je suis reparti avec mes galons pour deux mois à l'Arbousier. Je voulais faire amende honorable.

Je faisais partie des anciens maintenant. J'étais respecté et envié, un mec quoi!!! Je n'abusais pas de mes prérogatives. Les filles venaient dormir avec moi, tout naturellement. La dernière cigarette est toujours la meilleure. Et, cet été 75 devait voir l'Arbousier fermer ses portes.

Le bail conclu, entre la municipalité et le Père Du Plessis était verbal. Il devait durer dix-huit ans. Tope là! Malheureusement, la politique l'emporte systématiquement sur la justice. La bonne cause est toujours du côté du plus fort. Nous avons dû céder la place à des promoteurs. J'y suis revenu il y a quelques mois. J'avais un concert du côté de Bordeaux. D'affreuses maisons, sans vie, avaient remplacé notre campement.

Je me suis baissé pour ramasser quatre arbousiers. A mon retour en Vendée, je les ai replantés dans le parc. Lorsque je viens passer un week-end dans notre maison de campagne, je les regarde grandir, ils sont la flamme qui a éclairé une partie de ma vie.

Septembre 1975

C'est peut-être ma chance. Tonton Louis a parlé de moi à un Corse comme lui, qui s'occupe d'un groupe de rock. C'est Laurent Dumm, impresario de son métier.

Pour un producteur, il cherche un jeune chanteur. La chanson à interpréter s'appelle : « On a tellement besoin d'amour ». Une nullité sans nom. Mais il faut bien commencer par quelque chose. J'ai eu la cassette et depuis deux jours je n'arrête pas de la chanter. Au foyer, c'est l'euphorie.

A LA DÉRIVE

Je clame à qui veut l'entendre que je vais enregistrer un disque. Que ma carrière a démarré, que c'est normal, c'est mon tour. « Je m'voyais déjà! »

Tonton est venu me prendre au château. Il déballe devant moi un costume trois pièces.

– Tiens, mets ça – c'est sûrement mieux que tes jeans!

J'ai peur d'être ridicule dans ces vêtements, mais puisqu'il insiste. Il ne faut surtout pas le contrarier un pareil jour.

Dans la voiture qui nous mène au studio, je répète encore avec la cassette. Jean-Marie qui nous accompagne est très ému. Nous arrivons avenue Hoche, Studios Barclay.

Tonton fait l'accolade à son collègue Laurent Dumm. Ça m'a choqué.

Plus tard je saurai que c'est la tradition chez les Corses, un peu comme dans le show-biz, sauf qu'on y embrasse aussi ses ennemis, sans le savoir.

Dans le studio, il y a au moins trente personnes qui attendent pour passer l'audition. J'ai un passe-droit, mais pas l'exclusivité.

Laurent me présente l'ingénieur du son, puis m'introduit dans la cabine voix. Je place le casque sur mes oreilles et j'attends la musique.

Au bout de deux passages, je dis à l'ingénieur du son que c'est O.K. pour moi. J'vais me la mettre en boîte en une seule fois; complètement gagnée cette audition. La machine se met en route.

C'est une catastrophe, je n'ai jamais aussi chanté faux de ma vie. C'est la débandade, le retrait des troupes. Tonton est sorti sur le trottoir prier la Madone, mais ce jour-là, elle devait être en congé.

Laurent fait les cent pas dans le studio. Jean-Marie

voudrait comprendre. Tout le mal vient du trac qui me bouffe l'estomac.

Je sais que je peux merveilleusement bien la chanter cette rengaine. C'est même un jeu d'enfant pour moi. C'est le couac, le bide, la fin du monde. Dans le silence du retour, Jean-Marie me dit :

– *T'es pas fait pour ça.*

Je me suis jeté sur mon lit après avoir déchiré tous les posters collés au mur de ma chambre. J'aurais voulu mourir. J'étais brisé.

C'était l'écroulement de toute une vie. Une vie qui ne voulait plus rien dire. Pendant des années je m'étais battu contre le monde, j'en porte encore les cicatrices. Jamais je ne m'étais mesuré avec les gens du show-biz.

D'un seul coup, on m'avait coupé les ailes.

Chapitre 25

VILLENEUVE-SAINT-GEORGES (novembre 1975)

Je ne peux plus aller à l'école. Je n'ai pas mon CAP d'ajusteur. J'ai été renvoyé de la FPA pour une simple bagarre. Et je n'ai pas de boulot. La musique...

Le directeur M. Caroff m'annonce qu'il va falloir que je quitte ma chambre pour la laisser à un nouveau, qui travaille pour lui.

Je dois de ce fait réintégrer le dortoir. Comme je lui fais comprendre que je ne le souhaite pas, il se lève, quitte son bureau :

– *Je m'en charge*, me dit-il.

Je le suis à travers les couloirs et les escaliers. Il pénètre dans ma chambre et se met en devoir de ranger mes disques dans une caisse. Je ne sais pas ce qui m'a pris, je l'ai saisi par sa cravate et je l'ai sorti de la pièce.

– *Jamais, vous m'entendez, jamais!*

Le lendemain, j'étais dehors, avec mes paquets. Une fois de plus, je me retrouvais sur la route. Mais cette fois-ci, j'étais seul et sans ressources. Je me dirigeai vers la gare, quand la 2 CV de Jean-Marie s'est arrêtée à ma hauteur. C'est fou ce qu'elle m'a marqué cette bagnole!

– *Monte!*

Ça m'a fait du bien tout à coup. Nous sommes rentrés dans un café et nous avons parlé.

– *Il n'est plus possible pour toi de revenir au foyer maintenant. J'espère que tu comprends. Avec Antoinette on t'aime bien, tu sais. Nous pensons qu'il suffit de peu de chose pour que tu t'en sortes. J'ai un ami qui dirige un centre, rue de Tolbiac. Tu vas y dormir en attendant que je trouve une solution. D'accord?*

Jean-Marie m'a glissé cent francs dans la main. J'avais de la flotte dans les yeux.

Le foyer de la rue de Tolbiac, n'avait rien à voir avec ce que je venais de quitter. C'était un centre qui recevait des anciens détenus et qui les guidait pour une réinsertion.

Je partageais ma chambre avec quatre drogués, qui se piquaient en écoutant de la musique classique.

Drôle d'ambiance. J'ai préféré m'enfuir de l'endroit pour l'après-midi. Je suis rentré dans un cinéma. « Le Vezelay ». Il jouait un vieux film « Le Clan des Siciliens ». Nous étions deux spectateurs dans la salle. Mais, de voir ce film noir, ça m'avait remonté le moral.

Jean-Marie m'a pris avec mes valises et paquets le lendemain à 9 heures précises. Je suis parti sans payer. Dans sa vieille 2 CV, j'ai retrouvé Yvan Georges, Caroff l'avait viré. C'était la semaine de grande lessive. Caroff lave plus blanc. Il avait un job chez Fernand Nathan, lui.

L'idée de Jean-Marie avait été de nous louer un studio dans le quartier Triage de Villeneuve-Saint-Georges. C'était un coin infernal. Le bruit des wagons qu'on accroche et qu'on décroche, envahissait la nuit.

VILLENEUVE–SAINT-GEORGES

Sous une autre forme, on retrouvait l'ambiance des communes des abords d'Orly. Une immense passerelle de 1300 m enjambait les centaines de voies. L'immeuble était petit. Notre chambre, à l'échelle, c'est-à-dire très petite. Une kitchenette, 2 lits superposés et les valises. Le propriétaire se nommait M. Bretagne.

Notre sauveur m'avait même fait embaucher comme manutentionnaire aux compteurs de Montrouge.

C'était une nouvelle histoire qui commençait. Après nous être lamentés sur notre sort, avec Yvan, il a fallu s'organiser.

Le matin, je devais me lever à 5 heures. Le pauvre Yvan se levait en même temps que moi, pour partager mon petit déjeuner et mon grand désespoir.

Le car de 5 h 45 m'emmenait jusqu'à Paris, où le train me déposait à Montrouge. L'embauche se faisait à 6 h 30. Pour moi, c'était de bonne heure.

Toute la journée, du haut de mon transpalette, je baladais les pièces d'un atelier à un autre. Le soir, je pointais, reprenais mes transports dans l'autre sens. A 17 heures, j'étais devant le juke box du café en bas du studio. Pour 1 franc, je pouvais écouter « L'été Indien » – « Le chanteur malheureux » – « Il voyage en solitaire ». Je noircissais mon cahier de chansons et c'était l'euphorie face à ma solitude.

Le paquet de fringues déposé devant la porte ne fait aucun doute, Dominique Truntel vient s'installer à la maison. Le petit, rond et boutonneux Dominique a dû se faire virer du foyer.

J'avais encore dans la tête notre dernière prouesse : « le hold up » raté de Créteil.

Yvan et moi n'étions guère satisfaits de partager notre chambre avec ce fantaisiste dangereux.

– *Salut! J'ai pensé que cela vous ferait plaisir de m'héberger.*

On ne pouvait pas lui refuser l'hospitalité à lui, le petit frère de la DDASS. Il n'était pas question de dormir à trois sur deux lits superposés, Dominique a pris ses quartiers sur la moquette. Nous étions terriblement à l'étroit.

Après avoir avalé notre éternel steak tartare, nous avons échangé des propos sans importance.

Dominique a sorti d'une chemise à sangle une dizaine de feuilles émanant directement de la Préfecture de Paris. C'était son dossier secret, qui lui permettrait de faire sa fortune plus tard.

En fait, il travaillait à la Préfecture, comme coursier et très occasionnellement comme garçon de bureau. Quand il a su combien me payaient les « Compteurs de Montrouge », il a sauté au plafond.

– *Mais c'est de l'exploitation, de l'escroquerie, c'est inconcevable. Jean-Luc, il faut faire quelque chose.*

C'est encore plein de ses réflexions que je me suis endormi.

Le réveil a sonné à 5 heures comme d'habitude. A ma grande surprise, Dominique s'est levé pour déjeuner avec nous.

– *Je t'accompagne à ton boulot*, me dit Dominique.

Il avait revêtu son plus beau costume-cravate pour la circonstance, je le trouvai original, mais enfin.

Devant la porte de l'usine, je m'arrête pour lui serrer la main.

– *Non, non, je rentre avec toi, je veux connaître tes conditions de travail.*

– *Dominique, tu ne peux pas rentrer, c'est interdit, tu veux me faire virer, ou quoi?*

– *Bon d'accord!*

Après avoir pointé et salué quelques collègues, je retrouve mon transpalette rouge. Cela ne m'empêche pas malgré tout, de chanter et d'entendre le chef d'équipe dire à l'adresse des autres :

– *Écoutez la cornemuse les gars, elle recommence.*

Mon travail consiste à prendre les pièces de l'atelier des finitions pour les déposer au contrôle. Au bout de l'allée, au bas de l'escalier, Dominique Truntel s'avance vers moi en me faisant de grands signes. Il est accompagné des membres de la direction au complet. Il y a là, le directeur du département, l'ingénieur en chef, le directeur financier, et le chef comptable.

– *Messieurs voilà, l'intéressé. Jean-Luc Lahaye est passé à mon bureau avant-hier. Nous avons examiné ensemble sa feuille de paye. Comme je vous l'ai déjà dit, c'est une honte. Il est payé au-dessous du montant légal. Vous êtes en infraction. Vous allez recevoir une convocation pour vous présenter au tribunal des Prud'hommes. Je vous invite expréssement à vous y présenter. Sans quoi, je serai obligé de fermer l'usine.*

J'en suis encore abasourdi. Je ne sais plus quelle attitude adopter. Mon chef lui même n'ose plus parler. Dominique est reparti avec ses gens.

A midi, au réfectoire, self-service, je retrouve quelques copains que je me suis fais sur place. Nous parlons de nos chanteurs préférés : Polnaref, Julien Clerc, Cloclo. Mais mon esprit est ailleurs.

Malheur, revoilà Trumtel, le damné, qui fait irruption dans la cantine. Il monte sur une chaise en cognant une fourchette sur une bouteille pour demander le silence.

– *Mesdames, Messieurs, vous êtes exploités! J'ai contrôlé la feuille de paye appartenant à l'un de vos collègues, M. Lahaye. C'est une honte.* Tous les regards convergent vers moi. Je suis géné au maximum. *Vous êtes largement au-dessous du pouvoir d'achat. Vos conditions de travail, parlons-en. Économie de chauffage dans les bureaux et ateliers, mauvaise insonorisation des ateliers lourds. La cantine n'est pas à la portée des petites bourses et la nourriture est déplorable. Il faut faire une action, pour pousser à la direction à vous donner plus, car vous méritez plus.*

Comme à chaque fois dans ce genre de manifestation sur le tas, ce sont toujours les grandes gueules qui l'emportent. Les ouvriers ont suivi mon copain, une grève a été déclenchée. L'usine était en folie.

J'étais furieux. De quoi se mêlait-il, merde! J'avais une place tranquille. Je me refaisais une santé et à cause de ses conneries, je me retrouvai sur le pavé.

J'ai pris mes affaires et je suis parti, sans même pointer.

Sur le chemin du retour, je ruminais ma vengeance. Au café, en bas de l'immeuble, j'ai retrouvé Yvan. Je lui ai tout raconté.

Vers 7 heures, Truntel est entré. Sans lui parler, je lui ai balancé un coup de poing qui lui a écrasé le nez. Le sang commençait à couler sur sa chemise. Ce sont Yvan et le patron qui nous ont séparés.

– *Mais Jean-Luc, tu n'as rien compris, c'est pour toi que j'ai fait tout ça. Par amitié.*

Il avait créé le doute en moi. Je ne savais plus.

– *Retourne à ton travail demain, tu verras, tout sera comme avant. Seulement, ils méritaient une leçon, ces salauds.*

Nous avons trinqué tous ensemble, puis nous avons rejoint notre campement. Vers 22 heures, alors que nous dégustions notre steak haché froid, on cogne à la porte.

– *Ouvrez-Police!*

Les types sont entrés et sans regarder une autre personne que Dominique, ont embarqué notre lascar.

Il n'avait pas de pot notre camarade. Il était majeur depuis deux mois. Ils l'ont gardé deux jours. Yvan restait donc le seul, à pouvoir faire « bouillir la marmitte ».

Je passais mes journées au club de karaté.

Le Réveillon de Noël est arrivé. Nous étions seuls tous les trois, oubliés du monde. Nous avons fait l'inventaire de la tirelire « 3 000 francs ». Cela suffisait amplement pour faire la fête. On s'est gominés, parfumés et retrouvés du côté de la mairie.

Le restaurant annonçait un menu complet pour 150 francs par personne. Ce n'était pas la foule. Nous avons allumé les feux au champagne. Pour le reste, j'ai oublié.

En quittant le restaurant vers 2 heures du matin, Dominique nous a proposé d'aller finir la fête chez ses parents à la Garenne-Colombes. Malgré la nuit de la nativité, nous avons trouvé un taxi qui nous a laissé porte du petit pavillon.

Au lieu de tirer la sonnette, Dominique a jeté un pavé dans la fenêtre de la salle à manger. C'est tout le quartier qui s'est mis aux fenêtres. Son père a ouvert la porte d'entrée. En reconnaissant son fils :

– *Espèce de petit voyou...*

Les parents quand ils s'y mettent, c'est pas la peine de les raisonner. Il n'a eu que le temps de baisser la tête, un deuxième pavé venait de faire sauter la fenêtre de la cuisine.

Alors, toute la famille est sortie comme après un bombardement. Il avait raison Truntel, c'étaient vraiment des pochards. Nous restions à l'écart avec Yvan. Dominique s'est enfui, suivi par toute la smala qui n'appréciait pas du tout sa rentrée au bercail.

Profitant de l'accalmie, nous sommes entrés dans la maison avec Yvan. Nous avons vengé notre copain de ses misères. La salle à manger est passée par la fenêtre. Nous avons pris soin d'emballer la bûche de Noël et nous sommes ressortis pour voir où en était notre ami dans son conflit familial.

Nous étions rudement contents le lendemain de nous retrouver tous les trois, dans notre petite chambre. Nous n'étions pas reluisants de santé.

– *Habillez-vous en dimanche, je vous emmène manger la dinde chez ma mère.*

Yvette habite au 11e étage d'une tour. Les HLM de Stains sont propres, à part les milliards de graffiti qui décorent les couloirs, mais l'environnement est d'une tristesse, la zone...

Yvette n'était pas là. Nous avons décidé de l'attendre. Dominique a sorti un couteau pour graver des insanités sur les murs. Une porte s'est ouverte sur une grosse bonne femme :

– *Albert viens voir, y a les petits cons qui foutent la merde depuis quinze jours dans l'immeuble.*

C'est une dizaine de personnes qui est sortie avec Albert. Yvette était de la partie. Elle n'avait pas dû avoir sa piqûre, car pour ce jour-là, je n'ai pas eu droit à « Mon Jean ».

– *Laissez, Mme Pépin, c'est mon fils Jean-Luc.*

Nous avons réussi à nous faire inviter par la famille Pépin. Leur fille Laurence était très belle. Elle m'a raccompagné jusqu'à l'ascenseur et je l'ai embrassée. Je crois, qu'une fois de plus une fille m'avait pris la tête. Nous nous sommes promis de nous revoir le lendemain.

Yvette était de nouveau en ménage. L'homme de sa vie, c'était Rubin, un dépressif profond au physique assez indéfinissable, du genre Ovni, mais brave mec. Elle vit toujours avec d'ailleurs.

Ce lendemain de fêtes, alors que tous les gens étaient à l'eau Perrier et à l'Alkaselzer, je me suis présenté à une annonce, à la gare de Lyon.

Nous étions une trentaine, 20 Maghrébins, 9 Africains, 1 Français. J'avais besoin de travailler absolument si je voulais épouser Laurence. Le chef m'a remis un bâton et un seau. L'extrémité pointue du bâton permettait de piquer les papiers gras, entre les rails, à l'intérieur de la gare. Je n'oubliais pas que j'avais donné rendez-vous à Laurence, ici à midi. A vrai dire, j'avais honte qu'elle me surprenne dans cette tenue.

Midi, le chef nous disperse en nous rappelant que nous reprenons dans trente minutes. Je n'ai pas le temps de me défaire de mon outillage sophistiqué. Laurence est arrivée et m'a sauté au cou.

– *Euh, oui.. je suis leur chef, et comme ils ne comprennent rien, je dois tout leur montrer.*

Elle était ravissante Laurence, dans son jean serré et blouson rouge baiser. Je n'ai pas repris mon travail. J'ai préféré m'enfuir en emportant mon brin de soleil.

Nous avons marché. A Notre-Dame, nous avons parlé ensemble. Nous nous sommes juré fidélité sur le pont Saint-Michel.

L'appartement était vide, ses parents travaillaient et nous étions seuls. Elle s'est déshabillée. Je lui ai fait l'amour sur le canapé du salon. Nous étions deux enfants, étourdis de bonheur.

Quand elle m'a confié qu'elle rêvait de posséder une moto, je n'ai pu résister.

– *J'en ai une, elle est en réparation chez Honda, dans mon bled par chez moi. Tiens, demain, je passe te prendre pour faire un tour.*

Laurence était folle de joie. Que n'avais-je pas inventé là. Le seul engin à moteur que je pouvais lui montrer, était un vélomoteur trafiqué... Enfin!!

Toute la nuit, j'ai cherché le moyen de me procurer une moto pour emmener ma fiancée à la campagne.

Je me suis présenté chez Honda. Sur le trottoir, on pouvait admirer une douzaine de motos, plus féroces les unes que les autres. Celle qui me plaisait c'était la noire, la plus grosse du lot.

– *Dites-moi, je peux essayer la 750. Cela m'intéresse, éventuellement.*

Le mécano s'est approché.

– *Avec l'assurance, on ne peut pas vous laisser seul, par contre, je peux vous la faire essayer.*

Il a enfilé une combinaison de cuir, m'a tendu un casque. Le bruit du moteur me chatouillait jusqu'à la moelle épinière. Bien sûr, que j'en rêvais de cette monture. Elle était l'image même de la force, de la beauté racée. Sensuelle comme une femme qui rêve de vivre dans un bordel de luxe. J'ai enfourché l'animal à mon tour. La bête a démarré comme une panthère qui en fini avec sa proie. L'homme maîtrisait parfaitement sa moto. Je savais pour en avoir discuté avec pas mal de types, comment fonctionnait la machine. Nous avons roulé jusqu'à épuisement du numéro. Pour le remercier, j'ai crié que je lui offrais un pot. Il a garé la moto près du café.

– *Vite fait, parce que mon patron m'attend.*

J'ai commandé deux cafés et je me suis absenté aux toilettes. En revenant, près du bar, c'est lui qui s'est absenté à son tour.

C'était l'occasion ou jamais. Le moteur tournait encore. J'ai eu quelques difficultés pour trouver les vitesses, mais quelle sensation. Le froid me mordait les doigts.

Laurence n'en revenait pas.

– *Elle est vraiment à toi?*

– *Mais oui, puisque je te le dis.*

Elle en aurait pleuré la petite.

– *Allez, monte.*

Le problème c'est qu'elle n'avait pas de casque. Je lui ai donné le mien. La possession est un sentiment charnel. Laurence était collée à moi, nous ne faisions plus qu'un. Nous vivions au même rythme, au même battement de cœur. Notre cœur, c'était cette machine qui filait à 160 km/h.

La symphonie s'est achevée vers 19 heures, quand j'ai reconduit Laurence à son domicile. J'étais ivre de sensations nouvelles. J'ai attendu qu'il fasse très nuit pour ramener la moto chez le concessionnaire. Sur un petit morceau de papier, j'ai griffonné « Merci pour la balade ».

Je suis rentré à pied, avec le cœur léger d'un enfant qui vient de recevoir les résultats de ses examens, quand il a réussi.

J'ai un rendez-vous tout à l'heure avec Laurence. Avec elle, je me caresse la vie.

Avant, j'avais le cœur côté jardin, seulement je vivais sur la cour. Aujourd'hui, je pose mes valises. Si je continue, je vais croire en l'homme, cette ordure.

J'embrasse Laurence sur ses deux joues. Elle sourit, sachant pertinemment que j'attends d'être dans l'ascenseur pour la prendre dans mes bras.

C'est vrai, entre le 11e étage et le rez-de-chaussée j'entame une procédure de viol autorisé. Si une mémée au troisième ne nous avait pas dérangés, je consommais sur place.

A cinquante mètres, environ, je remarque un attroupement d'une vingtaine de petits et moyens loubards, du style « je suis bronzé, mais je ne reviens pas de vacances ». Laurence a senti le danger et me serre un peu plus fort la main. Il n'est pas question qu'on fasse demi-tour. A leur hauteur j'entends :

– *Visez les mecs, deux gonzesses qui s'tiennent en amoureux.*

En vérité, je ne sais pas trop quoi faire. Partir en courant, je passe pour un con aux yeux de Laurence. Il n'est pas dit non plus qu'ils ne pourront pas nous rattraper. Je vais donc jouer les héros sacrifiés, à 1 contre 20.

– *Hé les mecs, c'est un riche, visez le blouson.*

Le type s'approche et tente de m'arrêter en me tirant par la manche. Laurence s'écarte. Je me dégage en envoyant un coup de genou dans les côtes du franc-tireur. Pour la suite, je reste aux abonnés absents.

Il faut dire qu'ils s'acharnent les loulous. Les coups pleuvent de partout. Je n'ai pas encore mal, parce que je n'ai pas vu ma tête. Sans ça, je meurs de peur.

Laurence a réussi à prévenir ses parents, qui aussitôt ont appellé les flics. Tous se sont envolés comme des moineaux. Je suis là, soutenu par ma petite copine, un goût de sang dans la bouche. Ils m'ont bien arrangé, les vaches, mais ils n'ont pas eu mon blouson.

La vengeance est un plat qui se mange quand on peut. Je reviendrai, mais pas seul.

Ce soir, c'est la fête. En attendant, Laurence et moi, nous nous promenons vers Notre-Dame. C'est un peu notre quartier.

Nous nous rapprochons d'un groupe de garçons et filles. Avec eux, un drôle d'homme d'une cinquantaine d'années, les cheveux blancs tombant sur ses épaules et le plus étrange, se sont les bagues qu'il porte à chaque doigt. Cet homme qui harangue la foule, sur la complainte de « Mai 68 » c'est le baron de Lyma.

Les jeunes qui l'entourent rient de ses propos démodés. Je m'approche du mage. Son regard est transparent, un peu comme celui d'Yvette.

– *Monsieur, c'est quoi, en vrai Mai 68?*

C'est lui, le baron de Lyma, qui a introduit en France le courant Hippy– baba-cool. Il nous entraîne à l'écart, et nous propose de boire un thé bien chaud au café d'en face ravi d'avoir trouvé deux interlocuteurs qui s'intéressent à ses propos.

A travers ces discours, nous apprenons qu'il a hébergé chez lui, quantité d'artistes connus, Polnareff par exemple. Il nous refait le monde à sa mesure. C'est passionnant et comique à la fois. On voudrait y croire. Il est sympa le baron, mais un peu allumé quand même.

Il nous invite a fêter l'année nouvelle avec lui. Pourquoi pas? Laurence téléphone à sa mère pour lui dire qu'elle restera chez mes amis, qu'elle ne s'inquiète surtout pas et elle raccroche bien vite, avant d'avoir à donner de plus amples explications.

Le baron est connu partout, et c'est avec lui que nous faisons la tournée des grands ducs. Toutes les boîtes du quartier latin vont y passer. Le mage distille la bonne parole. Vers trois heures du matin, fatigués de la foule, nous réintégrons l'antre du monstre.

C'est à voir, un véritable musée de la dernière révolution. Partout des vestiges du temps des pavés de Saint-Germain. Un casque et un bouclier de CRS sont accrochés au mur du salon. Une merveilleuse bicyclette chromée barre le passage qui mène à la cuisine. Une collection de pipes en écume de mer se noie dans les plaques émaillées publicitaires du début du siècle.

C'est lui, le baron de Lyma qui va me donner le goût

et la passion pour ces maudites publicités de métal.

Il m'arrive encore aujourd'hui de « chiner » aux Puces avec lui. Il n'a pas changé.

Nous nous couchons enfin. Laurence s'est blottie dans mes bras. Je la caresse longuement. Nos ventres se réchauffent. La pendule, sur la cheminée s'est arrêtée.

J'ai téléphoné au Père Du Plessis. Il faut qu'il me trouve un job, c'est vital.

– *Retéléphone-moi demain, me dit-il.*

C'est bon, je commence mercredi comme ajusteur-fraiseur à la CRMA. Le Père y travaille depuis pas mal de temps comme tourneur. Mon salaire est fixée à 2 300 francs par mois. C'est pas mal.

L'atelier est tout en longueur, je suis à un bout, le Père Du Plessis à l'autre. Nous nous retrouvons quand même le midi pour déjeuner au foyer des jeunes travailleurs. C'est d'ailleurs là, que le père a sa chambre. D'emblée, j'ai une antipathie pour le chef d'atelier. C'est un gros rougeaud, qui a gagné ses galons à l'ancienneté. Alors, pour ne pas perdre sa place, il fait chier tout le monde.

Ça fait déjà un mois que je travaille là. J'entends des éclats de voix qui viennent du bout de l'atelier.

Quelques collègues arrêtent leur machine et se dirigent vers le fond, je les suis. Plus je m'approche, et plus je reconnais la voix du Père Du Plessis en colère. Je me retrouve bientôt au centre du problème. Le Père Du Plessis a suspendu le chef d'atelier par sa grosse ceinture à une poulie. Le gros rougeaud bat des jambes à 2 mètres du sol.

– *Alors, tu vas t'excuser, dis? Ou bien préfères-tu que je te fasse exploser comme une baudruche?*

Et le Père Du Plessis balade sur le visage du supplicié, une soufflette à air comprimé.

J'apprends que le gros, une fois de plus, est venu narguer mon ami, en lui disant que de son temps, les prêtres respectaient la soutane, qu'ils n'étaient pas communistes, etc... Le Père a été renvoyé sur le champ, j'en ai profité pour lui montrer ma solidarité.

– *Non, Jean-Luc, c'est stupide, tu n'aurais pas dû faire ça. Quand on a une place on la garde.*

Le Père a pu se faire embaucher au service du tri de la poste de Clamart. Moi, j'ai repris contact avec Jean-Marie Galopin.

– *Jean-Luc, je peux te faire embaucher par l'un de mes amis, M. Roccia. Il possède une petite usine de fabrication de boutons. C'est la dernière fois que je te fais la courte échelle. Le mieux, serait que tu fasses un gros effort.*

J'ai été pris en qualité d'ajusteur-mécanicien à l'usine des Établissements Boeglin à Ris-Orangis.

M. Roccia est le sosie craché de Serge Reggiani. Je n'ose pas lui demander une chanson. C'est un bonhomme sympathique. Jean-Marie lui a raconté mes états d'âme. Je crois qu'il a compris.

Son fils travaille également dans l'usine. Plusieurs fois, il m'invite à déjeuner chez lui. J'apprends à connaître sa famille.

L'usine est située dans une zone très calme, trop à mon gré. Seul avantage, la maison de retraite des artistes, qui se trouve à proximité. Je fais souvent le trajet, le midi, pour parler avec les anciens du spectacle. Ils sont ravis de ma visite. Ils me considèrent un peu comme leur fils et me font des confidences. Je les remercie en leur apportant des gâteaux au chocolat. J'adore le chocolat...

CENT FAMILLES

Mon entraînement de karaté est intense. Trois fois par semaine je me rends à la salle, mon effort sera couronné en mai 1976, quand je passerai ceinture marron.

Notre équipe marche très bien également, puisqu'au championnat de France à Coubertin, nous monterons sur le podium.

C'est à peu près à cette période, qu'on parle beaucoup des nouvelles agressions dans le métro. Des voyous attaquent les gens, quels qu'ils soient, pour les voler. Nous décidons, au club, de créer une milice de défense. En survêtement et tennis, pendant plusieurs semaines, nous allons arpenter les couloirs du métropolitain. En vain, jamais nous ne serons attaqués et c'est bien dommage.

J'avais mis mon agressivité au service des redresseurs de torts. J'étais le Zorro des opprimés des sous-sols. Je traquais les sauvages de la jungle souterraine. C'est dingue comme l'instinct peut changer aussi vite que le temps, quand soudain nous avons quelque chose à défendre.

Chapitre 26

LA PRISON
15 mai 1976

Pour donner de l'attrait à la prison,
il faudrait qu'elle ne fut point gratuite.
Pierre Mac Orlan.

Il fait très chaud à 17 heures ce vendredi. Les copains sont tous là, réunis autour du juke-box.

Gérard sirote un diabolo-menthe. Laurence, assise sur un tabouret du bar, le dos au comptoir, joue avec la fermeture Éclair de son blouson et me jette des clins d'œil prometteurs.

– Si on partait en stop, faire un tour jusqu'au Tréport? Laurence y est allée l'année passée, il paraît que c'est super. Hein Laurence?

– En stop c'est chiant! On n'est jamais sûr d'arriver et encore moins de revenir.

– Et alors! On n'est pas pressé. Moi je suis d'accord j'y vais Jean-Luc.

Les avis sont très partagés. Nous ne partirons qu'à cinq, en fin de compte.

Les affaires de tous, sont entassées dans un sac de sport, inutile de s'encombrer.

L'attente commence à l'entrée du tunnel de Saint-

Cloud, il doit être 19 heures. Laurence est à mes côtés, les autres sont éparpillés sur l'autoroute. Le soleil s'est caché derrière les hauteurs de Saint-Cloud, le temps tourne à l'orage.

– *Tu sais Laurence, je suis bien avec toi. Je crois même que j'ai peur que ça s'arrête un jour. Les gens disent que le bonheur est fragile, je crois bien que c'est vrai. Moi je n'ai jamais eu de chance, quand tout va trop bien, au bout, c'est toujours la tuile. Remarque, ça vient peut-être de moi? Tu y crois au destin, toi?*

– *Mon père dit que le destin, c'est chacun qui se le fabrique. C'est sûr que ma vie est petite par rapport à la tienne. Même si mes parents sont cons, ils ont toujours été là lorsque j'avais besoin d'eux. C'est pas comme toi. Maman pense que nous sommes trop différents tous les deux. Ce n'est pas le fait que tu viennes de la* DDASS *qui lui fait peur, c'est ton regard. C'est vrai que je m'y perd aussi dans ton regard.*

Gérard et les autres s'approchent de moi.

– *Dis-donc t'en as pas marre d'attendre? On devrait aller manger un morceau. Après, on avisera. D'accord?*

– *O.K.*

Yvan a choisi la Pizzeria Pino, sur les Champs. On le suit de bonne grâce. J'adore la pizza arrosée d'un petit lait-fraise bien frais.

Sébastien qui a les yeux qui pétillent déjà, nous propose carrément d'emprunter une voiture pour faire le voyage.

– *On ne la vole pas, on l'emprunte et on la ramène à son propriétaire. On lui fera même le plein d'essence. Y-a pas de mal!*

En un rien de temps, Sébastien s'arrête près du trottoir, avec une superbe 2 CV grise.

– *Regardez les gars, il y a même la radio à l'intérieur.*

Nous nous entassons dans la voiture. Gérard Dalmont et Sébastien à l'avant; Yvan, Laurence et moi sur la banquette arrière.

Entre la radio, Sébastien qui chante, Yvan qui lui demande de se taire, Laurence qui rit aux éclats et le bruit du puissant moteur, je me sens complètement lâché.

Il est 6 heures du matin, nous traversons la ville encore endormie. Laurence s'est assoupie, la tête posée sur mon épaule.

– *Le Tréport, tout le monde descend.*

Sébastien a conduit tout le temps, il n'est même pas fatigué. Il arrête l'auto devant la boulangerie qui vient d'ouvrir. Il en ressort avec un sac rempli de croissants chauds dont l'odeur envahit immédiatement la voiture. Ça fait ouvrir aussitôt les yeux à Laurence, qui demande où nous sommes.

– *Prends à gauche, nous allons déjeuner sur la falaise.*

Elle s'y connaît la petite. En guise de café chaud, nous avons droit, au choix : limonade, bière ou coca. C'est un festin.

La mer immense s'offre à nos yeux. Ça vaut tous les petits « déj. » du monde.

Gérard et Sébastien ont passé leur journée à draguer les filles en ville. Yvan s'est promené sur la plage. Laurence et moi nous avons fait trop de projets. Il est 20 heures, c'est moi qui remplace Sébastien au volant. La ville est beaucoup plus animée qu'à notre arrivée. Chacun commente sa journée. Gérard et Sébastien sont rentrés bredouilles, mais avec des histoires plein la tête.

– *Hé, Gégé, t'as vu la petite de la boulangerie, les seins qu'elle avait.*

Tout à coup, les voitures devant nous ralentissent. J'aperçois un képi. C'est un barrage.

– *Merde, taisez-vous!*

Je fais demi-tour sur la chaussée et je repars en direction du centre ville. Les gendarmes n'ont rien vu. Ouf! Nous attendrons qu'il fasse complètement nuit pour repartir.

Cette fois, pas de problème, ça roule jusqu'à Paris. Il est 4 heures du matin, j'accompagne Laurence à Stains. Il fait frais, nous n'avons pas beaucoup dormi ces deux derniers jours. La petite ne peut pas coucher à la maison, c'est la communion de son frère aujourd'hui, toute la famille se réunit.

En arrivant dans ma chambre, je me jette sur mon lit, crevé. Je dormirai 12 heures d'affilée.

C'est dimanche. Comme d'habitude, on se retrouve au café d'en bas. Gérard et Sébastien sont revenus pour la circonstance. C'est pas tous les jours qu'on épate les copains avec une voiture volée.

Tous veulent aller faire un tour de Deudeuche. J'y suis à chaque fois, de mon aller-retour, le long du stade de Villeneuve-Saint-Georges. Sébastien, toujours lui, s'adressant à l'assemblée :

– *Bon les mecs, je vous propose une balade en voiture jusqu'à la fête foraine de Savigny.*

– *T'est dingue, on ne peut pas monter à quinze dans la bagnole.*

Une heure plus tard, c'est trois 2 CV de plus, qui trônaient devant la porte. Il est gonflé le Sébastien à croire qu'il faisait une fixation sur Citroën. A l'aller, la route se fait sans encombre. Chaque voiture se suit.

Au retour, à cause d'un croisement, je perds mes

copains. Ce n'est pas dramatique, jusqu'au moment où nous sommes doublés par un break R12 qui nous coince le long du trottoir. Quatre hommes en sortent, le pistolet à la main. Impossible de faire un geste, les inspecteurs nous ont déjà sorti de la voiture. Je n'en mène pas large. Pour nous fouiller, ils nous plaquent sur la 2 CV, les mains sur la tête.

Le clic des menottes qui se referment, m'annonce qu'il va falloir être un homme maintenant. Je ne peux plus reculer.

Les flics nous demandent nos papiers. J'ai oublié les miens.

– *Ta date de naissance!*

– *23.12.58 à Paris.*

Je suis mineur. Gérard Dalmont a moins de chance que nous. Il est majeur depuis trois mois. Sébastien et moi serons envoyés au dépôt du 13e arrondissement. Mais là, ce n'est plus la *DDASS,* c'est le commissariat général. On nous enferme dans une cellule pour trois personnes. Il y a déjà un type. Il nous raconte qu'il vient de tuer sa femme qui le trompait. L'homme est effondré.

Lundi – 10 heures du matin

Je suis allé aux toilettes, je n'ai pas mangé. On vient nous chercher pour nous ramener au commissariat de Villeneuve-Saint-Georges.

Pendant toute la nuit, Sébastien a chialé. Il m'a raconté sa vie. C'est un fils de petit bourgeois de banlieue, genre commerçant en boutique. S'ils apprennent sa mauvaise action, ils le tuent...

Bon c'est d'accord, je prends tout sur moi. C'est pas criminel de chouraver une bagnole. Au commissariat, on nous sépare, mais j'ai pu glisser à Gérard Dalmont, que nous avons retrouvé :

– *Sébastien n'y est pour rien. C'est arrangé, bonne chance.*

Gérard a compris. Ceux qui ont vécu à la *DDASS* savent que le meilleur mensonge, est celui qui se rapproche le plus de la vérité.

A quelque chose près, avec Gérard nous avons dit pareil. Nous avons seulement oublié de parler de Laurence et d'Yvan. Sébastien a raconté qu'il n'était mêlé en rien dans l'affaire, qu'il ne savait absolument pas que la voiture était volée, que nous l'avions pris en passant devant le bistrot, pour l'emmener avec nous à la fête foraine. Ce que nous avons approuvé.

Son père est venu le chercher. Il était en tous points identique à la description faite la nuit même par Sébastien.

L'antisocial par excellence, le front bas, les épaules de lutteur, la mâchoire féroce, et la TVA au bout du verbe.

Sébastien s'est trouvé béni, d'une giffle magistrale. Cette marque d'affection paternelle, n'a terni en rien son regard, qui nous remerciait pour ce que nous avions fait pour lui. Son père n'avait rien compris. C'est peut-être lui qui aurait dû être à notre place ce jour-là.

Nous n'avons plus jamais revu Sébastien.

Nous retournons au dépôt. Je suis affamé, fatigué, sale et fébrile. Au flic qui m'enferme dans la cellule grillagée, je demande si je peux avoir un casse-croûte.

– *Ça va pas! Hé les gars, y a le môme qui s' croit au restaurant. T' avais qu'à pas faire le con.*

J'ai encore la force de les détester, mais ils s'en foutent. C'est ça qui fait leur force « ils s'en foutent ».

Mardi – 9 heures du matin

Entre deux gendarmes, je quitte le dépôt. Dans

l'estaffette, je retrouve mon copain Dalmont. Nous avons toujours les menottes. Le dos rond, la tête basse, le visage creusé par la fatigue et l'angoisse, nous n'avons rien à nous dire.

La camionnette s'arrête devant la préfecture de Créteil. Nous marchons à travers des couloirs interminables, le regard des curieux pesant sur notre nuque. Ils ne savent pas, eux.

Quand un homme a les chaînes, c'est qu'il a commis les plus grands crimes de la terre. Il y a ceux qui regardent les prisonniers, heureux qu'on ne les ait pas encore pris eux, et aussitôt pensent à leurs petites malversations. Et les autres qui estiment qu'il faut les pendre, sans aucun procès. Jusqu'au jour où... c'est leurs fils, leur frère, leur cousin qui est sur le banc des accusés.

Sur la plaque en cuivre brillante, on lit : Me Chassaing « Juge pour enfants ».

Nous sommes assis tous les quatre, partageant le même banc. Gérard demande à son gendarme une cigarette. L'homme lui tend une gauloise. Sa main tremble. Malgré son uniforme et ses moustaches réglementaires, on devine son jeune âge. Il m'en offre une également. C'est ma première brune, elle me tourne la tête. Je suis toujours à jeûn. Je regarde les volutes bleues évoluer à travers les rayons du soleil. J'imagine des formes. Enfin, la porte s'entrouve sur une femme en tailleur qui demande Gérard Delmont. L'entrevue durera quatre minutes, pendant lesquelles je questionne mon gendarme sur mon sort.

– *Tu n'as rien à craindre petit, tout va bien se passer.*

Je sens dans sa voix, qu'il nous rassure tous les deux. Alors je me mets fortement à espérer. Il le faut. Je viens de la DDASS, je suis mineur, donc je vais m'en tirer. J'ai commis tellement d'autres méfaits impunément, des conneries de môme... Oui, c'est bien. Gérard Dalmont ressort du bureau. Il précède son gendarme. Il tient sa tête dans ses mains, complètement abattu. Que s'est-il passé ?

Quand je dois rentrer à mon tour, mes jambes ne veulent plus me porter. Je crois que je vais vomir. Le gendarme me pousse en avant. Je suis devant mon juge, petit bonhomme chauve, aux lunettes cerclées d'or. Il est assis, je reste debout.

– Jean-Luc Lahaye – né à Paris – Assistance publique – vol de voiture – Alors???

– Je ne recommencerai jamais plus, Monsieur le Juge. Je voulais seulement faire un tour à la mer. Je...

– Bon ça va! où je t'envoie tu vas pouvoir te repentir à ta guise.

Mon explication n'était que pour la forme, la peine était déjà prévue. Il me tend une feuille.

– Signe en bas.

J'ai eu le temps de lire : « Mandat d'incarcération, Fresnes. »

Je suis accablé, mais soulagé. Je suis emmené immédiatement. Il fait beau ce jour-là. Dans la fourgonnette, Dalmont et moi sommes enchaînés. Nous n'avons plus rien à attendre pour l'instant. Alors comme au temps des changements de famille, je regarde défiler le paysage. L'autre monde commence déjà, dans la première cour de la maison d'arrêt de Fresnes. Ensuite, ce n'est qu'une simple formalité! Le greffe!

Après avoir passé le deuxième grille, on nous libère de nos chaînes, de nos vêtements et de toutes affaires personnelles. La montre, le portefeuille, la ceinture, les lacets, iront dans une grande enveloppe qui portera notre numéro de matricule. Encore un!

La chemise, le pantalon, les chaussures et le reste, trouveront leur place dans un sac de toile crème, en lin.

Pour la bonne renommée de l'endroit, il convient d'être propre. On me mène, jusqu'à une petite salle d'eau sans porte. Je dois prendre une douche, surveillé par le maton.

Ici, la suite des formalités ressemble à une initiation. Je reçois mon nouveau costume : un pantalon de toile grise, très épaisse, une chemise ample, une paire de chaussures noires, plates sans lacets (on ne sait jamais!).

Mon garde-chiourme me demande si je veux bien me faire couper les cheveux.

– Non!

– On te les coupera quand même un petit peu, parce que c'est obligatoire.

Résultat, je ressors la boule à zéro.

J'ai l'impression de vivre un film, le film d'un autre. On m'a séparé de mon copain. Je suis dirigé vers le quartier des mineurs. C'est un bâtiment comme les autres. A l'intérieur, chaque parole prononcée, se jette contre les murs et résonne comme dans une cathédrale.

Les détenus sont entassés dans des cellules, construites autour du chemin de ronde, sur deux niveaux. Les constructions sont anciennes et plutôt sales. Chaque étage est relié par des escaliers métalliques. Au rez-de-chaussée, près du bureau du directeur de la prison, une première porte qui donne dans la salle de télévision, une seconde qui s'ouvre sur la cour intérieure.

Le gardien ouvre la grosse porte de bois de ma cellule. La pièce doit mesurer 12 mètres carrés. J'entre. Il y a là, trois gosses de mon âge. Je me vois attribuer le lit du bas à droite. J'y dépose, ma cuillère, mon assiette en alu, c'est tout ce que j'ai. Je m'assois.

Il fait beau dehors, mais le soleil ne rentre pas par la lucarne. Mon regard se promène, de plus en plus dégoûté. Quatre lits en tube, superposés, deux à droite, deux à gauche. Sous la petite fenêtre, un lavabo, sans miroir, une grosse poubelle, un balai. Dans le fond, à droite, les WC, sans séparation et sans intimité. Une table au milieu du désordre. Au mur, des photos et des graffiti. Jusqu'au radiateur qui est caché par un grillage.

La porte s'est refermée sur le gardien, qui une dernière fois à vérifié que tout se passait bien, en lorgnant à travers le judas.

Les autres m'observent. Enfin, celui qui couche au-dessus de moi, prend la parole :

– Je m'appelle Laffite, je suis gitan et chef de la cellule. T'es pas mal comme mec, pas mal.

Je ne réponds pas.

Le gitan donne un grand coup de pied dans le lit.

– Tu réponds connard? J' te dis qu' t' es pas mal!

Je le regarde l'espace d'une seconde, j'ai pris appui sur le bord du lit, mon cri a traversé la pièce en même temps que mes deux pieds qu'il reçoit en pleine figure.

Sa lèvre a éclaté sous le choc et le sang inonde sa bouche, son cou. Il perd l'équilibre, tombe en arrière et sa tête heurte le lavabo. Le gitan est par terre, gisant sans connaissance. Les deux autres n'ont pas bougé.

Par contre, attirés par le bruit, deux matons viennent d'entrer dans la cellule. L'un se met copieusement à me bourrer de coups, pendant que l'autre s'occupe du blessé. Je me laisse tomber à terre et me roule en boule. Je sens mes côtes meurtries par les coups de savates du justicier. Il me traîne par la chemise pour me sortir sur la coursive. Heureusement qu'on m'a coupé les cheveux. Tout se passe en même temps. C'est l'heure de la promenade, et les autres détenus voient et commentent la scène.

– C'est le nouveau, y paraît qu'il a tué le gitan.

Je me retrouve, assis par terre, dans une pièce humide du rez-de-chaussée. Pas de fenêtre, c'est le mitard.

Trois longues heures, sans savoir ce qu'on va faire de moi maintenant. L'angoisse m'étrangle. La porte s'ouvre sur le directeur, qui s'asseoit sur la chaise qu'il a amené avec lui.

– Lahaye, je veux une explication, que s'est-il passé?

– C'est Laffitte, il m'a dit qu'il était le chef de la cellule et que je lui plaisais bien. Qu'il faudra que j'ai des relations homosexuelles avec lui. Quand il s'est approché de moi pour me toucher, je l'ai repoussé, peut-être un peu fort. Il n'est pas mort, dites-moi?

– Pour quel motif es-tu ici?

– Vol de voiture.

Ce que je ne savais pas c'est que le gitan avait violé une petite fille de dix ans; que la plupart des autres jeunes détenus avaient commis des méfaits bien plus importants que mon vol de voiture. Ça allait du meurtre de la grand-mère, à l'attaque d'une banque à main armée. J'étais bien méprisable pour tous ces gens.

Le directeur m'a fait transférer dans une cellule du premier étage. Je suis seul, en quarantaine. Même la promenade, je la fais en dehors des heures régulières. J'en profite pour maintenir ma forme en faisant des mouvements de karaté à la grande surprise des matons qui me surveillent.

Les journées sont longues, je lis beaucoup. J'ai l'autorisation de me rendre à la bibliothèque, choisir des livres. Pour le reste, c'est la routine.

Petit déjeuner à 6 heures, café au lait éclairci. Pour le déjeuner à 11 heures et le dîner à 18 heures, je ne mange pratiquement pas. C'est dégueulasse.

On peut améliorer son ordinaire, à condition d'avoir de l'argent ou de trafiquer les cigarettes. Je n'ai, ni l'un, ni l'autre.

Un garçon, accompagné d'un maton, qui ferme les yeux, passe avec un chariot. Avec une louche, il puise dans la première gamelle pour retirer une purée liquide; de la seconde il extrait de la viande. Le tout est versé dans l'assiette en aluminium. Pour ce qui est du potage « eau-patates », avec la cuillère, pas de problème. Pour ce qui est de la viande, sans couteau, ni fourchette, ça devient de la gymnastique acrobatique.

Pendant cette période, j'ai eu la surprise de voir un léger duvet envahir mes joues. Quelques poils de barbe quoi! Un gardien l'a constaté également. Pour ma bonne tenue, tous les trois jours, je suis conduit à l'infirmerie, où l'on me remet un rasoir électrique. Ça occupe.

Un gardien, un jour, cria par le judas de la porte :

– *Lève-toi, t'as une visite!*

Qui peut savoir? Je suis là depuis six jours. D'emblée, je reconnais le Père Du Plessis.

– *Mon pauvre petit, mais pourquoi?*

Il me prend les deux mains et me les serre très fort.

Le Père Du Plessis a un droit de visite continuel, du fait de sa profession au sein de l'association pour la reconversion des anciens détenus. Il me parle de courage.

Je sais que pour lui, je ne suis pas un détenu comme les autres. Je suis un peu son fils, il connaît la souffrance, le Père. Je n'aurais jamais cru le rencontrer en de pareilles circonstances. Chienne de vie. Avant de partir, il me glisse quelques billets, des cigarettes et une lettre des copains du foyer d'Issy-les-Moulineaux. Cette dernière, je l'ai conservée, elle vaut tous les cadeaux du monde. Elle dit à peu près ceci :

– *Alors le chanteur, tu avais besoin d'un coup de pub, tu ne sais plus quoi faire pour te faire remarquer. N'oublie pas qu'on a besoin de toi pour reconstruire l'Arbousier avec le Père Du Plessis.*

Ils ont tous signé.

Les gars, vous m'avez fait du bien, maintenant, je sais que je ne suis plus seul. Merci. J'en profite pour réclamer du papier à lettres et un stylo. J'ai envie d'écrire.

Hier c'était le Père Du Plessis, aujourd'hui c'est Jean-Marie Galopin et mon patron, M. Roccia. Jean-Marie est moins sentimental avec moi que le Père.

– *C'est normal, ce qui t'arrive Jean-Luc. Maintenant que tu as touché le fond, j'espère que tu vas réagir sainement.*

M. Roccia est effondré de me voir là, enfermé dans cette angoisse permanente et malsaine. C'est moi qui dois remonter le pauvre homme. Jean-Marie me donne quelques espoirs de sortir avant les vacances. Sans quoi, je devrais attendre septembre. Juillet et août, la magistrature est en congé. La mécanique est bloquée, les dossiers s'entassent. Tous les détenus, jugés ou non, sont coupables. L'innocent, aura deux mois pour préparer sa défense, ou se suicider.

Chaque jour, avec la queue de ma cuillère, je tire un trait sur le mur de ma cellule. Cela me permet de mesurer ma peine. Je compte 15 bâtonnets. J'ai demandé à travailler dans l'atelier de menuiserie.

Cette première journée s'annonce mal, je me retrouve avec Laffitte « le gitan ». Tiens, il est rétabli ce con? Aux regards qu'il me lance de son établi, mon avenir ici semble compromis. Pourtant le travail me plaît et pendant qu'on tourne des pieds de chaises, on ne pense pas.

La sonnerie a retenti, les détenus sortent un par un dans le couloir. L'atelier se vide rapidement. C'est le moment choisi par Laffitte qui s'avance vers moi, un marteau à la main. J'ai compris le danger, je me saisis d'un énorme tasseau de bois. Nous nous observons comme deux fauves qui vont se dévorer. Laffitte, avec toute sa haine, m'envoie son marteau que je reçois à l'épaule gauche. La douleur est brûlante. A mon tour, je lui lance mon morceau de bois. Il ne peut l'esquiver et le prend en pleine figure. Un partout.

La bagarre tourne court. Un maton qui a suivi la scène, intervient maintenant. Pour moi, c'est la légitime défense, mais ma réputation est faite.

On installe un second lit dans ma cellule. J'étais presque bien tout seul. Le nouveau est un grand type costaud, l'air sympathique. « Sourire émail-diamant ».

– Je m'appelle Jean-Luc Lahaye, comment c'est toi?

– Robert Macouille.

Sa réponse lancée d'une voix ferme n'appelle pas de commentaires.

– Tu es tombé pour quoi?

– Pour une histoire de vidéo. En fait, le marché est plus important, il touche la Hi-fi, et l'électronique. Le

stock est bien planqué. Quand je sors, je suis pénard et millionnaire. Et toi, pour quoi t'es là?

– J'étais à la tête d'un réseau de vol de BMW.

– Le gang des BM c'est toi?

– Ouais, c'est moi!

– Quel genre de BM?

– Les grosses cylindrées, neuves de préférence.

Nous devenons copains avec Robert et grâce à lui, mes rations de bouffe s'améliorent. Il faut dire qu'il n'est pas gêné financièrement et il sait « magouiller ».

Tout en parlant de sa famille, il m'apprend à jouer à la belotte, au gin, au pocker. Ses parents sont partis faire fortune en Afrique avec ses deux frères. Sa sœur et lui, n'ont pas voulu suivre.

Pour comble, sa frangine est avocate au barreau de Paris. C'est encore lui Robert, qui m'a tatoué mon prénom sur l'épaule droite. La fleur qu'il voulait me tatouer sur le bras gauche n'a jamais éclos. Un maton nous a surpris et a confisqué le matériel.

Ce matin, je grave mon quarantième bâtonnet dans le plâtre. Je ne pense plus à ma libération.

Deux tours de clé, la porte s'ouvre sur le maton de service :

– Lahaye, tu plies tes affaires, tu sors aujourd'hui.

Sous le choc, je ne réponds pas. Je ne tourne vers mon copain. Il sourit. Je suis gêné par mon propre bonheur. Pour un peu, je ne partirais plus. Cinq fois, le maton me fait replier ma couverture et laver ma vaisselle. Je m'en fous, puisque je quitte cet endroit maudit.

Existe-t-elle toujours cette cellule 24?

Avec Robert, nous échangeons nos adresses. C'est

promis, on se retrouve à la sortie. On s'embrasse comme deux frères de misère.

– *Salut.*

Je récupère mes vêtements. Je reconnais mon odeur, celle de la liberté. Ma montre est arrêtée à la date de mon incarcération. Un petit coup de pouce et nous repartons tous les deux.

La grosse porte s'ouvre enfin, sur un monde que j'ai soif de retrouver. Assis à la terrasse du café « Ici on est mieux qu'en face », entouré de mes amis, je pense à Laurence.

Sur quatre lettres que je lui ai envoyées, je n'ai eu qu'une seule réponse. Je n'y tiens plus, je me lève pour téléphoner.

– *Bonjour Madame, c'est Jean-Luc, est-ce que Laurence est là?*

– *Ah, il est dehors lui! Non, elle est partie en vacances. Mais avec ce qui vient de vous arriver, je lui ai demandé de vous oublier. Alors faites pareil!*

Salauds de pauvres!!

Jean-Marie Galopin, Roccia mon patron, Gérard Delmont, guettent ma réaction. Il n'y en aura pas.

Je commence une nouvelle vie.

Chapitre 27

SAINTE-GENEVIÈVE-DES-BOIS

Je suis retourné à l'usine. Je m'attendais à plus de réactions de la part de mes collègues.

M. Roccia avait dû leur faire la leçon. Personne ne m'a parlé de mes vacances à l'ombre. Néanmoins, les regards étaient différents.

– *Monsieur Roccia, vous avez été bon pour moi. Et quand on vient de là-bas, c'est important de trouver des gens qui ne jugent pas. Voyez-vous, je suis là depuis trois jours et déjà, je n'en peux plus. Ma vocation c'est d'être chanteur, pas ajusteur. Ces quarante jours de prison, auront au moins servi à quelque chose. J'ai bien réfléchi, je repars à zéro. Je sais que je peux arriver à devenir chanteur. Ce sera peut-être demain ou après-demain, mais pour cela, il faut que je sois libre dans ma tête. Je ne vous dis pas adieu.*

Nous sommes fin juin, j'ai reçu une convocation du juge.

– *Alors Lahaye, ça t'a fait du bien, ces quelques*

jours d'emprisonnement? J'ai eu quelques échos de ta conduite; « Forte tête » hein? J'ai une proposition à te faire, tu restes en liberté provisoire et tu signes aujourd'hui même, un devancement d'appel pour le service militaire, ou tu retournes à Fresnes!

– Je devance l'appel.

Je signe la feuille que me tend le petit homme rond.

Il a fallu que j'explique aussi à Jean-Marie pourquoi j'avais quitté l'usine de son ami Roccia. Il me connaît le petit père Galopin. Ce que j'ai dans la tête... Il a tellement bien compris, qu'il m'a trouvé un nouveau logement, un studio à Ste-Geneviève-des-Bois. Le loyer est plus lourd qu'à Savigny, 1 100 francs par mois.

Aussi, pour diminuer les charges, je vais le partager avec Claude Leroux et Hamed, le roi du couscous. Tous les deux travaillent à Orly. L'un à l'entretien, l'autre au nettoyage. Je suis toujours à la recherche d'un emploi.

Ce matin, je me promène au hasard dans le quartier St-Germain, rue Dufour, devant le magasin Lothars je remarque une petite affiche collée sur la vitrine : « Recherchons vendeur/vendeuse ». J'entre, c'est la patronne, Madame Shalla qui me reçoit :

– Oui, oui, j'ai déjà fait de la vente, à Limoges.

Elle me fait essayer une collection homme. C'est très chouette, j'aime bien ces couleurs pastels.

– Ça vous va très bien jeune homme, O.K. je vous prends à l'essai.

L'essai est concluant, je dépasse mes propres espérances. J'ai trouvé un travail et une maîtresse, la sœur de Shalla. Je retrouve mon sourire.

Mes soirées je les passe dans les discothèques, avec la sœur de Shalla et Alain, l'autre vendeur. D'ailleurs, c'est souvent lui qui paye les consommations, mais je n'ai aucun scrupule. J'ai surpris plusieurs fois son manège à la boutique. Très efficace d'ailleurs.

Il choisit son client. Il glisse dans son sac, un pull ou une chemise en plus, divise le total par deux et encaisse une partie en espèce. Le client est ravi, Alain s'en met plein les poches. C'est pourtant moi qui vais me faire virer.

Tous les jours, vers 5 heures, un satyre vient coller son nez à la vitrine du magasin. Il sort son sexe et se masturbe devant le personnel et les clientes atterrés. Nous avons bien essayé de l'attraper, mais le type détale et se perd dans la foule, la quéquette encore à l'air probablement. Au premier étage, juste au-dessus de la boutique, nous entreposons le stock. Une fenêtre donne sur la rue. Je me suis posté là, avec un énorme seau d'eau, en attendant notre détraqué sexuel. Nicole, avec qui j'ai monté le coup, attend pour jouer les clientes. Ça y est, voilà notre homme. Nicole se déshabille. Il a les yeux qui lui sortent de la tête, les cheveux en bataille et la langue pendante. De bon cœur, je lui balance mon seau sur la tronche. Mais, oh, malheur, j'éclabousse en même temps, la tête d'un passant. Ce ne serait pas trop grave, si ce passant était un homme comme tout le monde. Mais voilà, il est procureur de la République et il gesticule et promet à Shalla tous les malheurs de la terre.

La patronne a très bien compris. Elle fait rentrer le procureur et sa femme. Tout en se confondant en excuses, elle leur dit que je serai châtié sur le champ, et je suis viré par Shalla et répudié par la sœur. J'encaisse ma solde et sors dignement la tête haute.

La femme du procureur me suit, des cadeaux plein les bras. Nous ne partons pas dans la même direction.

Jean-Marie Galopin a été hospitalisé pour des coliques néphrétiques. Il souffre beaucoup. Nous avons décidé avec Freddy, d'aller rendre visite à notre père spirituel. Pour la circonstance, j'ai acheté un bouquet de fleurs des champs et une barquette de fruits confits de toutes les couleurs. Je ne sais pas si Jean-Marie aime ça, mais moi j'en raffole pas des masses. Notre ami est là, le visage pâle, les yeux creusés par la douleur.

– *Les garçons, j'ai un problème. Je suis venu avec ma R 16. Elle est garée sur le parking de l'hôpital. C'est Antoinette qui va venir me chercher avec sa 2 CV pour me conduire à la maison. Connaissez-vous quelqu'un de sérieux qui ramènerait mon auto?*

Sans hésiter, mais avec ma petite idée derrière la tête, j'explique à Jean-Marie, que j'ai un copain qui est chauffeur dans une usine de produits pharmaceutiques, qu'il acceptera volontiers.

– *Donne-moi les clés et les papiers Jean-Marie, je m'en occupe.*

Sur le parking, nous récupérons la voiture. Freddy est tout sourire. En fait, il aime bien me voir faire des conneries. Contact, en avant. Je suis gonflé quand même.

Corbeil, Ste-Geneviève sans encombres. Je gare la voiture devant l'immeuble. J'ai reçu une lettre de Tonton, il me demande de venir passer quelques jours de vacances à Toulon.

– *Freddy, ça te dirait 10 jours au soleil?*

J'appelle Jean-Marie Galopin à l'hôpital, lui demandant s'il serait d'accord que nous empruntions sa R 16 pour aller voir Tonton. Que mon copain a quelques jours de vacances, que ça arrangerait tout le monde.

– *Bon, je suis d'accord, mais que ton copain m'amène une photocopie de son permis de conduire. Il faut avertir l'assurance. Ne partez pas non plus trop longtemps, car avec Antoinette, nous avons décidé d'aller passer quelques jours dans les Alpes, vérifie l'huile et les pneus.*

– C'est promis, Jean-Marie et je raccroche.

Nous voilà, Freddy et moi sur l'autoroute du Sud. Jean-Marie n'a pas eu la photocopie du permis de conduire de mon chauffeur fantôme. A chaque péage, j'ai la peur du gendarme. Je n'oublie pas, que je suis toujours en liberté provisoire et qu'il suffit de bien peu pour que je retourne au trou. Mais quelle excitation.

Arrivés chez Tonton, c'est Freddy qui prend le volant. Je ne veux pas de problème avec la famille... Freddy est sûrement très bon au karaté, mais pour ce qui est de la conduite...

Nos vacances se passent merveilleusement bien, partagées entre Toulon, Hyères, St-Tropez, et un ravissant mannequin du nom de Vanessa.

Grande blonde, avec un petit grain de beauté à la commissure des lèvres. Nous nous aimons sous le soleil et les palmiers.

Nos nuits de « couche-tard », indisposaient Tonton. Nous avons eu quelques mots désagréables, et j'ai préféré partir.

Nous avions deux solutions; soit, rendre la voiture à Jean-Marie Galopin qui s'impatientait, soit, continuer notre route.

J'ai réussi à convaincre Freddy, de passer par le Bassin d'Arcachon pour rentrer sur Paris. C'est un très long détour, je n'avais plus peur. Je conduisais comme un vieux routier.

L'Arbousier, voilà ce qui m'attirait.

En arrivant, nous remarquons de suite, la petite tente du Père Du Plessis, plantée en plein milieu de ce qui fut, Le Camp.

Il est absent. Nous l'attendons, assis parterre, à mâchouiller de l'herbe et à raconter nos souvenirs. Encore des instants que je n'oublierai pas. La nuit tombe quand le Père arrive enfin, il nous prend dans ses bras.

– *Voyez les enfants ce qu'il ont fait de notre Arbousier.*

C'est autour d'un feu qui crépite et d'une soupe bien chaude que le père nous raconte son aventure avec le maire.

Il reste quelques ares de libres. Le père voudrait les récupérer pour reconstruire son idéal. La municipalité ne dit pas oui.

Le feu s'est éteint et comme au bon vieux temps, il nous raconte les étoiles. Elles n'ont pas bougé.

Nous sommes restés deux jours.

En arrivant à Paris, nous avons tout de suite garé la R 16 devant la porte de Jean-Marie Galopin. Nous lui avons rendu ses clés et l'avons remercié chaleureusement.

Freddy a repris son travail à l'ANPE, Claude Leroux est parti en vacances, je me retrouvais seul.

Fin Août – un matin de très bonne heure – je me fais réveiller par quelques coups donnés à la porte. J'ouvre, les yeux gonflés de sommeil; c'est Tonton.

– *Allez debout! c'est le matin qu'on gagne son pain.*

Il tire les rideaux, ouvre la fenêtre, pendant que je prends ma douche.

– *Il faudra aérer plus souvent, ça sent le renfermé.*

Un thé au lait vite avalé, nous voilà devant Carrefour. Tonton prend un chariot et le remplis de toutes sortes de bonnes choses. Il marche devant, je le regarde, il est bon pour moi quand même.

– *Jean-Luc, il faut absolument que tu trouves un travail stable. Dans mon métier, je connais pas mal de gens et en particulier, un des chefs d'atelier de la SNECMA. J'ai bien réfléchi, nous allons le rencontrer ensemble. S'il le peut, il te trouvera une place dans la société.*

Tonton a téléphoné, nous avons rendez-vous le lendemain matin avec M. Chaine. Il a un nom prédestiné. Le petit coup de pouce habituel, et je suis embauché. Merci M. Chaine, Merci Tonton Louis.

Mon travail consistera pendant six mois, à nettoyer à l'aide d'une sorcière, des ailettes destinées à alimenter des turbines d'avions.

J'ai un nombre minimum de pièces à ébarber chaque jour. Le matin, j'en ferai un maximum, l'après-midi, penché sur mon établi, j'écrirai des chansons.

Tous les matins à 8 heures j'appelle Tonton de la même cabine téléphonique pour lui prouver que je me lève.

Nous sommes le 23 décembre, jour de mon anniversaire, il est 9 heures du matin.

Tonton et moi, devant la porte de la prison de Fresnes, attendons la sortie de mon copain Robert Macouille. Tonton pour la circonstance a revêtu son manteau de mafiosi corse. Macouille m'aperçoit, il est fou de joie. A part sa sœur, qui s'en fout, il est seul dans la capitale.

Tous les trois, nous allons nous retrouver pour passer le réveillon de Noël. Ce n'était nullement prévu. Seulement voilà, Robert a été cambriolé pendant son incarcération et Tonton est en froid avec sa comtesse mystique. La nuit s'annonce bien, foie gras, champagne et télévision. J'ai toujours mon petit pincement au cœur, quand je vois les chanteurs de variétés. Depuis mon échec avec Laurent Dumm, j'évite de penser à ma carrière.

A minuit, nous échangeons nos petits cadeaux.

J'ai offert à Tonton, une trousse de toilette que j'ai dénichée chez un antiquaire du village Suisse.

Robert s'est esclaffé devant la cassette vidéo « 20 000 lieues sous les mers. »

Tonton m'a glissé une enveloppe avec 6 billets de 500 francs, il connaît mes problèmes.

Robert m'a acheté une petite chaîne en or, que je garde encore.

Dans les premiers jours de janvier 1977, Robert est parti rejoindre ses parents en Afrique. Étant donné ses démêlés avec la police, il veut se faire oublier.

Il a pris un aller simple. Probablement sans autorisation de quitter le territoire. J'ai de la peine. Je perds encore un ami. C'était la première fois que je venais à Roissy. Quelle structure! Je ne reprendrai pas mon travail à l'usine, j'en ai marre. Je voudrais pouvoir le crier à tout le monde.

– *Je veux chanter, C.H.A.N.T.E.R.*

Tonton ne l'entend pas du tout comme ça. M. Chaine, le chef d'atelier l'a prévenu de mes absences répétées. Il me téléphone, il veut me voir immédiatement.

– *Qu'est-ce qui se passe?*

– *J'en ai marre, c'est tout!*

– *Écoute, Jean-Luc, tu viens d'un milieu plus que modeste, étant donné les résultats – brillants – de tes études, tu ne peux pas espérer grand-chose dans la société. La SNECMA, c'est la chance de ta vie. Si tu t'accroches, tu es intelligent comme garçon, et bien dans une dizaine d'années tu peux finir chef d'atelier ou contremaître. C'est tout de même mieux que d'être un saltimbanque, un traîne-savate?*

– Je peux devenir un grand chanteur, ce n'est pas un premier échec qui doit m'arrêter; rien ne vient du premier coup. Comment t'as eu ta place toi?

– Mais tu rêves mon pauvre Jean-Luc, les artistes comme Hallyday, Sardou, Julien Clerc, Lama, ils sont nés avec des relations. Tout était fait d'avance. Ils ont une culture, des parents qui ont payé. Rien n'est fait au hasard. Eux! Ils sont faits pour chanter, c'est normal. Mais toi, regarde-toi. Tu ne veux tout de même pas à 19 ans te comparer à un Aznavour, un Bécaud ou un je ne sais quel autre?

– Tonton, tu me fais très mal en me parlant comme ça. Tu n'as pas le droit de démolir, ce pourquoi j'ai vécu jusqu'à aujourd'hui. Cela a peut-être commencé par un rêve, mais par la suite, ce rêve est devenu un espoir, une raison de m'accrocher à la vie, la seule raison d'accepter ce monde qui me rejetait. Je ne suis pas mythomane, comme tu le penses, je crois en la musique, comme d'autres croient en Dieu. J'en ai fait ma religion et c'est ma foi qui me permettra de devenir « CHANTEUR ».

Tonton s'est enfui en claquant la porte. Il pensait que j'étais devenu fou. Plusieurs fois j'ai essayé de lui parler au téléphone, mais il raccrochait. Avec le recul, j'arrive à le comprendre.

Dans ma boîte aux lettres, il y avait un télégramme de Freddy : « Passe me voir d'urgence à l'agence ».

Quand je me présente, il quitte son guichet et me prie de le suivre dans le bureau d'à côté.

– J'ai un super boulot pour toi, la chance de ta vie, d'ailleurs j'ai retiré la fiche, comme ça tu n'auras pas de

concurrence. C'est un cabaret, « La Licorne » qui recherche un barman-animateur. C'est super non? Un fixe, plus un intéressement sur les boissons et bien sûr, les pourboires.

Le soir même, je me rends au cabaret « La Licorne ». Freddy n'a pas pu m'accompagner, il retrouve chaque soir une petite fiancée.

Il est 20 heures, j'attends.

Chapitre 28

LA RENCONTRE

Une des portes est ouverte, c'est un gros monsieur qui m'accueille.

– Je m'appelle Albert, et la rue s'appelle Maître Albert.

Il me regarde de haut en bas et de bas en haut. Il me prend par le bras et me conduit à l'intérieur, vers une table, où dînent dans la pénombre les membres du personnel.

– Voilà les gars, je vous présente Jean-Luc Lah... La- comment Lahaye. Il est mignon n'est-ce pas?

Le chef ne lève pas le nez de son assiette, quant aux autres, ils me détaillent, me dévisagent, me déshabillent.

– Écoute Jean-Luc, tu habites où?

– Sainte-Geneviève-des-Bois.

– C'est tout ce que tu as comme tenue, il faudrait que tu t'habilles d'un pantalon noir, d'une chemise noire, d'un petit nœud papillon rouge. Il faudrait

peut-être aussi que tu te coupes un peu les cheveux. Non, ça te fait un visage très doux, tu peux les garder comme ça. Est-ce que tu sais servir à table?

– *Oui, oui, pas de problème.*

– *Tu as déjà travaillé dans la restauration?*

– *J'ai fait une saison de deux mois à Vars!*

– *Bon, parfait. Quel âge as-tu?*

– *Dix-neuf ans.*

– *Bon. Je te propose que tu restes avec nous ce soir, je vais être derrière le bar, tu vas pouvoir te familiariser avec la boutique.*

J'ai attendu, puis mangé un petit morceau avec les serveurs. J'ai fini le plateau de fromage. J'adore le fromage.

Le temps passait, pas de clients.

Enfin, vers 11 heures, les premiers clients commencent à arriver. Il y avait une petite musique douce d'ambiance.

Le chef préparait des spaghettis à la viande.

Au bar, sirotaient des filles un peu trop maquillées.

Je notais les pourboires que laissaient ces messieurs; ils étaient importants. Je suis parti vers minuit et demi, juste le temps d'attraper le dernier train et sûr de tenir une bonne place.

Les trois kilomètres qui séparaient la gare de mon domicile, je les ai faits à pied, mon Ciao était en panne.

Le lendemain, au magasin Carrefour, j'ai acheté les vêtements souhaités par Albert. C'est ma voisine de palier qui a fait l'ourlet de mon pantalon. Il cassait parfaitement sur mes santiags. Je me sentais ridicule dans ce nouvel accoutrement.

Albert m'attendait pour 18 heures. Je devais faire la cave, monter les bouteilles, préparer les verres. Albert restait derrière sa caisse en me surveillant et me donnant des ordres. L'ambiance était bizarre... 20 heures, repas avec tout le personnel.

On me met derrière le bar. Je suis très angoissé, car je n'ai jamais servi un verre, je n'ai jamais été barman de ma vie.

J'attends. Pendant ce temps-là, Albert s'est assis derrière le bar, sur un tabouret et il me demande ce que je fais, d'où je viens. Bref, il me teste.

Les premiers clients arrivent, et immédiatement, Albert, Maître Albert, se rend compte que je ne suis pas du métier. Il n'a plus le choix, maintenant, il doit faire avec.

C'est lui qui sert, m'expliquant que dans un verre, il faut mettre une dose. Par exemple, quand on a rempli un verre de cognac, en le posant allongé sur le zinc, le liquide ne doit pas déborder, sans quoi c'est le bénéfice qui s'en va.

– *Quand tu sers un whisky, tu commences par mettre un maximum de glaçons; si un client t'offre quelque chose, tu acceptes. Tu ne dis pas que tu ne bois pas, patate, une coupe de champagne, c'est 70 francs. Tu fais semblant de la boire et tu la vides dans l'évier. Le client t'en remet un coup. Tu comprends, c'est comme ça que tu vas gagner ta vie.*

Je comprends surtout que je suis tombé dans un repaire de voyous. Du bar, on voyait très bien la salle. La moquette aux murs, était de très mauvais goût, tout comme les tableaux qui représentaient des femmes nues, au milieu de figures géométriques. Le mobilier était rustique et des canapés remplissaient les coins les plus obscurs.

Albert discutait avec les clients, semblant parfaitement les connaître.

Vers une heure du matin, on comptait une trentaine d'habitués. C'est l'heure qu'a choisie un garçon, pour se mettre au piano. Il était censé jouer, pour moi, il massacrait.

Quand il a plaqué les premiers accords d'« Un jour tu verras » de Mouloudji, n'y tenant plus, je me suis approché de lui, et à l'oreille je lui ai demandé si je pouvais chanter. Il a accepté.

J'ai chanté, le dos tourné au public. A la fin, je n'osais plus me retourner. J'étais grisé par mon audace. Un piano, un micro, une chambre d'échos, c'était mon premier contact avec la scène. Les gens ont applaudi très fort.

Le gros maître Albert est venu vers moi, m'a pris par les épaules :

– *Mais, nous avons un vrai petit artiste!*

Je suis retourné derrière le bar. En passant, j'ai remarqué un garçon d'une trentaine d'années au maximum qui me regardait. Le garçon n'avait pas l'air de s'amuser beaucoup.

Au bout d'un certain temps, il me demande si je veux boire quelque chose. J'ai bien appris ma leçon, mais je ne veux pas lui faire le coup de l'évier. Je déteste gaspiller la marchandise. Je me sers un Perrier.

– *Que faites-vous ici?* me dit-il.

Le ton de sa voix trahit un reproche. Lui aussi sait comme moi, que je n'ai rien à faire dans ce bouge.

– *Je travaille, j'ai besoin de travailler.*

– *C'est étrange de voir un garçon comme toi dans cet endroit. Ce cabaret n'a pas une bonne réputation sur le quai Montebello. Je m'occupe d'un restaurant à cent mètres d'ici, c'est un client, à la fermeture qui m'a traîné jusqu'à la Licorne. Je ne regrette pas, puisque j'ai entendu une belle chanson et une belle voix.*

Deux heures du matin, Gérard, c'est ainsi qu'il s'appelait, me parlait toujours. Il me posait plein de questions. Je lui ai raconté en quelques mots mon passé. Mais il fallait que je m'occupe aussi des autres clients.

Gérard est resté là, sur son tabouret, jusqu'à la fermeture.

Il était étrange, mais je le sentais pourtant bienveillant, car il avait un bon regard. Les yeux, c'est le miroir de l'âme. Le gros Albert buvait, de plus en plus.

Il fallait faire le ménage maintenant. Mettre les chaises sur les tables, laver et ranger les verres. Je ne m'en sentais pas le courage. J'étais déprimé.

Si c'était comme ça qu'il fallait commencer une carrière d'artiste...

– *Gérard, on fait des spaghettis, tu vas rester avec nous.*

– *Oui, je sais pas, euh, oui.*

Il m'interrogeait du regard pour savoir si j'allais manger des spaghettis. J'avais une petite faim.

Il est passé derrière le bar et m'a montré comment faire pour essuyer les verres. Cela semblait amuser Maître Albert :

– *Je te vois venir Gérard, tu veux me piquer mon barman.*

Enfin, nous nous sommes tous retrouvés autour d'une grosse assiette de pâtes. Très vite, je deviens l'objet de la conversation. Soudain, le ton monte, Albert a du mal à contenir son agressivité vis-à-vis de Gérard.

– *T'es venu le débaucher? Écoute, Gérard, chacun son territoire.*

Tout à coup, j'élève la voix.

– *Est-ce que je peux parler? Monsieur Albert, je ne crois pas que je resterai ici, je ne vous demande rien, je me suis fait un petit peu de pourboire. Ce que je veux, c'est chanter, rien que chanter. Laver les verres, balayer, boire avec les clients, non merci!*

Il y a eu un froid à table, et Maître Albert s'est montré extrêmement désagréable.

– *Mais casse-toi! casse-toi! Encore un petit merdeux!*

Je me suis levé dignement. J'ai traversé la salle. En récupérant mes affaires, j'ai salué le cuisinier qui m'a souri, et je suis sorti.

Nous étions fin février, il faisait froid. J'ai entendu des pas derrière moi. Je me suis retourné, je savais que c'était Gérard. Il a couru pour venir à ma hauteur, m'a demandé où j'allais.

– *Je vais te raccompagner.*

Sa voiture était garée à l'angle du quai Montebello, une 504 grise Breack.

Je me suis installé à l'intérieur, une odeur de légumes et de fruits envahissait l'habitacle. Il m'a expliqué qu'il la prenait pour faire les halles. J'ai trouvé que c'était très courageux de sa part.

– *Tu sais, quand on a un restaurant, il faut savoir faire la cave, faire les achats aux halles. Tu apprendras que plus on a de responsabilités dans la vie, plus on travaille.*

En passant à côté du parvis de Notre-Dame, qui est à deux pas de « la Licorne », Gérard a stoppé la 504 et m'a demandé si je voulais marcher un peu.

– *Regarde, en ce temps-là, on construisait encore de belles choses.*

Il était plus de 5 heures du matin. Nous n'étions pas fatigués. Nous avons marché les mains dans les poches, j'avais la tête bien rentrée dans le col de mon blouson. Il m'a raconté sa vie.

Pour le moment, il dirigeait un restaurant, pas loin

de là, « Le temps des Cerises ». Sa jeunesse, il l'avait passée à Montmorency, où son père était boucher.

A quatorze ans, il était entré comme groom, à l'hôtel Intercontinental. Il y était resté quelques années pour apprendre le métier.

Plus tard, il avait travaillé au « Glinglin » à Saint-Germain et au « Coup de Freins », sur la butte Montmartre. C'est là qu'il avait rencontré Dalida. Elle était devenue sa passion. Elle représentait la réussite artistique. Que n'aurait-il donné pour devenir son ami. Aujourd'hui, c'était chose faite.

Sa première, véritable affaire, c'était le « Bistrot du Port », un restaurant, tout près de « la Licorne » justement. « Le Tout-Paris » y avait sa place. Il avait aussi racheté à Nerville-la-Forêt, l'Auberge de Brancatto, une gloire d'avant-guerre. C'est son père qui s'en occupait. Sa mère avait refait sa vie avec un inspecteur de police, très bien d'ailleurs. Elle tenait la caisse d'un cinéma sur les boulevards.

Il me lançait tout ça, en vrac.

Il aurait voulu devenir chanteur, mais il n'avait pas réussi. Pourtant, il avait fait le jeu de la chance avec Guy Lux, un dimanche après-midi. Mais Mireille Mathieu semblait plus favorisée que lui, ce jour-là. Maintenant c'était trop tard pour lui, mais il ne regrettait rien, c'est la vie.

Nous nous étions assis sur un banc. Quand il a eu fini de parler, à mon tour, je lui ai raconté ma vie. Il m'écoutait, hochant la tête de temps à autre.

Je voulais absolument chanter, c'était ma vie, il fallait qu'il le comprenne. Il a répondu qu'il connaissait beaucoup de monde dans ce métier difficile. Que je devais me mettre en quête de chansons, avant d'entamer quoi que ce soit.

Nous nous étions découverts, j'ai ressenti à cet instant, que je tenais enfin ma chance. Il m'ouvrait la porte du show-biz, me dévoilant tous ses secrets. Plus il m'expliquait, plus j'avais soif de savoir. Il ne fallait surtout pas que j'en perde une seule miette.

Repus et fatigués, nous avons pris le chemin de Sainte-Geneviève. Je lui ai demandé ce qu'il comptait faire après m'avoir raccompagné.

– *Je vais aux Halles.*

– *Ça vous ennuie si je vais avec vous?*

J'ai décidé de l'accompagner par solidarité, il avait passé sa nuit à me parler, il n'y avait pas de raison.

Toute la matinée nous faisons les Halles ensemble. Gérard a le coup d'œil. Il a le don de sentir que telle ou telle marchandise est supérieure à l'autre.

– *Tiens, tu me mets ces deux bottes de poireaux, la caisse de tomates là!*

Je m'étonne qu'il discute les prix pour trois centimes au kilo.

– *Trois centimes par ici, cinq centimes par là, à la fin de l'année tu fais ton compte, et tu vois que ça représente beaucoup d'argent. Et puis mes clients sont exigeants. Je veux de la belle qualité.*

Nous avons chargé le break. Les caisses au nom du « Temps des cerises » étaient empilées sur le quai. La tradition veut, qu'à la fin des achats on se rende au restaurant. J'y ai dévoré un énorme steack.

Il m'a déposé à Sainte-Geneviève-des-Bois, je me suis écroulé sur mon lit, mort de fatigue, il était 2 heures de l'après-midi.

Ainsi commençait une grande amitié. C'était la solitude qui nous rapprochait. Il était le premier qui m'écoutait. Je voulais devenir chanteur et il m'encourageait.

LA RENCONTRE

Gérard représentait pour moi, le grand frère que je n'avais pas eu, pour lui j'étais la jeunesse et l'espoir qu'il n'avait pas eu le temps de connaître. A travers les années, nos liens se sont resserrés. Nous avons toujours su être présents l'un pour l'autre quand il le fallait, dans la joie, comme dans la peine. Pour un orphelin, c'est important de se peindre une famille. Gérard est la première couleur que j'ai étalée sur la toile. Aujourd'hui, je pense être sa seule famille. Son père et sa mère l'ont quitté, bouffés par cette putain de maladie qu'on nomme « Cancer ».

Gérard, moi je suis là et bien là.

Chapitre 29

LE BOULOT, C'EST LE BOULOT

On sonne à ma porte. C'est un télégramme de l'agence pour l'emploi, il est signé Karaté-do. Encore un coup de Freddy.

– *5 000 Francs nets par mois pour établir des statistiques sur la vente des fromages. C'est pas un job fait pour toi, ça? Tu m'as bien dit qu'à l'école tu étais bon en calcul? Tu te présentes rue Lincoln dans le 8ᵉ au 2ᵉ étage, à tel numéro, j'ai tout arrangé, l'ANPE certifie tes compétences.*

Bonjour la magouille!! Les bureaux sont spacieux, l'ambiance agréable, je suis reçu par un directeur en costume bleu marine.

– *Vous maîtrisez parfaitement l'informatique m'a t'on dit. Ici, avec Mlle Jarret, vous serez responsable du service statistiques de notre société. Mlle Jarret va vous mettre au courant.*

Ma collègue est très sympathique, en moins de cinq minutes, elle a découvert la supercherie. Je ne connais rien en statistiques, informatique et tout le reste.

Je n'arrive déjà pas à boucler mon propre budget. Avec des sourires, on fait des miracles. La petite Jarret a une double tâche, pour un seul salaire.

– *Je me plais bien ici, et vous Nicole?*

Jusqu'au jour où..., le directeur commercial, m'informe de la réunion du lendemain. J'aurais à présenter, à l'aide du tableau magnétique, les courbes de ventes par produit et par secteur.

La gentille Nicole Jarret, ne peut plus rien pour moi. Je vais me trouver seul, face à mes bourreaux. Tant bien que mal, je programme les statistiques sur le pupitre, en priant pour que les bureaux soient plastiqués pendant la nuit.

La salle de conférence est immense. Autour de la grande table ovale, 20 représentants attendent les résultats, en griffonnant sur le bloc-notes. Pour chacun, c'est le même examen de passage tous les mois. Celui qui vend moins est montré du doigt. Autant vous dire, que mon travail est important.

– *M. Lahaye, si vous voulez bien prendre la parole et nous donner le résultat de vos investigations.*

Alors là, vraiment j'hésite. Soit, je continue mes escroqueries soit je demande à m'absenter pour aller aux toilettes : j'assume, mais tant pis pour eux.

J'appuie sur le premier bouton, une courbe apparaît immédiatement sur le tableau magnétique. Il y a un « Oh » de surprise dans l'assistance. Moi, Jean-Luc Lahaye, j'ai réussi à faire augmenter les ventes du « Caprice des Dieux », de 30 % pour l'exercice. Ils appellent ça pâtes molles à croûtes fleuries.

Deuxième bouton, je fais encore mieux, le « Petit Duc », fait une percée sur le marché avec un résultat de 45 % supérieur au mois précédent.

Les gens battent des mains; champagne! s'écrient certains.

LE BOULOT, C'EST LE BOULOT

Dans l'euphorie générale, un seul n'est pas tombé dans le piège, le directeur financier.

– *Jeune homme, démontrez-nous, mathématiquement vos résultats.*

Tonton, j'angoisse. T'avais sûrement raison, j'étais bien pénard à la SNECMA. Mais pourquoi me suis-je foutu dans ce merdier? Le visage blême, la voix chevrotante, je m'exécute, c'est un suicide. Mon feutre indélébile dessine des chiffres que j'ai moi-même du mal à lire sur le tableau.

Additions, soustractions, divisions, tout est faux. Ma voix pourtant devient plus forte. Je me laisse prendre au jeu. Mon numéro est digne du meilleur sketch des Marx Brothers. Puis c'est le silence. J'avais parlé exactement cinq minutes pour ne rien dire. Personne n'avait osé m'arrêter, pensant que les autres avaient compris.

– *Bon, à part cela, ça va. De toute façon, je l'ai goûté, il est bon ce fromage, il marchera j'en suis sûr, ne vous inquiétez pas. Au revoir, excusez-moi.*

J'ai récupéré ma gomme et mon crayon et je me suis enfui, sans demander mon reste.

C'est Tonton qui se chargeait de récupérer mes salaires. En remerciements, je lui racontais mes anecdotes. J'en arrivais même à rire de mes histoires.

– *Tu ferais mieux de faire ton ménage et de vider ta poubelle. Si je ne venais pas de temps en temps pour le faire, ça serait vite une porcherie chez toi!*

A mon ménage, je préférais mon entraînement de karaté chez Guy Sauvin à Menilmontant. Guy était l'actuel champion de France par équipe.

– *Allo! oui! Salut Freddy, d'accord j'arrive!*

Freddy est dans la cour de l'agence pour l'emploi. Il casse du petit bois comme on dit. A coup de pieds et de mains, il s'acharne sur des palettes. Autour de lui, des ouvriers de l'usine d'à côté, le regardent, émerveillés.

– *Hé Freddy, quand tu auras fini, on pourra peut-être commencer!*

– *J'ai une place de chauffeur livreur pour toi. Au fait, tu l'as passé ton permis?*

– *Oui, oui!*

C'était faux, je n'avais que le code.

– *Viens, on va leur téléphoner.*

C'est une petite usine, rue des Pyrénées, dans le 20e arrondissement, « Le comptoir du progrès ». Il s'agit de livrer avec une estafette, des éplucheurs de pommes de terre, à Paris et en banlieue.

– *Bon, c'est Ok, tu commences demain.*

Entre temps, j'ai récupéré Look, mon chien. C'est donc avec lui que je me présente à l'embauche à 7 heures du matin.

Un jour, deux jours, trois jours, pas de problème, tout va pour le mieux. Pendant mes livraisons, je trouve toujours un petit creux pour aller voir Freddy ou embrasser ma mère à la sortie de son laboratoire. Chaque matin, je m'arrête dans le terrain vague de la porte des Lilas, celui qui surplombe le périphérique. Je lâche Look qui s'en donne à cœur joie.

Ce lundi, je fais un crochet par le Marché aux Puces. J'ai l'habitude d'y aller souvent et je connais tous les vendeurs de fringues. Paulo est sur le bord du trottoir de la rue Paul Bert, il fait grise mine. C'est un copain aussi.

– *Qu'est-ce qui t'arrive Paulo?*

– *C'est le proprio, je viens de m'attraper avec lui à cause du loyer. On n'est pas d'accord sur la somme. J'ai deux heures pour déguerpir. T'as vu toute la cam' que j'ai. Faut pourtant que je ramène tout chez moi dans le 13ᵉ. J'peux pas laisser ça là cette nuit.*

– *T'inquiète pas Paulo, j'ai mon estafette.*

Il nous a fallu une heure et demie pour charger, tellement il avait de saloperies, le Paulo. Des meubles, une pendule, une vieille moto, de la vaisselle, un poêle, des radiateurs, en poussant, tout est rentré. On sentait que les amortisseurs de la camionnette étaient un peu fatigués. On a quand même pris le périphérique. Au bout de dix minutes, des voitures nous klaxonnent et leurs chauffeurs nous font des signes.

– *Gare-toi Jean-Luc, y'a sûrement quelque chose!*

A la première sortie, porte de la Chapelle on s'arrête, c'est une catastrophe. La porte arrière de l'estafette s'est ouverte, et toute la marchandise s'est éparpillée le long du parcours. Seule, la grosse éplucheuse n'a pas sauté. D'après les témoins, nous avons failli provoquer de nombreux accidents. Des flics nous ont maintenant rattrapés, avertis par des automobilistes bienveillants. J'explique à Paulo que je n'ai pas mon permis de conduire, qu'il faut qu'il prenne ma place au volant. Après on verra.

– *Vous avez vos papiers?*

Pour comble de malheur, Paulo les a oubliés chez lui.

– *A qui appartient ce véhicule?*

– *A la société « Comptoir du progrès. »*

– *Comment vous appelez-vous?*

– *Jean-Luc Lahaye.*

– *Très bien, restez là, nous téléphonons à votre patron.*

Les flics ne se sont pas rendu compte de la supercherie. Mon patron a répondu que j'étais son employé et que j'avais bien mon permis de conduire.

La tête du chef comptable ne plaisait pas à Look et il

lui a montré ses crocs. Alors, cette fois, j'ai attendu ma paie. Toute petite, mais c'était bon à prendre.

La mécanique était en marche et rien n'avait pu troubler cette magnifique horlogerie. Nous étions fin mars 1977, j'avais cinq jours pour rejoindre mon régiment cantonné à Blois. Le juge avait fait son boulot.

J'ai liquidé mes affaires en cours, rendu mon studio et placé Look chez Tonton. A la gare de Lyon, avec ma petite valise, je me retrouvais quelques années en arrière. Je vivais mes souvenirs, comme la main qui cherche la tiédeur de la peau et qui trouve le marbre.

A 18 ans, j'avais taillé ma route à travers les rêves et les sales quarts d'heures. Je m'étais déchiré la peau sur les petits sentiments. La société m'avait condamné dès le départ, mais je n'acceptais pas son verdict.

Jean-Marie Galopin avait écrit au colonel. Il n'était pas pensable que je puisse faire mon service militaire. J'étais un être totalement associal et le dossier qu'il lui adressait le prouvait. D'après Jean-Marie, il était inconcevable qu'on me fasse marcher au pas, je l'avais trop fait pendant quinze ans. Ma faiblesse de la colonne vertébrale, purement imaginaire, n'a pas du tout influencé le médecin à mon égard. Il s'était déjà renseigné, il savait que je m'entraînais plusieurs fois par semaine au karaté – Club de Menilmontant.

Le tampon de réforme n° 3, c'est le psychiatre qui l'a apposé sur ma feuille. Il était l'ami des « bêtes ».

– Docteur, je suis seul dans la vie, mon chien va mourir, laissez-moi partir.

Sur le quai de la gare, je me retrouve comme un con. Je n'ai plus rien, puisque j'ai tout bazardé, huit jours auparavant.

LE BOULOT, C'EST LE BOULOT

Tonton est parti à Menton pour sa société, il ne reste plus que mon bon samaritain. Après avoir écumé les petites annonces et les agences immobilières avec Jean-Marie, nous avons trouvé un studio au 7, rue Haxo pour 1 500 F par mois. J'ai cassé ma tirelire alimentée mensuellement par Tonton, et c'est encore le bon Jean-Marie qui s'est fendu, d'un canapé lit, d'une télé, et de tous les accessoires nécessaires à l'installation d'un jeune célibataire.

J'étais heureux de m'installer à Paris, la banlieue me pesait, surtout les fins de semaine.

Le jugement rendu par le tribunal de Créteil, m'a condamné à trois ans de prison avec sursis. C'est beaucoup pour un vol de voiture. Mais ils auraient pu m'en mettre cinquante fois plus du moment que c'était avec sursis.

Freddy m'a persuadé de passer mon permis de conduire :

– Avec ça en poche, t'auras plus de chance de trouver un emploi et ça te fera au moins un diplôme.

Le père de mon camarade Michel Valla, exploite une auto-école rue Fourcroy. Ça tombe à pic. Son père est sympa, je n'ai pas le fric, mais il accepte de commencer les leçons de conduite.

Une fin d'après-midi alors que j'attendais mon tour en parlant musique avec mon pote, un type frappe à la porte et entre.

– Bonjour! j'ai téléphoné hier pour m'inscrire pour des leçons. J'avais rendez-vous à 18 heures, je suis un peu en avance.

En un éclair, Michel et moi avons eu la même idée.

– Non, non, nous allons vous prendre tout de suite. Tu viens Jean-Luc.

Le type nous suit jusqu'à la 204 blanche garée en

face. Il prend le volant, je m'assois à ses côtés, Michel reste derrière.

– *M. Germain, avez-vous déjà conduit?*

– *Oui, un peu, comme ça, avec des amis, à la campagne.*

Je lui explique exactement ma leçon de la semaine d'avant. Germain démarre, cale, panique.

– *Du calme, M. Germain. Recommencez.*

Le type s'exécute. La voiture fait des sauts de carpe, tourne et roule enfin en plein milieu de la rue. Je redresse, c'est parti.

– *Détendez-vous M. Germain, ce n'est pas plus difficile que ça, vous voyez.*

Il est 18 heures passées et c'est la merde dans les embouteillages. Je vous dis pas le concert de klaxons à chaque croisement, chaque feu rouge.

– *Allez, passez M. Germain, de toute façon, nous avons forcément priorité. Nous sommes une auto-école, c'est aux autres de faire attention. Allez plus vite.*

Michel commence à s'exciter. Porte Dauphine, j'indique à notre chauffeur l'avenue Foch. Comme il ne va pas assez vite, je me sers des doubles commandes pour écraser le champignon. Le mec est vert.

Ça devient un grand slaloom entre les bagnoles. Et Michel qui crie maintenant :

– *Vas-y, vas-y, double moi ce con là.*

Les appels de phares ont succédé aux coups de klaxons. Les feux tricolores sont pour nous transparents et je m'étonne qu'il n'y ait pas encore un flic à nos trousses.

Place de l'Étoile, ça se calme. Je dirige l'auto sur l'avenue de Friedland.

– *Arrêtez-vous là M. Germain. Maintenant nous allons faire l'apprentissage de la marche arrière.*

M. Germain, se fait tout petit dans ses pompes.

Dans le premier bateau nous faisons pivoter la 204 et nous voilà dans la file des automobilistes, mais tête bêche. Notre élève, docilement, se plie à nos exigences.

– *M. Germain, changez de file, s'il vous plaît, nous allons tourner à gauche.*

Là, j'ai bien cru qu'il avait renversé le cycliste qui nous doublait. Non, il a du pot. Retour au bercail en marche avant et sans encombre. La 204 a repris sa place bien sagement face à la boutique d'auto-école « Chez Valla ».

Le père de Michel nous voyant rentrer :

– *Vous n'avez pas vu un type qui avait rendez-vous à 18 heures, un nomme Germain?*

– *Non, pa!*

– *Encore un qui ne sait pas ce qu'il veut!*

J'ai trouvé une place de serveur dans une brasserie près de la Bourse. J'ai raconté au patron mes bobards habituels :

– *Je connais le métier, mon père déjà était dans le coup, etc.*

C'est un endroit très à la mode où se retrouvent souvent les gens du cinéma.

Ce soir-là, Marcel Carné, « Le monstre du cinéma français » dînait avec quelques amis.

Je me trouvais doublement impressionné, d'abord à cause de l'homme, ensuite parce que c'est moi qui devais les servir. J'avais bien appris mon rôle.

Je m'approche de la table du metteur en scène, avec les entrées, et je lui renverse sur la main sa terrine d'avocats. Il lève la tête, me regarde, sans parler, et se rend aux toilettes.

Son poulet à l'estragon et à la crème fraîche, il l'a

reçu sur l'épaule de sa veste d'alpaga. C'est à cause de mon collègue de la table d'à-côté, qui s'est baissé pour ramasser une cuillère. M. Carné a demandé le patron. Celui-ci s'est confondu en excuses.

– *Le pressing est pour moi, les cafés aussi, etc.*

Quand ça va mal, ça va mal. La salle était tendue et moi plus encore. On se serait cru dans une arène et j'étais le toréador (Excusez-moi M. Carné, pour la comparaison).

Marcel Carné, ne voulant plus prendre de risques, avait commandé une simple crème caramel. Dans ma main gauche, je tenais les deux nougatines de ses invités, dans la main droite, la crème caramel.

Le public retenait son souffle. Je me déplaçais, comme un acteur à qui l'on a donné le rôle de sa vie.

Je me penche pour servir les nougatines, de la main gauche, et ma main droite, incontrôlée suit le mouvement. La crème caramel coule, doucement sur la tête de M. Marcel Carné.

La salle est debout, en délire. C'est un triomphe. Les garçons sont pliés en deux, et moi j'éclate, n'y tenant plus.

J'ai été viré sur-le-champ!

Chapitre 30
L'AMERICAN MOTO

Sur un journal, j'avais relevé la publicité d'un garage, qui vendait des Shoppers, « American moto » – 15, rue Keller à Paris.

C'est en discutant avec un vendeur, au sujet d'une 750 « Shopper » que je ne pouvais pas me payer, que j'ai vu entrer Robert Macouille.

– *Ben qu'est-ce que tu fous là? Je te croyais en Afrique, chez tes parents!*

– *Le climat, la nostalgie du pays. Et toi? Tu sais qu'à mon retour j'ai essayé de te joindre. Impossible. J'ai su que tu avais déménagé, c'est tout. Moi je travaille là, je m'occupe des achats de pièces.*

Je lui raconte ma vie, mes différents petits boulots.

– *T'es libre alors? Ça tombe bien, le patron cherche un vendeur.*

Grâce au tonus de Robert, j'ai été embauché immédiatement et en prime, je suis reparti avec un Draxter 750.

– *Fais gaffe quand même, il est pas homologué.*

Je m'en tire pas mal avec les ventes, M. Devaux est content de mes services. C'est un va-et-vient de motards qui viennent chercher des pièces. La maison est spécialisée dans le chromé, plaques spéciales américaines, boulons, tout pour la moto.

Il y a un garçon qui passe ses journées à bricoler sa Harley Davidson. Il paraît qu'il chante et qu'il a déjà enregistré trois disques qui n'ont pas marché. Il vient de finir un 45 tours, il y croit toujours. Ça s'appelle « Laisse-béton » et l'artiste c'est Renaud. Chaque soir, avec un accordéoniste et une basse, il chante à la pizzéria du Marais. Alors on va l'encourager avec les autres.

Notre bande comporte une cinquantaine de motos, toutes des Dragsters. L'uniforme est obligatoire : Santiag, Perfecto. Le seul qui soit autorisé, à en faire partie, sans s'être plié au règlement, c'est Gérard Chappaz, le concessionnaire Honda. Il nous accompagne dans nos raids, avec une 1000 CBX.

Nous sommes considérés comme une bande de voyous dangereux. Aux restaurant on paye, mais on casse! Dans l'épicerie du petit Arabe, à côté du magasin, un dimanche soir, nous nous sommes battus avec ses fruits et légumes. En un quart d'heure tout était saccagé. Nous nous sommes cotisés à raison de 100 francs par personne, pour l'indemniser.

C'est Walter : un grand, qui m'a fait connaître Sabrina. Elle était mignonne cette petite brunette aux longues jambes, comme je les aime. Elle était la fille de Jacques Mesrine.

Nous décidons de vivre ensemble. Je sais qu'elle était en contact avec son père. Elle descendait téléphoner de la cabine d'en bas, sans me donner d'explications; alors que nous avons le téléphone dans la chambre.

L'AMÉRICAN MOTO

Nous avons passé quatre mois à nous aimer et à nous détester. Souvent, elle me menaçait :

– *Mon père va venir te mettre une balle dans la tête.*

Je n'y croyais pas, mais enfin...

La course de 500 cm^3, a lieu en octobre, à Nogaro, dans le Gers. Pour la promotion de « l'American Moto », M. Devaux m'a prié d'y assister avec les copains et de faire le premier tour d'honneur. Nous serons une trentaine de Dragsters. Nous sommes partis de très bonne heure le matin; Sabrina est derrière moi. Très vite, le groupe s'est dispersé.

A Bordeaux, nous sommes accueillis par une pluie torrentielle. Nous décidons de coucher dans le premier hôtel venu.

Le lendemain, à l'entrée du circuit, on nous refuse le passage. Un coup de sifflet, c'est la bagarre.

Notre tour d'honneur, nous le ferons quand même, mais nous avons retardé le départ de la course de deux heures.

Les gendarmes interviennent et nous embarquent.

On ne saura jamais, si c'est à cause de Sabrina que nous avons été relâchés au bout de trente minutes.

Quand le flic lui a demandé en riant si elle était de la famille du gangster, elle a répondu non. Mais dans le chahut, un grand escrogriffe a crié que son père allait venir lui envoyer une bastos dans la gueule, s'il continuait à nous faire chier.

Au retour, en traversant les landes, la moto est tombée en panne, la magnéto a brûlé. Il pleuvait toujours, autant que la veille. Sabrina n'arrêtait pas de me maudire, parce qu'elle avait froid.

Quand j'en ai eu marre, je lui ai fait comprendre

qu'elle pouvait rentrer à pieds. Elle m'a giflé et s'est enfuie en courant, sans attendre la monnaie.

Ruisselant, je poussais mon Shopper en espérant que j'allais trouver une station. Un motard m'a doublé, il a ralenti, puis s'est arrêté.

– *Sabrina est sur la route, un peu plus loin. Prends-la avec toi et envoie-moi un dépanneur.*

Je n'ai vu personne, ni le dépanneur, ni Sabrina.

J'ai été recueilli par un chauffeur de taxi et sa famille. J'ai dormi chez eux et le lendemain matin, l'homme m'a raccompagné jusqu'à la gare la plus proche. C'est la Sernam qui a rapatrié mon engin sur Paris.

Sur la porte de mon studio, Sabrina, mon bel amour, m'avait laissé un mot « J'aurai ta peau, salaud... ».

Je ne pouvais pas lui donner ce qu'elle attendait, un équilibre et une vraie vie de famille. Comme moi, elle avait vécu sur un fil. Je crois qu'aujourd'hui, elle a trouvé le bonheur, et c'est bien.

Jacques Mesrine a été abattu en plein cœur du Marché aux Puces de Paris. L'image du gangster crucifié par les balles était à la une de tous les journaux.

J'ai pensé à toi petite Sabrina.

Chapitre 31

ZIZI JEANMAIRE
ET ROLAND PETIT

– Allô, Jean-Luc, c'est Freddy. J'ai un super job pour toi; le tremplin; fini le HLM blues. Mme Jeanmaire, dite Zizi cherche un chauffeur.

– Mais Freddy, je travaille, et mon boulot me plaît!

– Tu comprends pas dis, Zizi Jeanmaire, le Showbiz les introductions, les contacts. Tu comprends pas ou quoi? Tu t'habilles en dimanche, elle t'attend demain à 11 heures.

Je sonne, il est 11 heures précises. Je n'ai pas enfilé un costume trois pièces, mais je suis propre.

Le type qui m'ouvre a tout de l'hermaphrodite. Petit, rondouillard, blond chauve et mal dans ses pompes. Je n'ai pas croisé son regard, il porte des lunettes dont les verres sont légèrement teintés. Cela ne fait qu'augmenter le malaise qu'il dégage.

– Je viens pour la place.

La « chose » ne répond pas, elle me renifle.

– Je suis bien chez Mme Jeanmaire?

Enfin, il consent à me parler.

– *Entrez, je vais chercher Madame.*

Les murs de l'entrée sont tapissés de tableaux de maîtres. Sensibilisé par le couloir déjà prometteur, je pénètre dans le salon. C'est un festival d'objets d'art et de meubles anciens. Tapis, argenterie, chaîne stéréo super sophistiquée. Madame est entrée, suivie par son domestique.

– *Mon Dieu, qu'il est grand, mais vous êtes jeune, vous n'avez pas dix-huit ans? Alors, comme ça, vous faites du karaté m'a-t-on-dit, c'est dangereux ça! Vous avez déjà conduit des grosses voitures?*

Zizi Jeanmaire est debout, devant moi, toute petite dans son kimono noir. La finesse et l'élégance de ses mains, tranchent avec son allure de titi parisien

– *Oui, Madame, j'ai conduit des Cadillac, Pontiac, Camaro.*

– *C'est quoi, ces machins-là, Patrick?*

– *Des voitures américaines Madame. Je crois que ce jeune homme aime bien ce qui vient des U.S.A., il est venu sur une superbe Harley Davidson.*

– *Quel est votre prénom déjà? Jean-Luc! Bien Jean-Luc. Quand vous arriverez le matin, vous prendrez l'habitude de cogner à la porte, surtout ne pas sonner, j'exige qu'on me laisse dormir.*

Les copains m'attendaient avec impatience au magasin. Je leur ai tout raconté, dans l'espoir qu'ils me diraient « *Laisse-tomber Jean-Luc, c'est des cons...* » Au contraire, ce n'était qu'encouragement : « *C'est bon pour toi, et puis tu pourras nous faire signer des autographes* ».

Pour fêter mon départ, j'ai invité la bande chez moi. Nous étions 40. Entre les coups de pistolet tirés par la fenêtre par Nanou et la stéréo qui décoiffe, c'est les poulets avertis par les voisins qui ont débarqué dans le petit appartement. Ils étaient 4, nous étions 40. Ils étaient intelligents, nous étions heureux. Ils ont préféré s'abstenir. Nous avons continué.

Sans l'intervention de Patrick Xenochose, je me battais avec le concierge de l'immeuble. Il n'était pas question que ma moto reste sur le trottoir.

– *Jean-Luc, vous ne pouvez pas rester habillé comme ça. Suivez-moi.*

De sa garde-robe personnelle, il a tiré une veste. Je l'essaie, elle me va à ravir. Je ne la lui rendrai jamais, d'ailleurs.

Zizi Jeanmaire est toujours vêtue de la même façon, un spencer noir, un pantalon noir et un petit sac qu'elle porte toujours au creux de son bras.

– *Vous commencerez par me conduire chez Carita.*

C'est pas encore la panique, mais moi, Carita, connais pas. C'est quoi, une rue, un building?

– *Pardon Madame, Carita?*

– *Oui, Carita, le coiffeur, rue du Faubourg-Saint-Honoré.*

Pour cette première promenade, nous avons sorti l'Alfa-Roméo 2000. Patrick est assis à mes côtés, Zizi Jeanmaire est installée à l'arrière.

En quittant le garage, j'ai failli me payer le camion des postes. Je longe les quais de la Seine, les péniches glissent, laissant derrière elles deux longues vagues qui viennent mourir sur les bords.

J'arrête la voiture en double file, devant le grand coiffeur.

– *Laissez Jean-Luc, quelqu'un va s'en charger, venez plutôt avec nous!*

Madame a une vie très chargée. Bien sûr, cela n'a rien à voir avec la mère de famille qui passe dix heures à l'usine, récupère son gosse chez la nourrice, prépare le dîner tout en repassant le linge de la semaine.

Le matin, je conduis Madame au Casino de Paris, elle fait des exercices à la barre. A midi, elle déjeune de quelques fruits. A 14 heures, Franchetti la fait travailler au Moulin Rouge. Pendant ce temps, je déroule mon kimono, et je fais des exercices.

Roland Petit, le mari de Zizi, dirige le théâtre de Marseille. Zizi donne chez elle des soirées fabuleuses. J'y rencontre simultanément, Yves Mourousi qui se passionne pour la moto; Michel Guy, un ancien ministre; Edmonde Charles Roux; le tout Paris de « Jours de France ».

Mes conquêtes sont nombreuses, surtout parmi les modèles.

Zizi Jeanmaire est partie rejoindre son cher et tendre à Marseille. J'ai emprunté la Rolls pour le week-end, sans son accord, bien entendu.

Nous partons à Deauville. Dans la belle auto chromée, Emmanuelle de la Fraysange, Freddy et Richard se prélassent sur les coussins moelleux.

Nous avons décidé de jouer quelques jetons au casino. Ce n'est pas du tout l'avis du portier, qui, n'accepte pas les gens en jean, santiag et perfecto. Il s'en suit une petite bagarre, et nous commençons nos vacances au commissariat.

La nuit, nous la passons au « Palace ». Mon ami Chappaz qui habite au Club 13, nous reçoit pour le petit déjeuner. En fait, nous y passons la journée; entre le tennis, le sauna, on s'éclate quoi!

Il nous faut quand même repartir. Je dois récupérer la famille Jeanmaire-Petit à l'aéroport d'Orly. Ils arrivent par le dernier avion en provenance de Marseille.

Paris, un dimanche soir, c'est triste. Nous n'avons pas envie de nous quitter, pas tout de suite. Je téléphone à un copain qui demeure à Montmartre.

Nous avons écouté des disques, Jean-Pierre nous a lu quelques passages de son prochain livre. Il me reste juste le temps nécessaire pour me rendre à Orly.

J'enfile la rue-Gabrielle à toute allure. Elle est très étroite. En même temps que je conduis, je pense à la tête que feraient mes patrons, s'ils savaient.

– *Freddy, une Rolls, comme celle-ci, ça va chercher dans les combien?*

Je n'ai pas eu de réponse. J'ai pris les phares de la 604 qui montait en pleine figure. Aveuglé, j'ai voulu ralentir. Dans ma panique, j'ai enfoncé de tout mon poids la pédale d'accélérateur, au lieu de la pédale de freins. L'angoisse. Un coup de volant sur la droite, je monte sur le trottoir et j'enquille la voiture, dans l'angle d'une porte cochère.

La secousse a été inversement proportionnelle au bruit de la collision. Les vitrines de l'immeuble ont volé en éclat. Je n'osais plus sortir. Des petits loubards qui passaient par là, attirés par le barouf, s'approchent de la limousine :

– *Alors les minets, on s'éclate.*

La haine et la rancœur mélangées, je me suis vengé sur l'une des petites gouapes.

Entre l'accident et la bagarre, j'avais mis un bordel monstre dans le quartier. Ce sont les « agents » qui ont remis de l'ordre. Ce sont « eux » qui ont commandé la dépanneuse.

Le taxi m'a déposé devant la porte C de l'aéroport. Cinq minutes avant l'atterissage du Boeing. J'étais dans mes petits souliers. J'avais préparé différentes excuses. J'ai préféré opté pour la destinée.

M. Roland Petit se pose devant moi, d'un petit hochement de tête, me salue et laisse tomber sur mes pieds, les deux valises qu'il tient à la main. Je fais demi-tour et me dirige vers la sortie. Il me suit.

Au bout de 10 mètres, il me crie :

– *Vous n'avez rien oublié?*

– *Non, pourquoi?*

– *Les valises, c'est moi qui dois les porter peut-être! Je suis fatigué, moi, je travaille, moi! Vous avez garé la voiture à quel sous-sol?*

– *Je suis venu en taxi!*

– *Et qui va payer le taxi?*

– *C'est moi, Monsieur Petit*

– *Vous n'avez pas pris l'Alfa Roméo?*

– *Non, non!*

– *Tu sais bien Roland qu'il a une moto lui, il n'a pas besoin de voiture.*

– *Si, justement, j'ai un petit problème, j'aimerais savoir si vous avez encore besoin de moi.*

Des lampadaires intérieurs éclairaient la cour pavée, ainsi que la façade blanche de ce splendide hôtel particulier. La lune scintillait sur la cime des arbres aux essences rares. Il faisait bon vivre là, dans cet ensemble harmonieux et rassurant.

La seule chose qui choquait dans ce merveilleux décor, c'était cet infâme tas de ferraille qui gisait là, au milieu de tant de splendeur.

– *La Rolls de Monsieur est avancée.*

Le couple était prostré. J'en ai profité pour sortir mon Draxter du garage, je l'ai fait démarrer, et dans un bruit infernal, sans aucune gêne, je les ai plantés là.

J'ai quand même reçu ma feuille de paye.

Quoi qu'il en soit, je reconnais à Mme Zizi Jeanmaire et à M. Roland Petit, un talent immense. Ils ont toujours été présents dans la France d'hier et d'aujourd'hui, et sûrement de demain.

Chapitre 32
PANTIN

C'est à Pantin que j'ai découvert ma vocation pour les concerts. Pendant trois mois, dans une des buvettes appartenant à Jacques Pons et Jacques Cuvernille, j'ai fait des casse-croutes et vendu du coca.

J'ai pu assister aux plus grandes manifestations musicales : Vangelis, Chic Coréa, Van Hallen, J. Hallyday, Queen, Supertramp, Génésis, Eart Wing Fire. Des semi-remorques déballaient le matériel, c'était un mélange de couleurs, de musique, d'amour du spectacle bien fait.

Après le concert, planait sur l'endroit une ambiance magique. Entre les sièges on retrouvait des bouteilles, des paquets de cigarettes, des pulls, tee-shirts, tennis et des seringues. C'était ça le plus grave.

Des gens venaient là pour se piquer. Plusieurs fois j'ai failli me battre avec des dealers qui vantaient leurs marchandises devant mon stand. Je ne les ai jamais balancés, c'est contraire à mon état d'esprit, mais j'avais, et j'ai toujours une haine pour eux.

Pour nous quand le ménage du stand était fini, que la caisse était comptée, nous allions souper au « Diable des Lombards », aux Halles. C'était un endroit cablé et sympa.

Début décembre 1977, j'ai déménagé à la cloche de bois. Je n'avais pas payé mon loyer depuis six mois.

J'ai entassé mes guenilles dans les bagnoles des copains et je me suis réinstallé trois cents mètres plus loin, dans un deux pièces au 126, avenue Gambetta.

Pour payer mon loyer, il faut que je travaille. Les frites se vendent bien. Avec Pons et Cuverville, nous avons agrandi notre territoire. C'est ainsi que nos stands se déplacent au gré des salons, des expositions, des manifestations de tous genres.

Comme à l'habitude, je prenais mon café avec les copains de « l'American Moto. » Un vieux monsieur qui déjeunait à une table voisine, n'arrêtait pas de me regarder. C'était comme si il me connaissait, mais n'arrivait pas à mettre un nom sur mon visage. N'y tenant plus, il s'est levé, m'a tendu sa carte et d'une voix très douce :

– *Jeune homme, je suis peintre et je souhaiterais vous avoir comme modèle.*

Sa carte indiquait qu'il habitait près de la place Clichy, qu'il s'appelait Jean-Dominique Van Caulaert.

Malgré ses quatre-vingts ans et sa démarche fébrile, on voyait briller au fond de ses yeux, la petite étoile. Cette même étoile qui guidait continuellement mon chemin.

Le lendemain, vers 17 heures, je me présentai à son domicile. C'est sa sœur Germaine, une vieille dame aussi, qui m'a ouvert. Cette grande maison semblait avoir été abandonnée depuis de nombreuses années. Un escalier en colimaçon, menait jusqu'à l'atelier de l'artiste.

PANTIN

Cette grande pièce au plafond si haut, était meublée d'un piano à queue, d'un divan, d'une bibliothèque, d'une centaine de tableaux entassés pêle-mêle, des chevalets, dont l'un portait une toile inachevée, représentant le portrait d'Édith Piaf.

Je me trouvais bien dans cet univers. L'homme qui l'habitait le réchauffait de toute son âme.

J'ai pris place sur un tabouret de bar et Jean-Dominique Van Caulaert a commencé à peindre et à me raconter sa vie. Il était né en Belgique à la fin du siècle dernier. Il avait été l'ami de tous les grands peintres et des plus grands artistes. Il avait choisi, dès le début de sa carrière, d'être portraitiste.

En France, jusqu'à la dernière guerre, il marchait très fort. Sa cote était au plus haut. Quand les Allemands ont envahi la Pologne, il a préféré partir aux États-Unis. Là-bas, il a continué son œuvre. Bing Crosby, Elvis Presley et bien d'autres ont posé pour lui.

Il y a deux ans, sa femme qu'il adorait, est décédée. Afin d'effacer les souvenirs, il a quitté New York pour revenir à Paris. Voilà!

Mon portrait terminé, je suis revenu le voir très souvent. J'avais même décidé, en accord avec lui, de m'occuper de sa carrière.

Sur son journal intime que j'ai feuilleté après sa mort, à la période ou nous nous sommes connus, il avait écrit « Jean-Luc Lahaye pourra-t-il me redonner la confiance en moi? » Nous étions en janvier, il est mort en avril.

Ma logeuse regrettait de m'avoir loué son appartement du troisième. La nuit, souvent je jouais du piano. Elle me téléphonait :

– *Jean-Luc, j'aimerais que vous fassiez vos gammes*

le matin à partir de 11 heures, j'ai à faire demain et j'ai besoin de me reposer.

Sur les quais, j'avais acheté un mignon petit lapin blanc. Il bouffait tout dans la maison. Un jour qu'il se promenait sur le balcon, il a perdu l'équilibre et atterri à dix centimètres du visage de ma propriétaire. Une autre fois, c'était Raoul mon corbeau apprivoisé qui lui avait volé sans vergogne une petite chaîne en or.

Le pire, c'est que mon deux pièces était habité par des esprits. Céline, l'écrivain, y avait vécu trois ans. Après son départ, c'est la malédiction qui avait pris sa place.

La nuit, pour oublier ma solitude, je prenais un somnifère. Pour dormir, je fermais les volets, débranchais le téléphone, et coinçais une boule Quiès dans chacune de mes oreilles. Les manifestations surnaturelles étaient de deux sortes : soit une main me caressait les cheveux, soit une forme s'asseyait au pied de mon lit, faisant grincer le sommier. Je n'osais plus bouger. Je sentais mon cœur battre dans ma poitrine, prêt à exploser.

Quand on raconte ce genre d'histoire, les gens ricanent.

Une fiancée qui était venue partager mes rêves, a dû déguerpir en pleine nuit, sujette à une crise nerveuse. Le fantôme l'avait touchée de sa main glacée. La pauvre petite court encore.

Ce soir-là, au « Diable des Lombards », je suis branché mélancolie. C'est à cause de mes copains qui me parlent du grand amour avec leur nana. Je n'ai pas trouvé mon héroïne, celle qui fait couler les larmes dans l'encrier.

Nous sommes une vingtaine à table, douze de la bande de Pantin et huit provinciaux, invités par Pons. Je ne les connais pas.

Le type qui me fait face, me gonfle depuis un petit moment. Il se prend pour Einstein. Il a l'accent bordelais! Il étale sa culture comme une pelle de merde sur un mur. Je n'en peux plus. Je monte sur ma chaise, je sors un suppositoire iménoctal de ma poche; je baisse mon pantalon et tout en montrant mon cul, je m'enfile mon somnifère.

Le type a compris qu'il nous fatiguait avec son monologue. Les copains étaient pliés.

Je tiens aujourd'hui à les remercier de m'avoir laissé passer la nuit sur la banquette du resto. C'est le patron qui m'a réveillé le lendemain matin à l'ouverture du bar. Merci les gars.

A cause des vacances, « l'American Moto » a fermé, les copains sont partis en Tunisie. Je suis seul à Paris et je m'ennuie très fort.

Ma copine Dédée vient vivre avec moi, le temps de retrouver le soleil.

A « l'Élysée Matignon », j'ai fait la connaissance de Daniel Saviot, un joueur de cartes professionnel. Il a décidé de m'initier au gin. Je suis doué, paraît-il et très vite, je vais devenir son partenaire.

Nos parties commencent vers 23 heures, pour se terminer souvent à 8 ou 9 heures du matin. Daniel, tel un manager, organise les tournées. C'est ainsi que nous allons jouer à Monaco, Nice ou Paris. Quand on connaît son métier, l'argent se gagne facilement. Une partie peut laisser de 10 à 12 000 francs, consédérant que nous faisons deux ou trois parties chaque nuit, le compte bancaire que j'ai ouvert à cette occasion, est crédité de sommes rondelettes.

Bien sûr, il y a les fois où l'on perd. Pour le moral c'est très dur, surtout quand on a passé 8 heures à jouer.

Il suffit de peu de chose, un brin de fatigue, une déconcentration sur un coup, et tout est foutu par terre. L'un dans l'autre, quand même, les gains sont supérieurs aux pertes.

Il y a la superstition, moi je dois impérativement porter sur moi quelque chose de vert. Si par malheur j'ai oublié, c'est la guigne, je préfère m'abstenir.

Patou est une charmante jeune fille, passionnée par le jeu. Elle a quitté Taïwan et sa riche famille, pour prendre quelques vacances à Paris.

Très vite nous nous rencontrons autour d'une table. La première partie de gin, je lui prends 9 000 francs. Elle veut se refaire, c'est normal, et me donne rendez-vous le lendemain au « Flore. »

Je lui reprends 11 000 francs de plus. Elle tombe dans le piège du jeu. Encore une partie, encore une, la dernière. Elle va y perdre sa chemise, et plus.

Enfin, puisque c'est papa qui paie.

N'importe quel jeu, engendre une tension. Pour faire descendre leur taux d'adrénaline, les disciples du hasard boivent et fument énormément. Au bout de quelques heures, le cerveau perd de ses possibilités. En ce qui me concerne, j'ai la chance, face à ces adversaires, de n'avoir besoin d'aucune drogue.

Ce week-end à Perpignan chez les Fabrossard n'a pas justifié mon déplacement. Je n'ai rien gagné, je n'ai rien perdu. Daniel et moi avons joué séparément. Daniel a été plus chanceux, il ramène 35 000 francs. Les Fabrossard ont tenu à nous conduire à l'aéroport.

L'avion ne décollera que dans 45 minutes, nous avons le temps d'en faire une petite. Sur le coin du bar, en fermant 3 colonnes, en 7 plis je ramasse 4 000 francs. Mme Fabrossard n'a pas l'argent sur elle, on le comprend.

– *Ne bougez pas, je reviens,* me dit-elle.

Dette de jeu, dette d'honneur; elle me remet un magnétoscope qu'elle venait d'acheter et qui traînait tout emballé, dans le coffre de sa voiture. Je m'en sers encore aujourd'hui, il fonctionne à merveille. Je jouerai en professionnel jusqu'en mars 1979.

Tonton se prélassait sur la côte avec sa comtesse et le ciel n'avait toujours pas accouché pour moi d'une vraie famille.

Ma logeuse recevait chaque dimanche des amis, pour jouer au rami. A cette occasion, elle faisait une succulente tarte aux pommes. Le lundi matin, sa bonne me montait les restes, tout caramélisés. C'était bon.

Quand mon copain Emmanuel, qui flippait à mort pour un chagrin d'amour, est venu s'installer chez moi, non seulement je n'avais plus droit à la patisserie dominicale, mais encore moins au salut de la charmante voisine du dessous.

Emmanuel passait ses jours et ses nuits au piano, d'ailleurs pas tout à fait juste.

Pour ma part, je n'en souffrais pas trop, ne rentrant que pour prendre une douche, me changer et repartir. J'étais très occupé. J'enregistrais des maquettes chez mon copain. Encore fallait-il trouver un producteur, et ça, ce n'était pas évident.

C'est le producteur qui investit, il doit croire en son artiste et se battre avec lui jusqu'au bout. Ils vivent ensemble les mêmes joies et les mêmes peines. Mais la fièvre, c'est quand même toujours pour le plus fragile « le chanteur ».

Doudou a réussi à me faire inviter en week-end chez une amie de sa mère au Vésinet. La propriété n'est pas dégueulasse, il faut dire que son propriétaire est agent de change. Tennis, piscine, garage pour cinq voitures, le fric quoi.

Le déjeuner n'avait rien de transcendant, ces gens étaient au régime. La femme parce qu'elle était trop maigre, et son mari parce qu'il était trop gros. Dans tout ça, essayez de trouver une place dans le menu.

Au café, j'avais plus que la bougeotte, et Doudou a compris qu'il valait mieux qu'on visite le parc.

– *Doudou, qu'est-ce qu'il fout avec son bull le pote de ta mère?*

En effet, au milieu du jardin, une petite pelleteuse qui avait déjà creusé une vingtaine de mètres de tranchée, gisait là, triste et solitaire.

– *Tu sais comment ça marche toi, ce genre d'engin?*

Au regard que m'a lancé Doudou, j'ai compris qu'il avait compris que j'allais encore faire une connerie. Tout ce que je peux dire, c'est qu'à démarrer, c'est pas facile. Mais quand c'est parti, c'est parti. Nous avons juste eu le temps de nous installer aux commandes. Le tour du parc a été vite fait, il faut dire qu'on prenait des raccourcis à travers les massifs de fleurs. C'est quand j'ai commencé à tourner autour de la piscine que nos hôtes ont entrevu la fin du monde. Doudou et moi, étions grisés par le bruit et la « vitesse ». Les autres remuaient les bras pour nous faire des signes. Attention à gauche, attention à droite, non, pitié pour les rosiers.

Une chose est certaine, chez moi, quand je ferai construire un tennis, ce ne sera sûrement pas en terre battue. Parce que là, je peux vous affirmer que c'est drôlement fragile. La porte a résisté un peu, c'est vrai, mais le reste pas du tout. Le cours, en quelques secondes s'est trouvé transformé en golf miniature.

Vu l'âge de l'agent de change, ce n'était pas plus mal pour son cœur.

Chapitre 33
PREMIÈRE MOTO

Sans prévenir ma logeuse, mais en lui expédiant mon chèque de loyer, j'ai quitté Montmartre pour un studio à Neuilly. Nous sommes en mai.

Les concerts à Pantin reprennent, je retrouve mon stand, l'ambiance des copains et c'est tant mieux. Je m'étourdis dans la musique des autres.

Au petit matin, on se fait une récré en jouant à la pétanque, avenue Foch.

Tonton s'est installé définitivement à Toulon, mais il revient à Paris quelquefois.

Un jour, il décide de me faire un cadeau, et pas n'importe lequel, « une moto ». Il m'emmène chez Gérard Chappaz pour qui il a beaucoup d'estime. Dans le magasin, il s'approche d'une 125 Honda :

– *Ça, c'est très bien pour toi! Tu montes et tu descends les trottoirs facilement, tu circules à l'aise dans les encombrements, qu'en penses-tu?*

– *Oui, bien sûr, c'est pas mal.*

Chappaz a compris qu'il fallait tout de suite changer la situation avant la catastrophe.

– *Une 125, c'est bien, c'est même très bien, mais pour Jean-Luc qui est un peu distrait, monter et descendre les trottoirs, je trouve cela très dangereux, surtout pour les passants.*

– *C'est vrai ce que vous dites, il est tellement distrait.*

Tonton circule dans le hall d'exposition et s'arrête devant une 400 Four. C'est mieux. Il est plein de bonnes intentions le Tonton Louis, je ne veux tout de même pas le ruiner.

– *Voyez-vous, ce modèle correspondrait beaucoup plus à Jean-Luc. Seulement, voilà, comme tout ce qui est nouveau, il faut essuyer les plâtres. En tant qu'ami, je ne veux pas vous embarquer dans une galère. J'en ai déjà vendu quelques-unes. Elles ne sont pas fiables et nous avons beaucoup de mal à nous faire livrer des pièces de rechange. Écoutez, je ne connais pas vraiment vos possibilités financières, ou plutôt, je ne sais pas ce que vous avez prévu comme investissement. Pour Jean-Luc, c'est ça qu'il lui faut.*

Il nous désigne une 1000 centimètres cubes. Un seul coup d'œil de Tonton sur mon visage rayonnant, lui a suffi pour sortir immédiatement son chéquier. J'ai bien essayé de lui faire admettre que je voulais payer la moitié, j'avais les moyens avec ce que j'avais amassé avec les cartes.

– *Ça suffit*, m'a-t-il dit, *C'est moi qui te l'offre.*

Chappaz a fait le prix coûtant. A présent je possédais une vraie moto.

L'autre nuit, place Clichy, trois heures du matin, je suis en moto. Je me fais serrer par trois motards de la police. Une fois de plus je roule sans casque. Ceux-là je ne les connaissais pas encore et Dieu sait si j'en ai croisés.

– *M. Lahaye, faites un effort, vous êtes déjà connus par nos services, vous êtes constamment en infraction. C'est fini la guerre, vous vous en êtes sorti. Qu'est-ce que ça peut vous faire de porter un casque, de vous arrêter aux feux rouges.*

Là, à trois heures du matin, à l'heure où la ville est déjà endormie, tous les quatre, les armes à terre, nous entamons une palabre. En même temps que des propos sans suite et sans conséquence, le tutoiement facile, nous échangions nos motos, symbole d'une reddition réciproque. Bas les masques, nous n'étions plus que des hommes.

– *Jean-Luc, l'affaire de Draguignan l'année dernière, c'est quoi au juste?*

– *Comme d'habitude un uniforme de trop.*

C'est vrai que j'ai le sens du spectacle, et même souvent indépendamment de ma propre volonté.

Une tournée harrassante, un rendez-vous urgent, je suis en retard, trois cents chevaux sous le capot, un barrage de gendarmerie, un révolver sur la tempe, j'éclate! Altercations, bousculades, insultes, un procureur qui connaît la musique, c'est classique, une prison qui se montre à l'horizon, un avocat-justicier sur son cheval blanc. Le verbe haut et la bible civile braquée en direction du juge.

Sans toi Hervé Page, j'y serais encore.

La « une » des magazines : « Lahaye en prison »?

Non les gars, pas encore cette fois. Coup de pub involontaire, combien je vous dois s'il vous plaît.

Hervé, pour tes honoraires, c'est tant pis. Souviens-toi de l'enjeu de cette partie de gin. Aux cartes contre moi, c'était râpé d'avance, le pot de fer contre le pot de terre. Trois colonnes fermées en un quart d'heure, je t'ai laissé faire une sortie de secours. Ah! la fatigue, ça aide quelquefois, mais que veux-tu, nous n'avons pas les mêmes horaires. Enfin, depuis Draguignan, tu t'es fait un nouveau client, ça compense.

– *Tu vois Michel* (le motard) *Draguignan c'était ça.*

Nous avons parlé jusqu'à cinq heures. Tout y est passé. La sécurité tout court, la Sécurité Sociale, la DDASS, l'augmentation du coût de la vie.

– *Tiens, Jean-Luc, tu veux une cigarette?*

– *Non merci, je ne fume pas!*

Je n'enviais pas leur métier et ses difficultés, ils n'enviaient nullement les hits parades et ses insomnies. Un regard sur la montre, il est temps de nous séparer, chacun reprenant son uniforme et son matricule.

Chapitre 34

INITIATION A LA PEINTURE

Annie Ozzini représente l'espèce, qui justifie les loyers prohibitifs de Neuilly et du XVIe arrondissement. Le bon chic, bon genre traditionnel, dont se pare si facilement la bourgeoisie française.

Le mari, riche industriel, développe ses affaires au Brésil. Il a quitté la France depuis deux ans, mais il n'a jamais oublié chaque mois, d'envoyer « le chèque » à son épouse légitime. Il nous a été facile de nous rencontrer, notre résidence est ainsi faite, que quand Mme Ozzini ouvre ses volets, elle me voit fermer les miens. Nous n'avons pas les mêmes horaires, nous arrivons quand même à nous saluer.

Peu à peu, Annie et moi nous devenons copains, puis amants.

Fin juin, nous partons rejoindre les copains en vacances à Nice. La grand-mère de Jacques Cuvervilles possède un mas, au-dessus du Paillan. C'est une magnifique résidence familiale, qui possède des tableaux et des meubles pour écrire son histoire.

Madame Mère passe ses après-midi à bridger avec de vieilles Anglaises, pendant que nous nous prélassons sur la plage du Rhul.

A part le soleil et la mer, on se croirait à Paris, tellement les nuits dans les discothèques se ressemblent. Une nuit comme les autres, il est 5 heures du matin quand nous traversons le grand salon pour retrouver nos chambres. Une idée vient de me traverser la tête :

– Les mecs, restez-là, ne bougez plus, je reviens

Dans la chambre, sans faire de bruit, je récupère la boîte de peintures posée sur le bord de la fenêtre. Annie développe ses dons pour l'aquarelle. J'ai retiré mes chaussures, et j'approche une chaise du tableau qui orne le mur de la salle de bridge. C'est une immense fresque, faite de ciel et de nuages, où l'artiste, un disciple de l'école Florentine, a peint un ange dodu et assexué. Le tableau est répertorié par le musée national de Nice. Avec mon pinceau, je décide immédiatement de rectifier l'erreur.

Mes amis m'encouragent et le petit-fils de la maison n'est pas le dernier.

– Mets un peu plus de rose. Les couilles, la droite est plus basse. Relève la tête comme au défilé.

En l'espace de dix minutes, notre séraphin est transformé en idole du couvent des oiseaux.

Doudou est plié, c'est à mourir de rire. Seule, Annie ne participe pas à l'action. Il ne faut pas toucher aux symboles.

Jusqu'à l'heure du bridge, madame Mère n'a rien vu. Comme à l'habitude, les invités ont pris leur place. Nous étions aux aguets, dans l'attente du scandale. C'est seulement quand sa partenaire a poussé un Ah! de répugnance, qu'elle a pris conscience du sacrilège. La honte avait décuplé ses forces et transformé la vieille dame en déménageur. Elle jurait en balançant nos valises et vêtements par les fenêtres. Elle maudissait le ciel de lui avoir donné un voyou comme petit-fils. Si bien qu'en l'espace de cinq minutes, nous étions tous à la rue.

Quoi faire, sinon partir en Italie.

Doudou avait garé sa magnifique Renault 5 bleue près de ma moto. Sa voiture était un tas de ferraille maquillé comme une prostituée. Tous les kilomètres, il remerciait Dieu de l'avoir conduit jusque-là. Le compteur indiquait 35 000 km au lieu de 135 000 km. Les roues, qui se voulaient « compétition » frottaient sur les ailes. On devait craindre le pire.

Enfin bref, un Italien qui passait par là dans sa superbe TR6 Triumph rouge est tombé en extase devant l'épave. Il est rentré dans le restaurant où nous dégustions un plat de spaghettis bolognaises pour touristes, et dans un français très moyen :

– *A qui appartient la Renault Gordini, dehors?*

Doudou pensait qu'il avait dû perdre une partie de son moteur sur la route et qu'un brave autochtone venait lui ramener.

– *C'est à moi.*

– *Monsieur, votre voiture me plaît, je vous l'achète.*

Notre camarade en est resté coi. Un pigeon pour sa voiture, et le meilleur, en Italie.

Il sait que l'autre est prêt a tout, alors il lui propose un échange, sa Renault 5 contre la TR6. C'est l'expectative, nous retenons notre souffle.

L'Italien est d'accord, ils barrent réciproquement leur carte grise, heureux et satisfaits.

La R5 s'en va bien vite, son chauffeur a peur que

Doudou revienne sur sa décision. Doudou veut repasser la frontière, il craint les représailles.

Sur la nationale, nous dépassons la R5 capot ouvert, le type est déjà en panne. Un coup de klaxon, un bras d'honneur et nous continuons jusqu'à Menton. Annie n'en finit pas de nous reprocher notre escroquerie. Alors, n'y tenant plus, nous larguons sa malle sur le trottoir, elle avec, et nous repartons le cœur léger.

J'étais enfin débarrassé de cette pimbêche, qui de plus ne cessait de critiquer mes copains. Bon vent!!

Malheur, elle était partie avec les clés de nos studios parisiens.

Ce n'est qu'au bout de trois jours, quand elle a téléphoné qu'on a paniqué. Elle vengeait tout à la fois, le bel Italien et l'auto-stop qu'elle avait fait jusqu'à l'aéroport.

– *Allô! Doudou? Je te téléphone de chez toi. C'est moins cher. Surtout que je viens d'appeler ma sœur qui habite New York, comme elle est bavarde... Demain, je reviendrai pour appeler mon mari à Rio.*

Doudou était vert.

Même en rentrant le plus vite possible, nous n'aurions pu arrêter le désastre.

Les murs de mon studio étaient recouverts de graffitti de toutes les couleurs. Elle réglait ses comptes la mamy. Son mari s'était tiré et son minet l'avait virée. Son écran de télé faisait de la neige, demain ça irait mieux.

Chapitre 35
BRISE-LARMES

« Qui vole un œuf, vole un bœuf », c'est bien connu. J'avais commencé par une religieuse à l'époque du passage de l'Épargne, aujourd'hui j'avais parié avec Doudou et les autres, de m'emparer d'un car de touristes à Pigalle.

Nous voilà donc, rôdant entre la place Clichy et Batignolles.

Une vingtaine de pullmans stationnaient aux abords du Moulin-Rouge. Je cherchais ma victime. Mon choix s'est arrêté sur un parivision dont le chauffeur somnolait sur un fauteuil passager. J'ai cogné au carreau. Le type a ouvert un œil, m'a regardé la bouche ouverte.

Je lui faisais signe de m'ouvrir la porte. Le chauffeur s'est levé, c'était un grand escogriffe, la quarantaine, au regard qui trahissait un petit penchant pour le jus de raisin.

– Bonjour, je m'excuse de vous avoir dérangé, je recherche un chauffeur nommé Robert Lebœuf. D'après

sa femme, il serait dans le quartier avec des touristes. Robert, c'est le mari de Simone, ma sœur. Elle est partie accoucher à l'hôpital, il faut absolument que je retrouve Robert. J'ai demandé à plusieurs de vos confrères, personne n'a pu me renseigner.

– Robert Lebœuf dites-vous? Non, ça ne me dit rien. Il est chez qui? Il travaille pour son propre compte. Hum! Non, je ne vois pas.

– Un petit brun avec un car tout blanc. Sur le côté c'est marqué « Lebœuf Tourisme ».

Le pauvre fait la grimace, il est plus embêté que moi.

– Peut-être qu'il est déjà reparti. Vous êtes là depuis longtemps?

– Je suis arrivé à 21 heures pour le spectacle.

– Vous repartez à quelle heure?

– Vers minuit environ, quand mes Japonais sortiront.

– Bon, tant pis. Je vais aller téléphoner chez ma mère pour les nouvelles. Merci encore.

Je retrouve les copains au café, je leur fais part de mon plan.

– Je ramène le type, vous venez nous rejoindre un par un et vous payez votre tournée. Il faut le saouler.

Je retourne près du chauffeur, il est installé au volant et feuillette un magazine.

– J'ai retrouvé mon bof. Tout est arrangé, je peux vous offrir un verre?

Il hésite une seconde, puis se lève pour me rejoindre.

– C'est une fille, on va l'arroser.

J'appelle le garçon. Le chauffeur commande une bière, moi je prends un Perrier. Je lui pose quelques questions sur son métier. Il est 22 h 45. Au bout de dix minutes, Doudou s'avance :

– *Jean-Luc, qu'est-ce que tu fous là?*

– *J'arrose la naissance de ma petite nièce avec Monsieur...*

– *André!*

Doudou s'assoit. Je commande une nouvelle tournée. André, le chauffeur, préfère prendre un cognac, la bière, ça gonfle.

André, en fait, après quelques verres est un petit marrant. Richard, Alain, Pierrot, Jean-Claude, Freddy nous ont rejoints. Un par un, quel hasard...

Comme prévu, chacun a payé son coup. André n'a pas voulu être en reste. Il est rond comme une queue de pelle. Il est minuit. Pour sortir André du bar, il faut le porter. Il se marre sans arrêt. Un vrai déchet à ramasser au buvard.

– *Quand... Arlette va... me voir dans cet état...*

Les Japonais ont déjà investi leur superbe autocar. Leur guide, une grassouillette Hollandaise de vingt-cinq ans les fait patienter en passant de la musique. Elle s'appelle Uhla. C'est de sa réaction que va dépendre notre réussite.

– *Bonjour! je m'appelle Jean-Luc. Votre chauffeur est un peu malade. Je ne pense pas qu'il soit en mesure de conduire.*

– *Mais, il devait nous faire visiter Paris la nuit.*

– *Vous ne conduisez pas, Mademoiselle?*

Elle hausse les épaules, plus tracassée par ce qu'elle devait faire que par ma question.

– *Je peux vous dépanner. Je suis chauffeur à la RATP. Je connais Paris par cœur, j'ai ma licence.*

J'ouvre mon portefeuille et lui montre ma carte de membre du club de karaté. Uhla regarde sans voir.

– *Vous seriez capable de nous faire le circuit des monuments illuminés?*

– *Bien sûr!*

J'ai déjà pris place au volant. Je manipule le changement de vitesse, très professionnel.

Uhla est tendue. Je lui décroche un magnifique sourire à la Delon, ça marche. Pendant que je tente de sortir du créneau, notre charmante guide, explique dans un anglais bridé à nos fils du soleil levant, que « l'honorable » chauffeur est indisposé.

J'ai tout compris, je me retourne, salue et enfonce le pare-choc de la 2 CV qui me précède. Le type sort, furieux, mais Richard et Freddy qui ont suivi la scène, sont plus rapides.

Richard qui dépasse le mec d'une tête, le bouscule; tandis que Freddy arrête la circulation pour faire le passage. Tout ça fait très officiel. C'est marrant de conduire un car. Finalement c'est plus nerveux que je ne l'imaginais et puis, on domine largement. Quel pied!! C'est un joujou de plusieurs centaines de millions que je m'offre ce soir.

Je roule enfin, en direction de l'Arc de Triomphe. Ma conduite nerveuse, secoue quelque peu les passagers. A l'aide du micro, j'informe nos hôtes des monuments à photographier. Je crie « là » en dirigeant mon bras gauche ou droit, au hasard.

Les têtes se tournent aussitôt, et les flashes crépitent.

Uhla est complètement dépassée. Je crois même qu'elle s'en fout.

Nous descendons l'avenue Foch. Place Dauphine, nous empruntons le périphérique. C'est le silence complet. Dans mon rétro, j'aperçois les voitures des copains. J'accélère. Chartres 80 kilomètres, c'est tout bon.

– *Vous les emmenez au Mont-Saint-Michel?*

Elle est charmante cette petite, si je n'étais pas à

cheval sur mon horaire, je m'arrêterais dans les bois. Il est 2 heures du matin. Les clients ont l'air ravi puisqu'ils sourient continuellement. Je mets la sono à fond, une cassette de Verchuren traînait « Chaud devant ». La Cathédrale est éclairée par des milliers de projecteurs. Un Japonais plus audacieux, nous demande si c'est Notre-Dame-de-Paris.

– *Oui, oui.*

Je profite de l'orage qui vient d'éclater pour faire le tour du monument sans arrêter.

Direction Dreux, en avant toute.

C'est bientôt une cacophonie à l'arrière du car. Il paraîtrait qu'une dizaine de samouraïs veut se faire hara-kiri.

Je tourne à droite, la route est sombre, « Feucherolles » indique la pancarte.

Je prends le chemin de terre en direction du petit bois, la pluie redouble de violence et je sens que le car va m'échapper. Et vlan! c'est fait, nous sommes embourbés.

– *Uhla, dis à nos charmants vacanciers qu'il faut descendre pousser, sans quoi, tout le monde reste là.*

A petits pas dans la gadoue, la petite colonie se dirige vers l'arrière.

Maintenant, trempés jusqu'aux os, ils rient jaune. J'en profite pour me tirer, sans avoir oublié au préalable de me saisir d'un magnifique Canon qui traînait sur une banquette. Les gens sont distraits quand même.

A 10 mètres de la catastrophe, je prends une photo en souvenir, je saute dans la Peugeot de Doudou, laissant là ces malheureux.

Cherchez bien, comme moi dans vos copains, vous devez avoir la « Catastrophe ». Le mien s'appelle Alain Bandec.

C'est avec lui quelques mois plus tard, que j'avais décidé de monter un restaurant.

Les concerts à Pantin étaient finis. L'Américan moto était en vente, je n'avais pas de boulot. Alain vivait avec une fille depuis deux ans, rue Bonaparte, au troisième étage. Sa maîtresse Laurence, tenait une boutique de fringues pour enfants au rez-de-chaussée du même immeuble.

– *Jean-Luc, je ne peux plus assurer. Laurence est une dévoreuse et j'ai l'impression que Martine se doute de quelque chose. J'ai un service à te demander. Ce soir, tu vas prendre ma place dans mon lit et faire un câlin à ma femme.*

– *T'es barges, non!?*

– *Écoute!*

Et Alain m'explique sa façon de se comporter avec Martine. C'est simple...

– *Quand tu as fini ton affaire, tu te lèves pour boire un verre d'eau dans la cuisine.*

Il faut dire aussi, que Martine est très mignonne. J'accepte. Dans l'entrée de l'appartement, je me déshabille. Il est trois heures du matin.

J'entre dans la chambre et me glisse dans le lit. Doucement, je me rapproche du corps chaud de la femme de mon pote. J'hésite un peu. Elle se retourne en maugréant :

– *C'est toi?*

J'entreprends la demoiselle. Mes caresses ont l'air de lui faire plaisir, car au bout d'un moment, elle m'attire sur elle.

Nous n'avons pas échangé un mot. Je la pénètre doucement. Crac. La gente féminine a un 6e sens, ce n'est pas possible autrement. Elle me repousse, et allume la lumière.

– Salaud!

Elle prend la lampe sur la table de chevet et me la jette à la figure.

Alain qui a entendu s'est enfui dans l'escalier. Et puis, Martine a éclaté de rire. Je l'ai suivi.

– *Merde Martine, t'es con, t'aurais pu attendre qu'on ait fini.*

Alain est là, sur le palier, déguisé en garçon de café. Dans sa main il tient un plateau avec une serpillère.

– *Je ne suis pas beau comme ça? Grouille, suis-moi!*

J'ai garé la moto devant les deux magots à Saint-Germain. Alain m'a demandé de l'attendre. Il passe à la terrasse, encaisse les consommations et détale bien vite.

Quand la stupeur des clients est passée, nous sommes déjà loin avec la moto. Le bistrot d'après, c'est mon tour. Nous écumons ainsi, tous les quartiers en riant et en comptant nos sous. C'est très rentable.

Alain a craqué pour une de mes copines coiffeuse Punk dans le 20ᵉ. Aujourd'hui, il veut que je l'accompagne, Yolande lui a donné le salon en garde, pendant son absence. Elle a dû partir précipitamment en province dans sa famille. Un homme d'une soixantaine d'années pousse la porte de la boutique. Alain a décidé de jouer les garçons coiffeurs.

– *Monsieur!*

– *Donnez-moi votre veste.*

Il lui enfile la blouse et l'assoit dans un fauteuil.

– *Je les coupe courts?*

– *Non, normal.*

Alain avise une bombe sur la tablette, la secoue et appuie sur le bouton qui dégage aussitôt une mousse rose. La tête du supplicié est déguisée en charlotte à la fraise :

– *Qu'est-ce que c'est ça?*

– *C'est une crème spéciale pour adoucir le cuir chevelu.*

Le téléphone sonne, Alain lâche son client pour répondre. Le pauvre type se regarde dans la glace, de plus en plus inquiet.

Alain revient cette fois, avec un coupe-choux, cet ancien rasoir à papa. A le voir passer sa langue sur ses lèvres, je sais qu'il a entrepris une œuvre d'art.

Il sculpte, découpe, tranche. Le martyr s'est endormi. L'artiste contemple son ouvrage. Avec la meilleure volonté, j'ai encore du mal à la décrire. L'homme tient de la carotte à patte et du fox à poil dur. L'instant solennel sera quand il va se réveiller. Nous laissons le soin aux employés d'encaisser la facture.

J'ai été directeur, oui! Dans « France-soir », j'avais relevé une annonce pour un poste de responsable de magasin.

La boutique était à Clignancourt près des puces. Il s'agissait de vendre des machines à calculer électroniques.

Le patron était obligé de s'absenter plusieurs mois, pour créer des magasins similaires en province. Il désirait un cadre compétent. Avec l'aide de Freddy et de l'ANPE, j'ai tout de suite été embauché.

J'avais la charge de deux vendeurs et d'une vendeuse.

La jeune fille était Chilienne et très coopérante, comme toujours. Le plus âgé des vendeurs, me détestait, j'avais pris sa place. Paulo dont le stand de Paul Bert débordait de marchandises, avait déversé le surplus dans ma boutique. Très vite, j'ai transformé le magasin d'exposition en annexe des puces.

Daniel lui, avait installé des tringles et suspendu une montagne de jeans. Vous ajoutez à cela, ma moto continuellement en pièces détachées dans le milieu du magasin et vous avez « La Samaritaine ».

De temps en temps, des clients venaient faire des photocopies, j'encaissais l'argent et me trompais de caisse.

Le matin j'arrivais vers 11 heures, comme j'étais le seul à posséder un trousseau de clés, les employés m'attendaient au bistrot d'en face.

Deux mois, j'ai fait durer la comédie. Jusqu'au jour où le patron, a débarqué à 9 heures. Il m'a attendu comme tout le monde, y a pas de raison, au café.

Cette fois-là, j'étais un peu en retard sur mon horaire habituel, je me suis pointé vers midi, en moto et sans échappement. Il m'a quand même tendu la main, mais c'était pour récupérer ses clés.

Depuis, je crois qu'il a déposé le bilan...

Chapitre 36

LE BOUGNAT VERT
(automne 1979)

Avenue de Wagram, il est 18 heures. Avec Alain Blandec sur ma moto, sans casque comme d'habitude, nous nous dirigeons vers l'Étoile. Un antiquaire de Saint-Germain vend sa boutique, cela nous intéresse pour monter un restaurant.

Je ne voulais pas prendre cet itinéraire, c'est encore à cause de lui que j'ai cédé. Au coin de la Place de l'Étoile et de l'avenue d'Iéna, un policier nous siffle et nous fait signe de nous garer. J'obtempère. L'homme s'approche de nous pour verbaliser, mais à trois mètres reçoit un œuf en pleine figure. C'était Blandec.

– *Accélère, vite!*

Comme le choix est limité, j'enclenche la première et nous nous perdons dans la foule des automobiles.

Le policier a dégainé, nous sommes déjà loin.

Au bout de l'avenue Kléber, je ralentis ma 1000c/c je l'immobilise le long du trottoir. Alain a déjà sauté sachant pertinemment ce qui allait lui arriver.

– Arrête, arrête, on se marre quoi!

Alain avait l'habitude d'avoir sur lui 3 ou 4 œufs « au cas où » disait-il.

Le lendemain, il frappait à ma porte comme si de rien n'était.

– Jean-Luc, aujourd'hui, c'est mon anniversaire, j'invite tous les copains au restaurant.

– Mais, t'as pas d'argent.

– Mais si, regarde, j'ai touché le tiercé, ça suffira?

Il sort cinq billets de 500 F de sa poche.

– J'ai prévenu les copains, nous avons rendez-vous à 20 heures au restaurant américain le « Front page ».

Avec Richard, Cuverville, Pons et Doudou nous serons six.

Pour ne pas être en reste, au drugstore, nous lui achetons plusieurs gadgets, il en raffole. C'est une excellente soirée.

En même temps que le gâteau, arrivent six bouteilles de champagne. Je fais vite les comptes et commence à m'inquiéter pour le montant de l'addition.

Deux heures du matin, nous restons les derniers clients. Les chaises sont retournées sur les tables, le patron et les employés attendent que nous partions pour fermer.

Alain, grand seigneur :

– Patron, la note je vous prie.

A partir de cet instant, c'est la débandade. Car Blandec n'a rien trouvé mieux de nous dire « que ceux qui courent vite, me suivent ». Et il est parti, bien entendu sans régler la facture.

Emmanuel pour gagner sa vie, jouait les professeurs de piano plusieurs fois la semaine. Ce mercredi, il devait se rendre rue Malesherbes. Je lui avais laissé ma voiture. Alain Blandec qui traînait là, s'est proposé pour le conduire.

L'appartement était cossu. Pendant qu'Emmanuel dispensait ses connaissances musicales à la jeune fille de la maison, Blandec investissait les lieux.

Dans la chambre des maîtres de maison, dans une penderie, il avait découvert un costume. Il l'avait aussitôt enfilé. Il ressemblait dans cet accoutrement à un épouvantail à moineaux. Quand on a sonné à la porte, c'est tout naturellement qu'il a été ouvrir.

Emmanuel assis sur le trottoir, regardait son papier à musique voler du 4e étage. Il avait perdu une cliente. Déjà qu'il en avait peu...

Près de la rue Saint-André des Arts, le propriétaire du « Bougnat vert », recherche un gérant sérieux pour son restaurant. Il en possède trois dans Paris qui marchent à merveille. Alors pourquoi pas quatre se disait-il?

L'homme en me voyant a tout de suite compris qu'il avait affaire à quelqu'un de sérieux. Je commencerai le 1er janvier 1980. Dans la semaine, j'organise mes troupes.

Lionel, le collectionneur d'armes à feu sera le chef; Dédée ma grande copine, la caissière; William mon adjoint pour le pire et pour le meilleur. Nathalie fera l'accueil et partagera aussi les responsabilités. Mille invitations pour la promo sont envoyées, du genre : « Jean-Luc vous accueille à partir du 17 janvier prochain au « Bougnat Vert ».

Dès l'ouverture, nous avions cinquante couverts par soirée. Lionel, le colt à la ceinture, la toque bien droite, s'adressait aux clients pendant son tour de table :

– *Il est bon mon hachis Parmentier ce soir.*

Nous avions adopté la formule « plats bourgeois » des

trucs consistants qui tiennent bien chaud à l'estomac.

Quand les réservations étaient molles, on fermait les rideaux pour pouvoir jouer au gin tranquilles. Si parfois, certains clients arrivaient à rentrer, on leur disait :

– *C'est complet.*

– *Mais vous n'avez personne!*

– *C'est une soirée privée.*

C'est tout autrement que nous avons perdu la clientèle d'un théâtre renommé. Son administrateur avait réservé pour cinquante personnes. Parmi les acteurs, on reconnaissait, Jean Poiret et Michel Serrault.

Nous étions convenus d'un menu spécial à 125 F par tête. Notre tenue vestimentaire n'avait rien à envier à ces comédiens : Santiag, chemise américaine, jeans et queue de pie.

Andrée sortait du lot avec ses cheveux oranges et bleus.

L'entrée était à peine débarrassée, que William m'interpelle dans la cuisine :

– *Le type du milieu qui parle tout le temps, vient de piquer un cendrier.*

Bien sûr, un cendrier c'est peu de chose. Mais chaque mois le comptable en voyant les factures, faisait un bond sur sa chaise.

– *Mais, que faites-vous des cendriers, les mecs?*

Puisqu'il en fallait un, ce serait celui-là. William apporte-moi une facture et le cachet de la maison.

Le décompte fut le suivant : 1 cendrier 11 F + T.V.A. + service etc...

William a déposé la soucoupe devant l'intéressé, qui n'était autre que l'adjoint de l'administrateur.

Au lieu de venir nous voir, ou de prendre cela à la plaisanterie, il est monté sur ses grands chevaux.

– *C'est une honte, qu'est-ce que ça veut dire?*

Tous les regards étaient tournés vers lui.

– *Appelez-moi le patron!*

Je m'avance.

– *Non, je n'ai pas dit le responsable, j'ai dit le patron.*

– *J'ai toutes les qualités pour remplacer le patron qui est absent*, et à William : « *Que se passe-t-il?* »

– *Monsieur a volé un cendrier.*

– *Mais non, c'est insensé!*

William, rapide comme le vent, avait déjà retiré l'objet du délit de la poche du « vide-gousset ». L'homme était rouge de honte et les invités poussaient des Oh! d'indignation.

C'est l'administrateur qui m'appelle enfin à son tour, pour m'informer que c'était un scandale de faire autant d'histoires pour un vulgaire cendrier.

– *Vous porterez le montant sur ma note.*

Voilà, je ne sais pas si mon successeur a réussi à récupérer sa clientèle.

Durant les trois mois de ma gérance, j'ai quand même réussi à transformer les lieux en stand de tir, en cercle de jeux, en garage à motos, en hôtel, en atelier de fabrication de modèles réduits, et la cour en décharge publique, les poubelles n'ayant jamais été sorties sur le trottoir pour être ramassées.

On s'y trouvait bien au « Bougnat Vert », nous aurions pu faire durer le plaisir si la sœur du propriétaire n'était venue dîner un soir.

Quatre heures elle a patienté la petite dame. Il faut dire aussi que nous ne la connaissions pas, sans quoi, sans nul doute, nous aurions eu plus d'égard.

A cause de sa tête qui ne revenait pas à William, celui-ci s'évertuait à la servir, le pouce à l'intérieur de l'assiette. Je ne sais pas si c'était naturel ou voulu, mais une empreinte grise marquait chaque rebord.

J'avais beau lui dire que cela allait finir par un scandale et que la vieille finirait par se tirer sans payer, il continuait à la chercher. Cinq fois elle lui a demandé du pain.

Sans aucune excuse, il lui a déposé la corbeille au moment du dessert. Quant à celui-là, parlons-en : un flan, minuscule servi dans un plat à tarte, la honte. Au moment de payer l'addition, la dame s'est levée :

– *Vous présenterez l'addition à mon frère!*

Dans le début de cette année 1980, j'avais enregistré une dizaine de chansons. Cette maquette, j'envisageais de la proposer aux différentes maisons de disques. Tous les artistes ont connu la même galère. J'ai commencé par WEA sur les Champs-Élysées. Six heures d'attente, assis sur des coussins qui collent, à l'entrée des bureaux, personne n'a daigné me recevoir. Chez RCA, j'obtiens une entrevue avec un directeur artistique. Il m'écoute, entre deux coups de téléphone, lit son journal et d'une voix impersonnelle :

– *On vous écrira.*

J'attends toujours de leurs nouvelles!

Un copain m'avait branché sur CBS. Un certain P. Dutruc, avait accepté un rendez-vous, dans une semaine à 15 heures précises.

Au téléphone, le type m'avait paru désagréable ou débordé.

Je me présente donc dans la firme internationale, ma bande 19 sous le bras. En dix minutes l'affaire, une fois de plus était classée.

Je n'étais pas désespéré, j'étais déçu, amer.

Quand j'écoutais la cassette de mes chansons dans ma voiture, je trouvais ça pas mal. Par contre, si je la faisais entendre à quelqu'un, je trouvais ça nul. Toutes ces boîtes de disques m'avaient mis le doute. Que faire?

J'étais dans une période noire. Le type du « Bougnat Vert » avec l'histoire de sa frangine ne m'avait pas encore viré, mais je sentais que ça n'allait pas tarder.

Pour faire la promotion de l'établissement, j'offre le champagne à tout le monde. Entre vingt et trente bouteilles doivent être consommées chaque soir. D'après les premiers résultats obtenus par le service comptable, le restaurant ne gagnerait pas d'argent, et pour cause.

Il est 1 heure et demie du matin, je viens de finir la caisse. Je retrouverai William au « Bus » plus tard, mais avant je dois me rendre à Joinville récupérer une bande. La semaine passée j'ai enregistré de nouveaux titres et l'ingénieur a fini le mixage.

Aux feux du Palais Royal, une Renault 12 de la police se gare à côté de moi. Pour une fois, je porte un casque. Nous nous regardons. Je souris et démarre.

Au deuxième feu rouge, près des quais, la voiture se place derrière moi. Un policier ouvre sa porte pour me rejoindre. Je fais semblant de ne rien voir, j'embraye sec, la moto bondit et je suis sur la voie express. La voiture me prend en chasse.

J'aurais dû m'arrêter, j'étais en règle. Je ne sais pas ce qui m'est passé dans la tête. Bercy, autoroute, je file à 200 km/h. Les policiers ont été semés un peu avant la porte de Joinville. Je compte trois sorties avant de mettre mon clignotant. J'enfile la bretelle. En haut du pont, je suis attendu. La radio a fonctionné. Je ralentis, je passe sur la gauche, sur la droite, j'accélère. Derrière moi, c'est du sérieux. La chasse continue, les chiens et les chevaux sont remplacés par une Renault 5, une Renault 12, un car, et deux motards. Les fenêtres commencent à s'ouvrir, réveillées par les sirènes et les girophares.

La poursuite va durer une heure à travers les sens interdits, sur les trottoirs, les parkings. Maintenant, il est trop tard pour reculer. C'est comme un mensonge, il faut l'assurer jusqu'au bout.

La moto ne m'appartient pas, la mienne est en révision. Celle-ci m'a été prêtée par le garage.

J'entre dans le bois de Vincennes. Dans la ligne droite je roule à 130 km/h. Brusquement, c'est le choc, l'accident.

Les policiers ont placé la Renault 12 en travers du chemin, tous feux éteints. Comme les allées ne sont pas éclairées, la surprise a été totale. J'ai fait un vol plané, mais je me suis relevé sans une égratignure. La moto n'a pas eu la même chance que moi. C'est maintenant un affreux tas de ferraille et la Renault 12, n'en parlons pas. Les policiers sont réjouis, la force de l'ordre a encore vaincu. Ils me dirigent sur le commissariat de Vincennes. Dans le fourgon, ils m'ont passé les menottes.

A l'arrivée, on me pousse dans la cage. Il est 4 heures du matin. Il y a un pauvre type avec moi qui sanglote dans un coin. Il me raconte qu'il est peintre et qu'il a bien du mal à joindre les deux bouts. Alors, poussé par sa concubine, il a attaqué la caisse d'un supermarché. La caissière, devant sa bombe lacrymogène n'a pas levé les bras, au contraire. Elle a poussé le tiroir de la caisse et agrippé son voleur par une oreille. Il risque entre deux et cinq mois de prison. Je le rassure :

– *Te tracasse pas, demain t'es sorti !*

Les agents ont bien des soucis pour établir leur rapport. En fait, j'ai traversé pendant ma course cinq secteurs bien différents. Il doit donc y avoir cinq rapports.

Pour ma part, je nie tout.

– *Vous avez des preuves?*

A 6 heures du matin, j'ai une envie pressante et naturelle.

– *Messieurs, quelqu'un peut-il me conduire aux toilettes?*

– *Ferme ta gueule, on n'entend que toi!*

Mes gardiens sont très paternels.

J'ouvre ma braguette et pisse à travers les barreaux. Ce n'est pas une chose à faire dans un commissariat. Surtout quand les « gardiens de la Paix » sont fatigués, harassés par une nuit de travail.

– *Allez les gars, on va casser du loubard.*

Je me mets en position de défense. La porte est étroite, un seul flic peut rentrer à la fois.

– *Le premier qui rentre, je le démolis.*

Encore une fois, l'intelligence bien connue des policiers l'a emporté sur la violence.

Le lendemain après-midi, j'étais déjà devant un procureur.

– *Monsieur Jean-Luc Lahaye, vous savez que votre période de sursis n'est pas terminée? J'ai examiné votre dossier et je vais être indulgent. Mais souvenez-vous que vous avez eu affaire à quelqu'un de clément, sachez en profiter. Quand vous recevrez la note concernant les réparations du véhicule de la police, je vous demanderai de la régler immédiatement. C'est tout, vous pouvez partir.*

Je suis sorti, les flics qui m'attendaient pour me voir plonger, étaient fous de rage.

L'entretien avec ce procureur m'avait rendu nostalgique. J'ai préféré marcher pour faire le point. Une fois encore j'avais poussé le bouchon trop loin. A la prochaine bavure, trouverai-je encore une main tendue?

J'étais rassassié de mes conneries et j'avais fait le plein de liberté. Cet homme de justice me mettait face à face avec moi-même.

Aujourd'hui, je devais quitter mon enfance, oublier les cicatrices profondes faites à mon âme. Le désespoir qui collait à ma peau, j'avais voulu le cacher au monde qui m'entourait, par des actes superficiels et inutiles.

1981, c'est l'hiver. Je traverse Paris à moto, j'en profite pour tenter d'améliorer mon propre record : Nation-Porte Dauphine en onze minutes en période d'embouteillage! Carrefour des Champs-Élysées j'aperçois au volant d'une Golf un visage qui me semble familier, je m'approche, c'est bien elle. Michaëlle, auteur à succès, de très grands tubes faits sur mesure pour bon nombre d'artistes. Je l'ai déjà rencontrée aux concerts de Pantin, je lui ai très souvent vendu des sandwiches. La bouffe ça crée des liens.

– *Comment vas-tu? Tu veux toujours chanter? J'ai peut-être une idée de chanson formidable pour toi, appelle-moi à ce numéro d'ici une semaine.*

Le feu est passé au vert emportant avec lui la meute de ferraille et mon impatience. Michaëlle devant son piano blanc :

– *Encore une fois Jean-Luc.*

« Femme, femme simplement je te dis que je t'aime »

– *Non, tu vois Micky, j'y arrive pas. Je suis pas dans le trip slow en ce moment, j'y arrive pas.*

– *Bon alors fais-le en funk si tu veux on ne sait jamais.*

« Femme, femme... Oui pas mal! Très bien même, encore une fois!

– Allo, Gérard, je crois que j'ai une chanson d'acier? Si elle te plaît, tu miserais encore quelques dollars sur moi?

Il a écouté, il a aimé.

Le 23 décembre 1981, c'est mon anniversaire, nous sommes en studio, un des rares à nous avoir bloqué un créneau à pareille date. Les musiciens ont terminé. Le play-back orchestre sonne bien. Il est tard, tout le monde est fatigué sauf moi. J'ai envie de l'enregistrer maintenant cette chanson, je sens que c'est mon heure! Ma conviction, ma fougue l'emportent. Je m'isole dans la cabine, à travers la vitre qui nous sépare je croise le regard de Gérard. La lueur de mon étoile vient caresser ma porte. A partir de cet instant rien ne sera plus comme avant. Je viens de naître pour de bon cette fois-ci.

Ainsi cette fois où je ne sais pas pourquoi il fallait que je quitte cette chambre d'hôtel et je n'arrivais pas à me décider à rejoindre mes musiciens qui m'attendaient dans le hall.

Je scrutais du regard cette pièce sans âme, un détail me gênait, quelque chose comme un mal à l'aise, mais quoi?

Le concert d'hier soir s'était super bien passé : le public de Rodez est merveilleux, la fête de bout en bout! Après le spectacle, comme à l'habitude, nous avons soupé dans un petit troquet de la ville avec les organisateurs et quelques parents venus spécialement pour toucher « l'idole ». J'étais crevé quand j'ai retrouvé mon lit où je m'y suis écroulé comme un automate. Même usé par la fatigue, on a du mal à s'endormir après un concert, les premières minutes on sombre dans une vague torpeur et puis vient le temps des flash-back, on revoit son spectacle, on se juge, on regrette presque. C'est quand apparaissent les premières lueurs du jour qu'on tombe enfin dans un sommeil déchiré de rêves et de cauchemars.

Réveillé par la femme de service, qui a posé mon petit déjeuner sur la table, face à la fenêtre, doucement j'ai repris contact avec mon univers. Chaque matin est pour moi, comme une nouvelle naissance. Je sirotais doucement mon thé au lait brûlant, enfin je me suis décidé à rejeter les draps hors du lit et à rejoindre la salle de bains, il ne fallait pas m'éterniser, l'équipe m'attendait pour prendre l'avion, et il n'attend pas lui.

A travers les gouttes d'eau qui réveillaient mon corps je revoyais le spectacle d'hier, puis mon esprit se dirigeait vers Margot et Aurélie que je retrouverai tout à l'heure. Que faisaient-elles mes deux nanas? J'avais en hâte plié mes affaires et m'apprêtais à quitter l'endroit. Un dernier regard pour voir si on oublie rien, et puis cette sensation bizarre, le choc, j'en souris encore, le lit, c'est ça, le lit! J'avais fait machinalement mon lit comme au dortoir de l'orphelinat. Le réflexe du gosse à qui on oblige chaque matin à plier ses affaires, ses draps, ses couvertures pour en faire un ensemble impersonnel.

Quinze ans après, la mécanique avait encore fonctionné.

J'étais amusé et horrifié à la fois. Quand pourrais-je me débarrasser de ce passé? Mais en ai-je le droit?

Aurélie était enceinte, pour ceux qui ne le sauraient pas encore, Aurélie c'est ma femme, et nous avions décidé de vider nos armoires.

Le bébé arrivait dans huit mois. Il fallait faire de la place. C'était en 1983.

Notre voiture remplie de jeans, chemises, pulls, vestes et autres habits en très bon état et certains pratiquement neufs, nous nous présentons au centre de Montsouris.

Nous demandons à voir la directrice. Elle nous reçoit, mais d'une façon glaciale.

– *Voilà, je m'appelle Jean-Luc Lahaye, nous apportons des vêtements pour les enfants. Ma femme et moi nous sommes des anciens de la* DDASS. *Nous avons vécu ici il y a quelques années.*

– *Oui, je sais, j'ai entendu parler de vous; en ce qui concerne les vêtements, il faut que vous commenciez par faire une demande au service central. Je n'ai pas le droit d'accepter les dons, quels qu'ils soient.*

– *Madame la directrice, ce ne sont que des vêtements, vous savez très bien que cela restera entre nous, les enfants seraient tellement heureux.*

Il nous a fallu admettre l'évidence, mais pas complètement. Nous avons monté la voiture sur le trottoir, une Range Rover, comme elle est très haute, debout sur le toit, j'ai réussi à passer tout mon stock d'habits aux enfants qui étaient fous de joie.

Ce jeudi 12 septembre 1985, il fait beau sur Paris. C'est l'été indien. Avant de me rendre au centre Saint-Vincent-de-Paul, où je dois recueillir quelques renseignements pour mon livre, j'ai décidé de faire un pèlerinage du côté du « Passage de l'Epargne ».

Pour la circonstance, j'ai préféré prendre ma moto. J'ai besoin de retrouver les odeurs, les bruits de mon enfance.

L'année que j'ai passé à écrire mon livre, m'a retrempé dans l'ambiance et l'angoisse de mon passé, je suis à fleur de peau. Mes souvenirs m'ont tantôt brûlé, tantôt déchiré le cœur.

J'enfile l'avenue Jean-Jaurès, à la hauteur du 103, je cherche mon passé.

– *Pardon monsieur, je cherche le passage de l'Epargne.*

– *C'est là, ou plutôt c'était là, à l'emplacement des immeubles que vous voyez.*

Donc, c'est fini. Je ne revivrai pas cette période de ma vie. Le ciel l'a voulu ainsi. Achour, Lucette, le tiers monde, tout à disparu... Pourtant, je n'ai pas rêvé.

Boulevard Denfert-Rochereau, j'ai garé ma moto sur le trottoir. Un éducateur sortait de l'immeuble, j'en ai profité pour me faufiler. Ça me fait tout drôle de me retrouver ici, l'endroit me semble plus petit que lorsque je l'ai quitté. C'est sûrement moi qui ai grandi. La porte blindée s'est refermée sur le présent.

Je m'arrête, ferme les yeux et respire un grand coup. J'ai du mal à retrouver la senteur d'antan.

Maintenant, ça sent le bois neuf et la peinture fraîche.

A droite, un guichet, un homme penché discute avec la réceptionniste. Elle est là depuis vingt ans, mais elle ne me connaît plus. Je me présente.

– *Jean-Luc Lahaye, bonjour, je souhaite rencontrer le directeur pour lui poser quelques questions. J'écris un livre sur mon enfance et j'ai besoin de compléter mes souvenirs.*

– *C'est moi le directeur, j'ai appris par la radio que vous écriviez un livre. Je suis désolé, je n'ai rien à vous dire.*

– *Mais, monsieur, je ne fais pas une enquête, j'ai besoin seulement de quelques renseignements me concernant et peut-être quelques autres pour informer mes lecteurs sur ce qu'est un centre tel que celui-ci, où j'ai vécu un bon nombre d'années.*

J'essaie par la gentillesse, l'homme est toujours aussi hermétique. Les seules choses que j'apprendrais, sont primo que les dortoirs ont été remplacés par de petites chambres individuelles, deuxio, que la petite cour où nous jouions avec les copains, a été réquisitionnée par l'hôpital. Ce sont les malades qui s'y promènent aujourd'hui.

– Monsieur Lahaye, voyez le service central des Gobelins, nous on ne peut rien vous dire.

En ce qui concerne l'enfance, l'administration n'a pas beaucoup évolué, elle protège jalousement la détresse et la misère des mômes. Mais pourquoi?

C'est tout ça qui entretien notre honte d'être un orphelin.

Cette fois, messieurs-dames, c'est vous qui avez pris la fuite...

En ayant lu mon livre, ne dites pas que j'ai eu de la chance. Dites-vous seulement que je me suis laissé guider par la providence et surtout que je me suis battu de toutes mes forces contre mon destin.

C'est vrai, il y a eu les rencontres du hasard, les mains tendues, mais plus souvent quand même, les coups de pieds au cul, les larmes et la solitude.

J'ai poussé comme une mauvaise herbe, de celles qui gênent les fleurs dans les jardins publics.

Pour vivre, je me suis raccroché à un espoir, celui d'être un jour un chanteur. J'avais tellement de choses à dire, il ne pouvait en être autrement.

Pour en arriver à faire carrière, un parcours difficile m'attendait.

Mais ça, c'est une autre histoire...

La réussite est extraordinaire mais pesante quelques fois. Il me faut vivre les choses, mêmes les plus simples différemment des autres. La bijouterie, Lucette Boidard, le Passage de l'Epargne, l'Arbousier, l'orphelinat, tout ça a foutu le camp. La nuit ils reviennent tous encombrer mes rêves. Et si tout cela n'existait pas, oui, mais moi je n'existerais pas non plus alors! Je ne connais pas la distance qui me reste à parcourir, ni les choses et les gens que je vais encore découvrir. Ils ne sauront peut-être jamais vraiment qui je suis. A la veille du dernier jour imprégné par cette enfance difficile, je fermerai les yeux et le dossier du 65 RTP 515 sera définitivement classé.

Les différences entre les individus n'existent qu'au commissariat. L'important c'est de réussir sa vie. Encore faut-il connaître ses possibilités et savoir les exploiter.

Je suis parti de moins quelque chose et je n'ai pas accepté le rôle que m'avait attribué abusivement la « SOCIÉTÉ ».

J'ai rejeté les coutumes, jusqu'au jour où j'ai compris que l'homme n'est pas universel.

A force de discours et d'explications, j'ai su qu'il me fallait planter des racines.

Ce livre est une page de ma vie, il retire le voile de la honte et du mépris. Il m'a permis de me découvrir.

L'homme s'est offert à la plume, sans aucune retenue, sans aucune pudeur.

L'expérience a beaucoup modifié ma philosophie. Aujourd'hui, je sais que j'existe et pourquoi.

Je n'ai plus honte d'être un enfant de la *DDASS*. Pour tous les enfants du monde qui n'ont pas eu de famille, je dis qu'il faut croire à la petite étoile qui brille au-dessus de nous, je dis qu'il faut espérer et combattre. La vie est belle tout de même.

Donnons-nous simplement la main.

MON MESSAGE

Elle est là, Patricia, dans son petit lit blanc, à sangloter. Le dortoir est silencieux. Sa voisine, réveillée par le bruit s'est approchée.

– *Pourquoi tu pleures?*

Elle pleure Patricia parce qu'elle a du chagrin et pas de maman pour la consoler. Elle a sept ans, mais dans sa tête c'est déjà une grande, avec des problèmes de grandes personnes.

Si elle est là aujourd'hui, recueillie par la DDASS de Metz, c'est de son plein gré.

Un matin, pieds nus, elle s'est enfuie du taudis qu'elle partageait avec sa mère alcoolique. Elle en avait assez d'être battue. Au commissariat, elle a raconté son histoire, et de fil en aiguille, elle s'est retrouvée à l'orphelinat.

C'est pour elle et pour tous les autres enfants sans parents, sans amour qu'il y a un an, je me suis retiré pour écrire ce livre. Ce livre est un cri. Leurs cris.

Mon histoire leur appartient jusqu'au plus profond de ma chair.

Sachez tout de suite que je ne suis pas un ancien combattant qui vient vous montrer ses blessures de guerre et pourtant...

Le seul problème, c'est que nous sommes un régiment, plus, une compagnie, des milliers quoi, à souffrir de vilaines cicatrices.

Des cicatrices en forme de larmes d'enfants qui restent gravées à jamais dans ma mémoire. Lorsque la nuit tombe, avant de m'endormir, il y a des images qui passent et repassent que je n'arrive pas à oublier. D'ailleurs, il ne faut pas les oublier tous ces mômes, ils existent, ils doivent vivre.

Si je jette quelques pavés dans la mare, je ne règle pas mes comptes.

Ma mère a fait ce qu'elle a pu, l'administration a fait le reste.

Je veux seulement que la vérité éclate, il y a trop d'enfants malheureux en France. Ce n'est pas une maladie d'être orphelin ou de la DDASS, alors pourquoi cacher cette détresse?

Écoutez-moi les gosses, vous tous orphelins, maltraités, rejetés, ignorés, je vous connais. Je suis prêt à me battre pour que le monde entier jette un regard sur vous et vous reconnaisse également. Je suis prêt à bousculer les habitudes pour que les gouvernements entendent vos appels.

Nous n'avons pas tous la même force pour nous en tirer, la même volonté de nous en sortir. Les plus faibles ne doivent pas devenir les « portes guenilles » de l'existence.

Parents qui désirez à tout « prix » adopter un enfant, n'allez pas l'acheter comme un jouet, en Colombie, en Corée ou ailleurs. Vous mettez en péril la simple morale. Prenez contact avec la DDASS de votre département et soyez patients. Ou alors, criez avec moi pour qu'on réforme les textes sur l'adoption. D'ailleurs, à la fin de cet ouvrage, vous saurez comment faire les premiers pas.

J'engage une nouvelle bataille, mon armée est immense puisque c'est vous, et nous allons conquérir les cœurs.

ANNEXES

Rapport de comportement concernant Jean-Luc LAHAEYE

Sexe : Masculin
Cat. RTP n° 65/51 5

Date de naissance :
23.12.1958

AIDE SOCIALE A L'ENFANCE
36, rue de Turbigo
PARIS 3e
Département de la SEINE-SAINT-DENIS

Fréquence des visites des parents : Tous les 15 jours

Fréquence des visites : Tous les mois, Jean-Luc rend visite à sa mère

Dernière adresse des parents : Mme LAHAYE – Bat. D 32, rue du Moulin-Neuf 93 – STAINS

État de santé actuel de l'enfant :

Parfait état de santé – Jean-Luc se développe normalement et d'une façon harmonieuse – Grande taille, fine silhouette, c'est un solide garçon.

Développement psychomoteur et mental :

Développement normal amenant une plus grande maîtrise de lui-même. Son énurésie primitive tend à disparaître avec toutefois des rechutes lorsque des obstacles se présentent.

Toujours grandes difficultés pour s'éveiller le matin.

Caractère et comportement :

Au foyer, Jean-Luc a fait d'énormes progrès dans les rapports avec ses camarades. Devenu un des plus anciens, il prend confiance en lui et en ses possibilités. Il manque toutefois de volonté, ce qui l'empêche de mener à bien ce qu'il entreprend.

Fréquentation scolaire et niveau scolaire :

Jean-Luc reste un inadapté scolaire. Il ne parvient pas à se situer normalement en face de ses professeurs. Il reste en queue de classe en raison de son manque d'assiduité et de son instabilité. Il excelle en français.

Orientation professionnelle :

Jean-Luc poursuit son année de FPA en mécanique (ajustage). Il aura terminé au mois de juillet 75 date à laquelle son école lui trouvera une place s'il obtient son CAP.

Perspectives d'avenir :

Dans les mois à venir, Jean-Luc devra faire preuve d'un acharnement au travail s'il veut réussir sur le plan professionnel. Son comportement ayant subi une très forte amélioration, nous espérons du progrès dans ce sens.

Observations :

Jean-Luc exige d'être suivi de très près si nous voulons le voir terminer sa formation, car il ne semble pas encore très conscient des difficultés qui l'attendent à la sortie du foyer. Une ouverture sur l'extérieur semble s'amorcer, à encourager.

Le Directeur
P. PON
Fait à Athis Mons, le 15.02.1973

*

Madame Yvette Fourniquet

à Monsieur le Directeur Caroff
Foyer d'Athis Mons

Cher Monsieur,

Je pense que Jean-Luc va bien depuis l'autre fois.

Nous n'étions pas contents, avec son copain, ils sont venus à 3 heures du matin.

Monsieur, soyez gentil de lui dire qu'il vienne seul la prochaine fois.

Si ce n'était que moi, cela irait, mais avec Achour! Vous savez bien et après c'est moi qui prend, il a un caractère pas vivable le Achour.

Recevez toutes mes salutations bien respectueuses.

Stains, le 10.12.1973.

Jean-Luc Lahaye

à Monsieur Galopin
et Jean Caroff

Cher Jean ou Jean-Marie,

Je vous écris pour vous dire que je n'ai plus un rond pour prendre le train; je vais vous expliquer :

– A Athis je n'ai pas pu avoir le train de 7 h 15, alors j'ai raté celui de la gare de l'Est.

Il m'a fallu attendre 5 heures pour avoir le prochain qui était à 1 h 05.

En plus au bonhomme qui donne les billets au guichet, je lui ai demandé un aller et retour, il me donne un aller simple. Je ne m'en suis pas aperçu.

A midi, le repas le moins cher m'a coûté 7,70 F, plus le coup de téléphone 3,50 F, comme je pensais avoir un billet complet, je ne m'en suis pas trop fait.

Enfin, il me faudrait 20 F, car le voyage coûte 18 F et les clopes 2 F.

J'espère que ça va au foyer. Vous devez penser que ça va nettement mieux sans moi, pas vrai?

Enfin, si vous pouviez m'envoyer un mandat lettre avant mercredi.

Merci les mecs!!

Jean-Luc
Le 30.11.73

Témoignage de l'éducateur Jean-Marie Galopin

Animé depuis le début de mon adolescence d'être au service des jeunes, j'étais responsable du patronage de mon quartier pour un mouvement de jeunesse, à titre bénévole.

Déjà, à cette époque, je ressentais profondément que les jeunes démunis de soutien familial, délinquants et autres, avaient besoin d'être écoutés, aimés, revalorisés, remis en confiance.

Par la suite, je m'occupe d'un foyer de jeunes adolescents de 14 à 18 ans, en accord avec la DDASS.

Les jeunes arrivaient au foyer avec un passé chargé d'amertume, d'agressivité, soit à cause d'un manque de soutien familial, soit à cause des placements successifs chez des assistantes maternelles.

En avril 1973, le quinzième jeune entrait au foyer. C'était un tout petit bonhomme de 14 ans d'âge, mais qui n'en paraissait que 12, coiffé à la Jeanne d'Arc, plein de malice dans ses yeux noirs. Avec sa voix d'enfant, il me dit :

– *Je m'appelle Jean-Luc Lahaye, votre foyer me plaît beaucoup, je vais y rester.*

Au fil des jours et des mois, il était vraiment chez lui. C'était un être farceur, n'ayant peur de rien, mais s'attirant par moment la colère des éducateurs.

Je me souviens qu'une fois, il est parti à l'école déguisé en enfant de chœur.

Il était effronté, volontaire et croquait la vie à pleine dent, ou plutôt, c'est ce qu'il désirait, faisant énormément de bêtises, mais toujours dans la limite du raisonnable.

Je savais qu'il y avait quelque chose à faire de cet enfant. Sa générosité, son côté volontaire, son réalisme, son sens de l'amitié, sa grande sensibilité, tout était réuni.

Je reconnais avoir passé des moments de déception, de découragement, d'impatience, mais vite le normal et le quotidien reprenaient leur place quand Jean-Luc laissait entrevoir une petite lueur dans son regard.

Mes nombreuses interventions auprès des commissariats, juges pour enfants et avocats, m'ont incité à toujours faire comprendre à ces gens-là : Qui était ce jeune, qu'il ne fallait pas répondre à son agressivité, par l'agressivité. Et encore moins par la prison. Tous délits doivent se payer, mais de quelles façons?

Jean-Luc peut être fier de sa réussite et démontrer ainsi que dans la vie, avec du courage, de la volonté et de la tenacité, on peut s'en sortir.

Ce jour du mois de mai 1982 ou il me fit écouter au téléphone sa chanson « Femme que j'aime », j'en ai pleuré de joie, tellement grande était mon émotion.

Il commençait à vivre.

J.M. GALOPIN

Suggestion

Je suggère une idée qui suppose une masse budgétaire énorme, mais la DDASS ne serait-elle pas gagnante à long terme, si au lieu de payer des CNPP, des EMP, des IMPRO, voire des hôpitaux de jour, elle formait un corps d'assitantes maternelles au fait des problèmes psychologiques de l'enfance et de l'adolescence.

Il faut savoir en effet, que tous les jeunes placés sont « blessés » et qu'ils ont besoin d'une écoute spéciale. Il serait donc opportun me semble-t-il de généraliser « les placements familiaux spécialisés ».

J.M. GALOPIN

Témoignage d'une adoption difficile

Monsieur Renault Delphin
68, avenue Gros Malhon
35000 - RENNES

Monsieur Jean-Luc Lahaye,

Suite à notre entrevue et notre conversation téléphonique, je vous informe comment s'est faite l'adoption de notre petite Sophie.

En qualité de forain, il nous a été difficile de convaincre la DDASS. Voyageant continuellement et habitant dans une caravane améliorée, l'administration se posait beaucoup de questions.

Comment se ferait la scolarité de l'enfant?

La DDASS ne connaissait pas notre milieu. A force d'explication et de patience, nous avons prouvé qu'elle aurait une vie saine et familiale. Qu'elle recevrait la même affection que nous avions reçu et que les forains se transmettent de génération en génération. Car, dans notre communauté, les enfants passent avant toutes choses.

La DDASS a fait preuve de compétence dans cette affaire car elle ne s'est pas trompée. La petite Sophie est heureuse de vivre en très bonne santé. Sa maman et son papa sont comblés. Ils ont le bonheur pour la vie, comme vous avez pu le voir lors de votre passage à Royan.

Jean-Luc Lahaye, je pense que nous sommes les seuls forains en France à avoir eu la chance d'obtenir un petit bébé de trois mois.

J'espère que notre exemple servira à d'autres forains et bien sûr aussi à des sédentaires.

Sophie est née le 5 novembre 1983 à Rennes. Nous avons fait les demandes d'adoption au mois de novembre 1980 et on nous a donné la petite au mois de février 1984.

Jean-Luc, recevez nos sincères salutations.

M. Renault
et bonne chance pour l'Olympia
Royan, le 29 août 1985.

ADOPTION

(loi du 22.12.1976)

Adoption plénière – Conditions

Époux : être mariés depuis plus de 5 ans ou avoir chacun plus de 30 ans (jurisprudence 1982). Ne pas être séparés de corps, avoir 15 ans de plus que l'adopté (10 si l'adoption est l'enfant du conjoint, même décédé). Pas de condition d'âge pour l'adoption conjugale.

Personne seule : (Célibataire, divorcée, veuve ou mariée) Avoir plus de 30 ans, avoir 15 ans de plus que l'adopté. Si la personne est mariée et non séparée de corps, le consentement de son conjoint est nécessaire, à moins qu'il ne soit dans l'incapacité de manifester sa volonté.

Le fait d'avoir déjà des enfants n'est pas un obstacle à l'adoption. En cas de décès de l'adoptant, une nouvelle adoption peut être prononcée si la demande est présentée par le nouveau conjoint du survivant.

L'adoption n'est permise qu'en faveur des enfants de moins de 15 ans, accueillis au foyer du ou des adoptants depuis au moins 6 mois.

L'adoption est prononcée par le tribunal de grande instance, saisi par une requête de l'adoptant.

Enfants susceptibles d'être adoptés

1) Enfants pour lesquels pères et mères ou le conseil de famille ont valablement consenti à l'adoption.

2) Pupilles de l'État.

3) Enfants déclarés abandonnés dans les conditions prévues par l'article 350 du code civil.

Adoption simple – Conditions

Pour l'adoptant, les mêmes que pour l'adoption pleinière. l'adoption est permise quel que soit l'âge de l'adopté. Mais s'il a plus de 15 ans, il doit consentir personnellement à son adoption. Révocable pour motifs graves, à la demande de l'adoptant ou de l'adopté.

Statistiques

– Personnes attendant un enfant à adopter : 20 000 couples (1981)
– Nombre d'adoptions simples 1980 : 2 597
– Nombre d'adoptions pleinières en 1980 : 3 922
– Enfants adoptables au niveau DDASS en 1982 : 14 400

Autres formules

– Accueil à vie d'enfants du tiers monde
– Parrainage

– Où s'adresser :

– *Adoption :*

« DDASS (service de l'aide sociale à l'enfance, au chef lieu de chaque département.)

– *Parrainage :*

Comité français de secours aux enfants
25, avenue de Wagram, PARIS 17e
Fédération nationale des associations du foyer adoptif
35, rue Saint-Georges, 75009, PARIS

Aide sociale légale (prestations)

Administrée par la DDASS (Direction Départementale de l'action Sanitaire et Sociale) – Alimentée par les collectivités publiques, destinée aux non-bénéficiaires de la Sécurité sociale. Doit disparaître progressivement avec sa généralisation à l'ensemble de la population.

Aide sociale à l'enfance (ex-assistance publique) – Tutelle des pupilles de l'État, protection des enfants pris en charge jusqu'à 18 ou 21 ans (468 975 enfants bénéficiaires au 1.1.80), PMI (protection maternelle et infantile).

Aide à l'enfance

Montant fixé dans chaque département par le conseil général.

Établissements sociaux

Établissements de l'aide sociale à l'enfance (1982)
– Foyers de l'enfance : 143 (10 495 places)
– Maisons d'enfants à caractère social : 520 (30 000 places)
– Centres maternels : 56 (1 644 places)
– Maisons maternelles : 31 (550 places)
– Hôtels maternels : 11 (294 places)
Familles et jeunes travailleurs – Au 1.1.1981
– Centres sociaux : 870
– Maisons familiales de vacances : 710 (77 020 places)
– Foyers de jeunes travailleurs : 579 (56 313 places)
– Centre d'Études, de documentation, d'information et d'action sociale (CEDIAS) 5, rue Las Cases, PARIS 7e
– Maisons d'enfants et d'adolescents de France
52, rue de La Tour d'Auvergne, 75009 PARIS

ŒUVRES

Adoption

– « La famille adoptive française »
90, rue de Paris, 92100, BOULOGNE
– « Œuvre de l'adoption »
10, rue Philibert-Delorme, 75017, PARIS

Jeunes délinquants

– Association Pierre Kohlmann
16, rue de l'Abbaye, 92160, ANTONY

Enfance

– Comité français FISE/UNICEF
35, rue Félicien David, 75781, PARIS CEDEX 16
– Comité National de l'Enfance
51, avenue Franklin Roosevelt, 75008, PARIS
– Comité Français de Secours aux Enfants
25, avenue de Wagram, 75017, PARIS
– La Nouvelle Étoile des enfants de France
3, rue de Pontoise, 75005, PARIS
(Hébergement des mères en détresse avec enfant)
– Village d'enfants SOS
6, cité Monthiers, 75009, PARIS
(prise en charge d'enfants de familles nombreuses, orphelins ou en difficultés familiales, par des « mères de remplacement ».)

Isolés

– Œuvre Fabret (Hébergement)
52, rue du Théâtre, 75015, PARIS

Orphelins

– Œuvre des orphelins apprentis d'Auteuil
40, rue de la Fontaine, 75016, PARIS
– Les Enfants des Arts
14, rue de la Montagne, 92400, COURBEVOIE

L'aide sociale à l'enfance

Chaque année, 510 000 enfants – 200 000 familles sont concernés par l'aide sociale à l'enfance. Des enfants « en danger » qu'il faut protéger... Des familles en difficulté qui ont besoin d'être aidées.

Le service de l'aide sociale à l'enfance relève de la Direction départementale des affaires sanitaires et sociales (la DDASS). Il est chargé de mettre en œuvre des actions de prévention d'aide, de protection à l'égard de tous les enfants et adolescents qui en ont besoin. Selon la situation des familles, des aides financières (allocations mensuelles...), ou éducatives (en milieu ouvert, en établissement, en placement familial) peuvent être attribuées. L'ensemble des interventions est entièrement pris en charge par l'aide sociale à l'enfance, ce qui représentait en 1982 un budget de près de 14 milliards de francs.

Souvent critiqués, l'aide sociale à l'enfance connaît pourtant depuis des années un certain nombre d'évolutions et de remises en cause qui semblent passer inaperçues. Parmi les plus récentes, on peut citer la décentralisation.

La décentralisation : quels changements ?

Depuis le 1er janvier 1984, l'aide sociale à l'enfance est placée, dans chaque département, sous la responsabilité politique et financière du président du conseil général (élu pour trois ans.). Sa gestion ne relève plus désormais de l'État mais du département. L'exercice de cette nouvelle compétence par le département s'accompagne d'un transfert du service et des personnels s'y rattachant, qui changent désormais de « patron ». L'État conserve toutefois la fonction de tuteur des pupilles de l'État (enfant sans famille) exercés dans le département par le commissaire de la république (nouvelle dénomination du préfet).

Les changements sont donc considérables puisque c'est un élu et non plus un fonctionnaire relevant du ministre qui décide des orientations politiques et financières de l'aide sociale à l'enfance (le budget étant voté par le conseil général), dans le cadre toutefois des textes officiels en vigueur. En effet, l'existence de textes apparaît fondamentale pour qu'un minimum de protection sociale soit assuré dans tous les départements.

L'avenir de l'aide sociale à l'enfance dépend des relations qu'entretiennent les hommes politiques avec les partenaires sociaux : travailleurs sociaux, associations privées... La plupart de ces relations sont définies par des conventions qui déterminent le contenu des interventions et leur prise en charge financière. Des changements sont possibles si le président du conseil général choisit de travailler avec d'autres personnes ou différemment. Ainsi, dans tel département, un foyer de l'enfance a été fermé. A l'inverse, dans tel autres, toutes les conventions ont été renégociées sans modification. Les changements qui s'annoncent se feront-ils par souci d'une plus grande efficacité de gestion ou risquent-ils de s'opérer au détriment des familles et des enfants ? Sans doute est-il trop tôt pour répondre à cette question.

En tout cas, la décentralisation suscite déjà beaucoup de réactions, de remises en cause, parfois même d'inquiétudes de la part des travailleurs sociaux et de tout le personnel de l'aide sociale à l'enfance. Tous les partis sont possibles sur l'avenir. Ils dépendent toutefois largement du passé.

Autrefois l'assistance

Pour beaucoup, l'aide sociale à l'enfance c'est encore l'Assistance Publique. C'est là ou les enfants sont placés après avoir été retirés à leur famille par une assistante sociale... et souvent pendant des années. Ces images très présentes et très violentes sont en partie liées à l'histoire de l'aide sociale à l'enfance.

Autrefois, c'était un service de l'administration qui avait pour mission de recueillir et d'élever dans des établissements les enfants « trouvés » ou abandonnés par leurs parents. La justice de son côté, pouvait également intervenir pour prononcer la déchéance de la puissance paternelle lorsque l'enfant était maltraité ou moralement abandonné (1889). Dans ce cas, l'enfant pouvait être remis à l'Assistance publique (notamment à Paris, Lyon, Marseille) ou dans d'autres établissements et placé. Les services des enfants assistés (1904) est devenu l'assistance à l'enfance (1943) puis, l'aide sociale à l'enfance (1953). Tous ces changements dans les modes d'intervention sont en faveur de l'enfant : le placement n'est plus apparu comme la seule solution. Par ailleurs, les professions sociales se sont multipliées. L'assistante sociale n'a plus été la seule à intervenir au titre de la protection de l'enfance. Les pratiques professionnelles se sont alors diversifiées.

Un personnage nouveau : le juge des enfants

Sa fonction est réellement créée en 1945. Le juge des enfants intervient alors essentiellement pour les mineurs délinquants.

Mais, progressivement, ses attributions vont se multiplier. Ses compétences se rapprochent de celles attribuées au service de l'aide sociale à l'enfance. Il apparaît désormais nécessaire d'interner non pas uniquement dans certains cas précis (abandon, fugues, délits, mauvais traitements) mais dès que l'enfant risque d'être en danger dans sa santé, sa sécurité, sa moralité ou dès que les conditions de son éducation sont gravement compromises : c'est là une des raisons de l'intervention de l'aide sociale à l'enfance et de la protection sociale depuis 1959. Si l'enfant est déjà en danger, c'est le juge des enfants qui décide depuis 1958 de la mesure appropriée. La prévention pour l'aide sociale à l'enfance et l'assistance éducative pour le juge deviennent deux compétences nouvelles complémentaires, qui leur permettent d'intervenir dans tous les cas où l'enfant a besoin d'être protégé. Seul le juge a le droit de porter atteinte à l'autorité parentale.

Éviter le placement à tout prix

A partir des années 1960, le placement est systématiquement remis en cause. Il n'apparaît plus comme la seule réponse; il est souvent mal adapté aux besoins des enfants. En effet, pourquoi couper systématiquement les enfants de leur famille? N'y aurait-il pas de cas dans lesquels l'enfant pourrait être maintenu dans sa famille avec l'aide d'un travailleur social, un éducateur spécialisé par exemple? C'est là tout l'intérêt de l'action éducative en milieu ouvert. (AEMO) très souvent prononcée aujourd'hui... soit par un inspecteur de l'enfance, on parle alors d'AEMO administrative, soit par le juge des enfants, il s'agit alors d'une AEMO judiciaire. Parallèlement des aides financières (allocations mensuelles...) ou matérielles et éducatives (aide ménagère, travailleuse familiale) peuvent être prononcées par le service de l'aide sociale à l'enfance, si elles évitent un placement. Elles sont prononcées seules ou en accompagnement d'une mesure éducative comme l'AEMO.

L'évolution des pratiques des travailleurs sociaux de ces dernières années s'est effectuée dans le sens d'une diversité des solutions apportées aux besoins des enfants et des familles. Il ne peut y avoir en effet, une seule réponse possible, chaque enfant, chaque famille ayant une histoire différente et des difficultés différentes.

Les droits des familles

Encore plus récemment, la loi du 6 juin 1984 est venue marquer une évolution supplémentaire. En définissant les rapports de la famille avec le service de l'aide sociale à l'enfance, elle rappelle l'importance de l'accord de la famille dans le choix des solutions qui sont envisagées. Le service de l'aide sociale à l'enfance ne peut jamais imposer une mesure à une famille. Seul le juge peut passer outre le refus de la famille et imposer une décision. Il doit, toutefois « s'efforcer de recueillir à chaque fois l'adhésion de la famille ».

Désormais, les familles ont le droit :

– d'être informées,

– d'être assistées de la personne de leur choix

– d'être associées à toute décision concernant l'enfant (en donnant par exemple leur accord écrit)

– de bénéficier d'une réévaluation régulière de la situation – chaque décision du service de l'aide sociale à l'enfance ne pouvant être prise pour une durée supérieure à un an.

Les enfants ont également le droit d'être associés aux mesures qui les concernent.

La loi définit également le statut des enfants qui n'ont plus de famille : les Pupilles de l'État. Elle apporte des nouveautés importantes et précises que :

– leur situation doit être réexaminée également une fois par an;

– leur adoption doit être facilitée;

– la décision de leur admission au service de l'aide sociale à l'enfance peut être contestée dans des cas précis : par les parents, exceptionnellement, par certains membres de la famille de l'enfant ou toute personne qui s'est occupée de l'enfant. Ils peuvent alors s'adresser au tribunal de grande instance situé dans la ville chef-lieu du département. Le tribunal devra alors étudier si la décision de remise de l'enfant au service de l'aide sociale à l'enfance a été prise dans son intérêt. S'il juge que non, il confie la garde de l'enfant à la personne qui a constesté cette décision.

Dans le cas contraire, l'enfant est maintenu dans le service de l'aide sociale à l'enfance, un droit de visite pouvant être accordé à celui qui en fait la demande.

Enfants martyrs

Quiconque a connaissance de mauvais traitements à un enfant est tenu de le signaler, y compris les médecins alors non soumis au secret professionnel, au titre de l'assistance à personne en danger.

Nombre : En permanence 48 000 ou 50 000 enfants (dont la plupart ont moins de 6 ans) sont victimes de mauvais traitements et 3 000 à 3 500 victimes de sévices graves, 3 000 à 5 000 sont hospitalisés chaque année. (Environ 700 décéderaient par an).

Principales causes des mauvais traitements : Le déséquilibre psycho-affectif des parents, leur jeune âge, l'isolement, les antécédents de sévices moraux et physiques dans l'enfance, quelle que soit l'origine sociale.

Les facteurs socio-économiques : chômage, promiscuité, maladie, alcoolisme.

Adresses

- Juge des enfants compétent
- Commissariat de police
- Brigade ou gendarmerie
- Brigade de protection des mineurs

NOMBRE D'ENFANTS PRIS EN CHARGE AU 31 DÉCEMBRE 1982

Enfants « secourus » (allocations mensuelles)	226 412
Enfants en AEMO judiciaire (prononcée par le juge des enfants)	71 775
Enfants en AEMO administrative (prononcée par l'aide sociale à l'enfance)	36 959
Enfants placés (total)	**178 115**
Pupilles (enfants sans famille)	16 804
Enfants en garde (confiés au service sur décisions judiciaires)	70 602
Enfants recueillis temporairement (confiés au service sur décision de l'aide sociale à l'enfance)	54 189
Enfants sous protection conjointe du juge et de l'aide sociale à l'enfance	36 520

Département	*État*
– Aide sociale à l'enfance. – Aide sociale aux familles. – Aide aux personnes handicapées – Aide sociale aux personnes agées – Protection maternelle et infantile (PMI) – Service social départemental – Contrôle des établissements sociaux (de la compétence du département) – Aide médicale – Lutte contre la tuberculose et le cancer ainsi que les maladies sexuellement transmissibles	– Prise en charge des cotisations d'assurance personnelle et des cotisations maladie des personnes handicapées – Prestations qui relèvent de la solidarité nationale (dont personnes sans domicile de secours ou en situation d'inadaption sociale) – Prestations de subsistance (allocation simple aux personnes agées notamment) – Politique de la santé mentale – Planification – Tutelle et contrôle des établissements sanitaires et sociaux (de la compétence de l'état) – Lutte contre les toxicomanies y compris l'alcoolisme.

QUE SONT-ILS DEVENUS ?

Comme le temps passe. Toujours cette maudite pendule céleste qui égrenne les secondes, les minutes, les heures et les jours de notre vie. C'est de loin la seule égalité des hommes.

Maman

Elle approche de la retraite et elle en parle. C'est maintenant la plus ancienne employée du laboratoire.

Sa vie est toujours la même. 17 h 55 : elle se rend aux vestiaires, se lave les mains, accroche sa blouse et introduit son carton de pointage dans la machine.

18 heures : sortie dans la bousculade et les piaillements des femmes fatiguées de leur journée.

Direction la boulangerie, elle a préparé sa monnaie pour payer la baguette que lui tend la jeune vendeuse.

De son pas alerte, elle s'engouffre dans le métro de la station République, métro qui va la mener jusqu'à la gare.

Un train de banlieue, avec chaque matin et chaque soir les mêmes têtes, les mêmes gens avec qui il ne lui viendrait pas à l'idée d'échanger quelques mots, peut-être seulement un hochement de la tête, le même depuis 10 ans.

Elle descend à Sainte-Geneviève.

Une fois par semaine elle se rend au dispensaire du 11e arrondissement, l'infirmière lui fait sa piqûre et tout va bien.

Yvette voit rarement ses enfants, excepté Jamy et moi de temps en temps.

Depuis la naissance de ma fille, je m'efforce de la rencontrer au moins une fois par trimestre. Il n'est pas rare non plus que j'aille l'attendre à la sortie de son travail. Mais attention, si j'arrive à 18 h 01 il est trop tard, elle marche toujours aussi rapidement...

Jamy

Elle pensait trouver « sa liberté » dans le mariage. En hiver 1977, elle a épousé un Yougoslave a qui elle a donné deux enfants, Nicolas et Grégory. Est-elle heureuse ?

La dernière fois que nous nous sommes vus, c'était il y a trois ans...

Malgré tout, nous nous téléphonons régulièrement. J'aime beaucoup Jamy.

Freddy

Mon frère de sang de la première colo. Il est marié et papa d'une petite Audrey dont je suis le parrain, c'est dire que nous nous voyons souvent.

Le jour, il est professeur de karaté dans plusieurs salles d'entraînement, la nuit il assure le bon fonctionnement d'une discothèque.

Bientôt, il sera mon garde du corps, et en tournée responsable du service d'ordre.

Richard

Il a créé sa propre salle d'entraînement. Elle est gigantesque et à la mesure de sa réussite. Je la fréquente assidûment.

C'est lui qui m'a initié au K. Boxing dont il est un champion.

Il vient de se marier et nous en sommes très heureux avec Aurélie. C'est mon meilleur ami et il lui arrive très souvent de me suivre quelques jours en tournée.

Doudou

Le roi des mathématiques. Il vit toujours seul et sans meubles dans son studio de 35 m^2 de la place d'Italie.

Au milieu de la pièce, son gadget favori, un répondeur téléphonique. Il est associé dans une société de Production et Publicité Vidéo.

Chaque jour que Dieu fait, il entretient sa forme en courant allègrement ses 10 kilomètres. Cela fait 10 ans qu'il doit déménager, mais je le soupçonne de préférer s'installer chez les autres, connus ou inconnus.

Dans les soirées, c'est toujours pareil, ou il s'engueule avec tout le monde, ou il déclenche de grandes amitiés. S'il devait avoir un portefeuille au gouvernement, ce serait sans conteste celui du temps libre. Aux dernières nouvelles il serait en train de déménager

Tonton

Il ne vit pas une retraite de tout repos et bien méritée. Non, il suit de très près ma carrière, collectionne tous les articles de presse me concernant et détient aussi le plus impressionnant presse-book.

Il vit près de Toulon, dans un petit village de montagne et chaque fois qu'il le peut, il se rend auprès des radios libres de la région pour assurer la promotion de mon dernier disque. Il est aussi le plus gros client de son disquaire attitré.

Inconditionnel de son petit Jean-Luc, c'est par 50 qu'il achète mes disques pour les offrir autour de lui. C'est sa façon de m'aider. Sacré Tonton.

Look (le toutou)

Il s'est éteint pendant l'été 1984.

Dominique Trumtel

Je crois savoir qu'il dirige un foyer de jeunes délinquants en réinsertion. Rien de plus naturel pour un ancien bagnard.

Roger Mille

Lui aussi s'occupe dans le Tarn d'un centre de réinsertion pour anciens drogués. Il a créé une communauté écologique, chacun y trouve sa place dans le travail.

Le père Du Plessis

Sa vie n'existe pas, il n'y a que celle des autres qui compte. Il consacre tout son temps aux pauvres et aux démunis; reconvertion des drogués, visites aux détenus et réinsertion sociale dans tous les cas.

Son petit appartement est jonché de matelas et de duvets. Il y a toujours une place pour celui qui en a besoin; Il est comme son cœur « une éternelle terre d'accueil ».

Nous nous rencontrons souvent.

Le père François Du Plessis est né en Provence le 10.02.1921, dans un petit village du Var nommé Cuers. Très tôt, il sera orphelin.

Son père est mort quand il avait deux ans et demi. Il commandait un dirigeable, le S 72 devenu par la suite le DIXMUD.

Alors qu'il était en mission au-dessus de la Méditerranée, le ballon a explosé. L'équipage de 50 hommes et le commandant ont péri.

Deux semaines plus tard, Mme Du Plessis mettait au monde, le plus jeune de ses frères. François avait 10 ans quand sa mère est décédée. Il a été recueilli et élevé par les grands-parents.

Il dit lui-même aujourd'hui, que jusqu'à l'âge de 15 ans, il était mauvais élève. Brusquement, il se réveille, passe brillamment son bac et entre au séminaire d'Issy-les-Moulineaux.

– Je désirais être prêtre depuis toujours.

Le 28 Mars 1943, il a 22 ans, il devient le plus jeune prêtre de France. Il est envoyé tout d'abord dans un chantier de jeunesse en Auvergne. Ensuite, dans les Landes on le trouve coupant du bois dans la forêt.

Son grand-père rentre à la Trappe dans le Maine-et-Loire, François l'accompagne. Il en profite pour rejoindre les FTP dans le maquis de la Roche-sur-Yon.

Il baroude en qualité d'aumonier dans le sud avec les parachutistes. C'est la fin de la guerre. Le père Du Plessis se retrouvera en Allemagne jusqu'en Août 1946.

Après trois années de bons et loyaux services, il quitte l'armée pour reprendre ses études à la Sorbonne. C'est un échec.

– Avec ce que j'avais vécu, l'expérience acquise et les souffrances endurées, j'avais 20 ans de plus dans ma tête.

Il s'installe à Marseille où il enseigne l'histoire et le droit au séminaire pendant quatre ans. Il est nommé vicaire dans le quartier « Belle de Mai », un des plus chauds de la ville.

En 1955, une lettre l'informe qu'il se voit confier une église à Issy-les-Moulineaux : « Notre-Dame des pauvres ». Il y restera 18 ans. Pendant cette période, il crée le camp de l'Arbousier et son slogan :

« Si tu viens en ami, tu partages avec nous les joies et les peines »

N'est pas vain. Dans cette réalisation, il y a mis tout son cœur et toute sa force. Des gens comme Navarro, Fondert, Richard et tant d'autres l'accompagnent dans l'aventure.

– *Nous avons tout fait nous-même. La toile de tente vient d'Air Azur. J'avais acheté un poste à souder pour mes 800 mètres de tube et une machine à coudre.*

Cette grande famille reçoit des gens de 7 mois à 77 ans, comme il le dit si bien. Les vacances de Pâques 1956 voient arriver 60 garçons et filles. Plus tard, il recevra entre 120 et 150 enfants.

Sa plus grande peine, c'est quand l'Arbousier a éteint ses feux, en 1973. Le bail était établi pour 18 ans et le maire M. Darbeau avait promis de le renouveler. Entre-temps, les élections ont élu un nouveau maire, M. Cazalet. Pour lui, il n'était pas question que la location continue. La dernière nuit au camp, il s'en rappelle très bien le Père :

– *La cinquantaine d'enfants qui m'avait accompagné voulait incendier la mairie. Je les ai dissuadé. La nuit, j'ai célébré la messe avec une bougie. Nous étions émus jusqu'aux larmes.*

Fatigué, je me suis assoupi sur mon lit, j'avais donné la permission aux enfants d'aller en ville. Vers 4 heures, on me réveille. Une bagarre avait éclatée. L'un de nos garçons ivre mort avait été ramené de la ville par deux jeunes Bordelais qui pensaient pouvoir voler la cagnotte. En fait, ils se sont retrouvés face à 50 gamins pas commodes du tout. Ils se sont enfuis en laissant sur place une voiture volée. Nous l'avons poussée dans le canal. Le malheur c'est qu'en rentrant à Issy, une convocation de la gendarmerie m'attendait. J'ai porté plainte contre les brigands et tout c'est bien terminé.

Le père m'a rappelé d'autres souvenirs.

Pendant une promenade en tube Citroën avec le père Du Plessis, nous avions volé 12 petits canards dans une ferme de la région. Nous les avions cachés au fond du véhicule, dans une caisse. Pour qu'on n'entende pas les cris, nous chantions :

– *Un canard, ça fait pas deux canards, deux canards, ça fait pas trois canards...*

A midi, nous déjeunions dans un couvent. Une des sœurs, intriguée par le bruit, découvre la volaille.

Elle en fait part au père, qui comprend immédiatement notre chanson du « canard ». Il ne dit rien.

Au moment de repartir, plus de « coin-coin ». Suivant les instructions du père, les petites sœurs les avaient cachés. Dans le camion, nous discutions de notre blague avortée.

– *Quand on va dire ça aux filles en rentrant.*

A 300 mètres du camp, le père Du Plessis s'est arrêté pour échanger quelques mots avec l'intendant.

– *Réunissez toutes les filles, mais, que les filles, et à notre arrivée qu'elles se mettent à chanter la chanson des canards.*

Effectivement, en passant le portail, qu'elle n'était pas notre surprise, les filles chantaient à tue-tête « un canard, ça fait pas deux canards ».

Le père François Du Plessis était prêtre ouvrier. De 1969 à 1973, il travailla comme manœuvre à la CAMA. De 1973 à 1982, il animera la formation professionnelle pour adulte, au titre des engins de levage.

Aujourd'hui, il visite les prisons pour donner du courage. C'est un homme de cœur qui a mené une vie d'aventurier et de justicier.

Pour finir, j'aimerais parler de la nuit de la Saint-Sylvestre de l'année 1962. Le père Du Plessis donne une messe à Notre-Dame des Pauvres. Son sermon « tendre la main à plusieurs familles arméniennes » 50 personnes au total, sans toit pour dormir. C'est l'opération squatter. Un immeuble neuf à Issy-les-Moulineaux est libre d'habitants. Le père aidé de quelques amis, investit les lieux. Il commence par clouer la porte de la gardienne, ainsi que ses volets. Comme elle n'a pas de téléphone, impossible pour elle de communiquer avec la police. Nous sommes un week-end, en période de fête, c'est parfait. Les familles sont logées scéance tenante, elles ne dormiront plus à la belle étoile.

Ce qu'il faut, c'est tenir pendant 48 heures. La loi est ainsi faite, si un déféré en justice n'est pas déposé, l'expulsion est impossible.

Ils sont restés un an.

Dans un courrier adressé à Jean-Marie Galopin, voici ce que disait le père Du Plessis en parlant du petit Jean-Luc Lahaye :

– *Il a été adopté sans problème par la bande des garçons de son âge. Ce petit bonhomme aux yeux noirs reste muet lorsque j'essaie de parler avec lui. Il est impénétrable. Il faut reconnaître notre échec à comprendre cet enfant. Mais je respecte son mystère.*

Les illustrations contenues dans cet ouvrage sont dues à une collection personnelle de l'auteur.

Photos de couverture : Thierry Bouët

Directeur de collection : Jacques PESSIS

Directeur technique : Claude FAGNET

Direction artistique : Dominique JEHANNE

Attachée de presse : Nathalie LADURANTIE

L'impression de ce livre
a été réalisée sur les presses
des Imprimeries Aubin
à Poitiers/Ligugé

pour les Éditions CARRERE — Michel LAFON

Achevé d'imprimer en décembre 1985
N° d'édition, 1930 — N° d'impression, L 20908
Dépôt légal, janvier 1986

Imprimé en France